Herderbücherei

Band 1291

Über das Buch

Paulus hat an die Gemeinde in Korinth nicht nur zwei Briefe geschrieben. Im 1. Korintherbrief erwähnt er ein früheres Schreiben (1 Kor 5,9.11). Es wäre ein großer Verlust, wenn uns die Korrespondenz des Apostels mit seiner wichtigsten europäischen Gemeinde nicht vollständig erhalten wäre; denn Paulus ringt mit den Korinthern um eine – heute erneut brennende – Frage: Nach der ihrem Erlösungsauftrag angemessenen gesellschaftlichen Lebensform der Kirche. In diesem Taschenbuch führt Rudolf Pesch den Nachweis, daß im 1. Korintherbrief vier ursprünglich eigenständige Briefe vereinigt worden sind, die das Ringen des Paulus mit der jungen Missionsgemeinde in Korinth über den Zeitraum eines Jahres dokumentieren. Der Autor löst die Briefe aus der Briefkomposition heraus und erläutert sie in ihrem ursprünglichen Kontext. Der Leser erlebt mit, wie der Völkerapostel, zum Teil wiederholt, zu zentralen Lebensfragen der jungen Gemeinde-Kirche und ihrer ehemals jüdischen oder heidnischen Mitglieder Stellung nimmt und so die neue Lebensform des internationalen Gottesvolkes prägt.

In der Herderbücherei hat Rudolf Pesch bereits „Das Evangelium der Urgemeinde" rekonstruiert (Nr. 748), „Die Entdeckung des ältesten Paulus-Briefes" beschrieben (Nr. 1167) und die Korrespondenz zwischen „Paulus und seine(r) Lieblingsgemeinde" in Philippi vorgestellt (Nr. 1208). Jetzt legt er ein weiteres faszinierendes Beispiel moderner bibelwissenschaftlicher Arbeit vor – zugleich ein aktuelles Stück Gemeinde-Theologie.

Rudolf Pesch

Paulus ringt um die Lebensform der Kirche

Vier Briefe an die Gemeinde Gottes in Korinth

Paulus – neu gesehen

Herderbücherei

Originalausgabe
erstmals veröffentlicht als Herder-Taschenbuch

BS
2675.2
.P47
1986

Alle Rechte vorbehalten – Printed in Germany
© Verlag Herder Freiburg im Breisgau 1986
Herder Freiburg · Basel · Wien
Herstellung: Freiburger Graphische Betriebe 1986
ISBN 3-451-08291-8

Inhalt

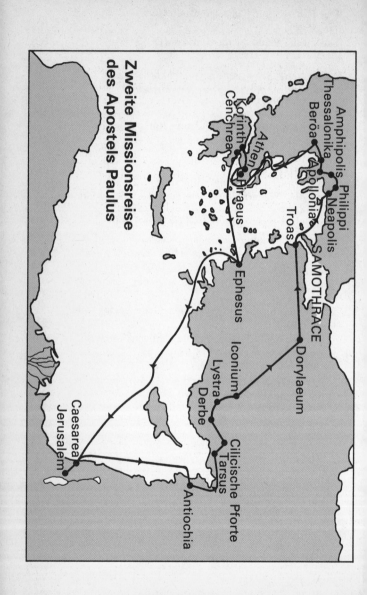

Zweite Missionsreise
des Apostels Paulus

Amphipolis
Philippi
Thessalonika
Neapolis
Beröa
Apollonia
SAMOTHRACE
Athen
Korinth
Cenchreä
Piraeus
Troas
Ephesus
Iconium
Dorylaeum
Lystra
Derbe
Cilicische Pforte
Tarsus
Caesarea
Jerusalem
Antiochia

Vorwort

In meinem Bericht über „Die Entdeckung des ältesten Paulus-
briefs" (Herderbücherei Nr. 1167) und im Bändchen „Paulus
und seine Lieblingsgemeinde" (Herderbücherei Nr. 1208) war
ein weiteres, den Korintherbriefen gewidmetes Bändchen
„Paulus – neu gesehen" angekündigt. Bei dessen Ausarbeitung
zeigte es sich, daß sich die in den beiden kanonischen Korintherbriefen enthaltene Korrespondenz des Apostels mit der
Gemeinde in Korinth nicht in einem Bändchen darstellen ließ.
Dieses dritte beschränkt sich deshalb auf den 1. Korintherbrief, ein viertes, das den 2. Korintherbrief als Briefsammlung
darstellt, wird unter dem Titel „Paulus kämpft um sein Apostolat" folgen.

Für die Hilfe bei der Herstellung des Manuskripts danke ich
Frau Linde Schlegel herzlich.

München, im Juli 1985   *Rudolf Pesch*

Einleitung

Die Gemeinde in der Hafen- und Provinzhauptstadt Korinth war die vierte christliche Gemeinde, die Paulus auf europäischem Boden gründete, die erste in der Provinz Achaia. Während er in Philippi, Saloniki und Beröa nach nur kurzer missionarischer Wirksamkeit ausgewiesen bzw. vertrieben wurde, konnte er in Korinth anderthalb Jahre bleiben und seine bis dahin größte und bedeutendste Gemeinde ins Leben rufen.

Im Kanon des Neuen Testaments befinden sich zwei Briefe, die Paulus an diese Gemeinde gerichtet hat. Unter den als echt anerkannten, d. h. von Paulus selbst stammenden Briefen, ist der Fall, daß zwei Briefe an dieselbe Gemeinde erhalten sind, einzigartig; denn der zweite Thessalonicherbrief stammt nicht von Paulus, und die beiden Briefe an Timotheus sind auch erst nach dem Tod des Apostels unter dessen Namen verfaßt worden.

Die beiden Briefe an die Korinther zeichnen sich auch durch ihre Länge aus; es sind insgesamt 29 Kapitel. Zählt man die Kapitel der übrigen echten Paulusbriefe zusammen (Röm: 16; Gal: 6; Phil: 4; 1. Thess: 5; Phlm: 1), so sind das nur drei Kapitel mehr, nämlich 32 Kapitel.

In beiden Briefen an die Korinther wird ein früherer Brief, den Paulus nach Korinth geschickt hat, erwähnt: in 1 Kor 5,9.11 und 2 Kor 2,3.4.9.; 7,8.12. Die Erwähnungen weiterer Briefe lassen erkennen, daß die Korrespondenz des Apostels mit der Gemeinde in Korinth besonders rege und intensiv gewesen sein muß; es müssen zumindest *vier* Korintherbriefe des Paulus existiert haben. Sind uns zwei nicht erhalten geblieben? Falls sie auch nur annähernd so wichtige Themen enthalten haben sollten wie die beiden vorliegenden kanonischen Dokumente, wäre dies ein großer Verlust. Denn die beiden Korintherbriefe, die wir besitzen, sind ja ein großartiger Spiegel des Ringens des Apostels Paulus um die Lebensform der Kirche und seines Kampfes um sein Apostolat. Angesichts der heute neu brennend gewordenen Frage nach der ihrem Erlösungsauftrag angemessenen gesellschaftlichen Lebensform der Kirche wäre es beklagenswert, wenn wir auf eine Hilfestellung, die wir von Paulus hätten erhalten können, verzichten müßten.

Die Frage, ob der in 1 Kor 5,9.11 erwähnte erste, frühere Brief verlorengegangen ist, die uns hier beschäftigt, ist keine bloß akademische Frage. In manchen Ausgaben des Neuen Testaments und Kommentaren zum 1. Korintherbrief wird in jüngerer Zeit darauf aufmerksam gemacht, daß die Forschung teilweise die Auffassung vertritt, daß der frühere Brief des Apostels nicht verlorengegangen, sondern im vorliegenden 1. Korintherbrief enthalten sei. Wie der Philipperbrief und der 2. Korintherbrief wird der 1. Korintherbrief als eine Briefkomposition vorgestellt. Freilich weichen die in den letzten Jahrzehnten vorgetragenen Auffassungen von der Art dieser Briefkomposition und der Anzahl der in ihr enthaltenen ursprünglichen Korintherbriefe erheblich voneinander ab.

Wenn wir hier von der Entdeckung der *vier* Schreiben berichten, die im 1. Korintherbrief enthalten sind, so schildern wird das Ergebnis einer eigenständigen Untersuchung, der die bisherigen Untersuchungen zum 1. Thessalonicherbrief und zum Philipperbrief vorausgingen und welche die Untersuchung des 2. Korintherbriefes, über die wir später berichten wollen, begleitete. Wir sind auch diesmal den Spuren gefolgt, die schon andere vor uns beobachteten; und auch diesmal fanden wir neue, weitere Spuren, die uns schließlich erkennen ließen, daß im 1. Korintherbrief nicht nur der in 1 Kor 5,9.11 erwähnte frühere Brief erhalten ist, sondern daß die Briefkomposition aus vier ursprünglich selbständigen Briefen, die Paulus nach Korinth geschickt hatte, zusammengesetzt ist.

Rechnen wir den 2. Korintherbrief hinzu, so hat Paulus mindestens *fünfmal* nach Korinth geschrieben. Mit dieser Gemeinde, Gruppen in ihr, Gegnern des Apostels, die in sie eingedrungen waren, und einzelnen uneinsichtigen Gemeindemitgliedern hat Paulus über Jahre hin ringen müssen: um die Lebensform der Kirche, der neutestamentlichen Gemeinde und ihres Gemeindeverbundes.

Die Erkenntnis, daß der 1. Korintherbrief eine Briefkomposition ist und insgesamt vier Briefe enthält, hilft uns das Ringen des Paulus mit den Korinthern über einen längeren Zeitraum und mehrere Stationen hin zu verfolgen. Die Geschichte der Gemeinde in Korinth und die Beziehung des Apostels Paulus zu ihr können wir so ein Stück mehr dem Dunkel der Vergangenheit entreißen. Schließlich ermöglicht uns die Einsicht in unterschiedliche Briefe und Briefsituationen sowie die Anlage der Briefkomposition, den 1. Korintherbrief insgesamt besser zu verstehen – als Spiegel der Korrespondenz des Völkerapostels und seines apostolischen Ringens um die Gemeinde, die er in 1 Kor 9, 1 f „mein Werk im Herrn" und „der Siegelabdruck meines Apostolats im Herrn" nennt.

Unser Bericht handelt zunächst von der Gründung der Gemeinde in Korinth und von der Verbindung des Paulus mit ihr von Ephesus aus in der folgenden Zeit. Wir blicken zunächst auf die Geschichte des Völkerapostels zurück. Dann wenden wir uns dem 1. Korintherbrief zu und berichten über die Entdeckung vierer Briefe, die in diesem kanonischen Dokument enthalten sind. Jedes dieser vier Schreiben „an die Gemeinde Gottes in Korinth" kommentieren wir dann kurz Abschnitt um Abschnitt: den in 1 Kor 5, 9.11 erwähnten und im 1. Korintherbrief wiedergefundenen „Vorbrief", dann den „Zwischenbrief", in den jene Erwähnung hineingehört, drittens sodann einen eigenen Brief, der sich mit der Leugnung der Auferstehung der Toten in Korinth auseinandersetzt, den von uns so genannten „Auferstehungsbrief", und schließlich den in 1 Kor 7, 1 signalisierten „Antwortbrief", in dem Paulus zu schriftlichen Anfragen aus Korinth Stellung nimmt. Brief um Brief werden wir erleben, wie Paulus mit der Gemeinde in Korinth um die ihr und dem einzelnen Christen in ihr angemessene Lebensform ringt. Paulus und die korinthische Gemeinde werden – „neu gesehen" – vor unseren Augen lebendig. Schließlich erläutern wir die Briefkomposition des 1. Korintherbriefes und suchen Antwort auf die Frage, warum die Sammler und Herausgeber der Paulusbriefe vier Briefe zu einem Korintherbrief zusammengefügt haben. Zum Schluß blicken wir auf den 2. Korintherbrief vor und damit auf die Fortsetzung des Ringens des Apostels mit den Korinthern, das zunehmend auch zu einem Kampf um sein Apostolat wurde. Wie bei unseren Berichten über „Die Entdeckung des ältesten Paulusbriefes" (Herderbücherei Nr. 1167) und über „Paulus und seine Lieblingsgemeinde" (Herderbücherei Nr. 1208) zieht sich auch diesmal wie ein roter Faden durch fast alle Kapitel die Geschichte selbst, die geschichtlichen Situationen, in denen Paulus zur Feder gegriffen oder Briefe diktiert hat, um der Gemeinde in Korinth zur Lebensform der neuen Gesellschaft Kirche zu verhelfen, die nach 2 Kor 5, 17 eine „neue Schöpfung" ist.

I.
Die Gründung der Gemeinde in Korinth und der 1. Korintherbrief

Die Gemeinde in Korinth, der Hauptstadt der Provinz Achaia, war die bedeutendste Gemeinde des Völkerapostels auf europäischem Boden. Mit dieser Gemeinde hat Paulus nach seinem Weggang von Korinth jahrelang gerungen – durch Briefe, durch Besuche seiner Mitarbeiter und des Apostels selbst.

Nach Korinth war Paulus allein gekommen. Der Apostel, der mit Silas und Timotheus im Jahr 49 n. Chr. von Troas (in der heutigen Türkei) nach Neapolis in Mazedonien (im heutigen Griechenland) übergesetzt war, hatte zunächst in Philippi, Saloniki und Beröa missioniert. In Philippi war er mit Silas ausgewiesen worden, aus Saloniki mußte Paulus schließlich auch fliehen. Er ging nach Athen. Silas hatte er in Beröa zurückgelassen. Timotheus, den er entweder mitgenommen hatte oder der Paulus nach Athen nachgereist war, wurde von dort aus mit einem Schreiben, dem ältesten Paulusbrief, nach Saloniki zurückgeschickt. Paulus blieb in Athen allein zurück.

Die Apostelgeschichte (Apg 17, 16–34) erzählt in einem dramatischen Bericht, wie Paulus in Athen auf der Agora mit epikureischen und stoischen Philosophen diskutiert, die ihn vor den Areopag, den athenischen Rat oder eine seiner Kommissionen führen, wo Paulus seine berühmte „Areopagrede" hält, eine der meisterörterten und meistkommentierten Reden der Weltliteratur. Die Missionserfolge des Apostels in Athen waren gering. Die Apostelgeschichte, deren Schilderungen meist etwas übertrieben wirken, erzählt nur: „Einige Männer aber schlossen sich Paulus an und wurden gläubig, unter ihnen auch Dionysius, der Areopagit, außerdem eine Frau namens Damaris und noch andere mit ihnen" (Apg 17, 34). Die Apostelgeschichte fährt zu Beginn des anschließenden Kapitels fort: „Hierauf verließ Paulus Athen und ging nach Korinth" (Apg 18, 1).

1. Paulus kommt nach Korinth

Wie Paulus in der Provinz Mazedonien bald die Hauptstadt, Saloniki, aufgesucht hatte, um hier einen Missionsstützpunkt zu gewinnen, so tat er es nach den dürftigen Erfolgen in Athen auch in der Provinz Achaia: Von Athen aus zieht der Apostel in die 60 km entfernte Provinzhauptstadt Korinth. Korinth war von Julius Cäsar zur römischen Kolonialstadt gemacht worden und war seit 27 v. Chr. als Kapitale Sitz eines Prokonsuls. Die Stadt verbindet auf der schmalen Landbrücke nicht nur Attika mit dem Peloponnes, sondern auch über seine beiden Häfen, Lechaion an der Adria und Kenchreä an der Ägäis, den Westen mit dem Osten.

Der Weg von Athen nach Korinth führt über Eleusis und Megara und war in zwei bis drei Tagen zu bewältigen. In der Provinzhauptstadt scheint sich Paulus alsbald im Umkreis der jüdischen Gemeinden und ihrer Synagoge oder ihrer Synagogen umgesehen zu haben; die Synagoge bot durchreisenden Juden in der Regel Unterkunft an. In Korinth hat Paulus außergewöhnliches Glück; er trifft auf ein juden*christliches* Ehepaar, das ihm Unterkunft und Arbeit anbieten kann. Die Apostelgeschichte erzählt in 18,2–4 von Aquila, einem Juden aus der Küstenlandschaft „Pontus" am Schwarzen Meer, und dessen Frau Priszilla. Das Ehepaar, das schon in Rom zum Glauben an den Messias Jesus gekommen sein muß, war „kürzlich", also nicht lange vor Paulus, aus Italien nach Korinth gekommen. Anlaß dieser Übersiedlung war eine „Anordnung" des Kaisers Klaudius, daß – wie gewiß übertreibend erzählt ist – „alle" Juden Rom verlassen sollten.

Aquila und Priszilla werden in Rom zu den Führungspersonen der dortigen judenchristlichen Gemeinde gehört haben. Das Edikt des Kaisers Klaudius, das im Jahr 49 n. Chr. erlassen wurde, reagierte, wie uns der römische Historiker *Sueton* in seiner Lebensbeschreibung des Kaisers wissen läßt, auf Auseinandersetzungen zwischen Juden und Judenchristen um die Messianität Jesu, die Unruhen in der Welthauptstadt auslösten und den Kaiser veranlaßten, die führenden Leute der Synagoge wie der christlichen Gemeinde (oder nur dieser?) auszuweisen. Aquila und Priszilla hatten, da sie einige Zeit, wohl einige Wochen oder Monate, vor Paulus nach Korinth gekommen waren, hier schon ein Haus erwerben und eine Werkstatt einrichten können.

Auf seiner Quartiersuche war Paulus in Korinth auf dieses Ehepaar gestoßen. Der Zufall wollte es, daß Aquila und Paulus dasselbe Handwerk gelernt hatten, Paulus also in Aquilas Zeltmacherwerkstatt seinen Lebensunterhalt verdienen konnte. Das Gewerbe des „Zeltmachers" umfaßte damals, da Zelte meist aus Leder gefertigt wurden, den Beruf des Sattlers, des Lederverarbeiters. In den späteren brieflichen Auseinandersetzungen mit der korinthischen Gemeinde spielt es eine bedeutende Rolle, daß Paulus sich von der Gemeinde nicht unterhalten ließ, sondern von seiner eigenen Handarbeit lebte.

Zunächst hat Paulus die arbeitsfreien Sabbate zu missionarischen Lehrvorträgen in der Synagoge genutzt. Die Apostelgeschichte erzählt, er habe versucht, „Juden und Griechen", also Mitglieder der Synagoge und heidnische Gasthörer, vom Glauben an die Messianität Jesu zu überzeugen (Apg 18,4). Von einem Missionserfolg ist zunächst nicht die Rede. Er scheint sich erst eingestellt zu haben, nachdem Silas und Timotheus aus Mazedonien nach Korinth gekommen waren und Paulus seine Missionsarbeit intensivieren konnte. Timotheus brachte auch die guten Nachrichten aus Saloniki, die Paulus zur Abfassung seines – nach dem Athener Brief – zweiten Briefes an die Thessalonicher veranlaßte*.

2. Die Mission in Korinth

Aus 2 Kor 11,8 f und Phil 4,15 f läßt sich schließen, daß Silas und Timotheus eine finanzielle Unterstützung der mazedonischen Gemeinden, besonders eine Geldspende seiner „Lieblingsgemeinde" in Philippi, für den Apostel mit nach Korinth brachten. Paulus brauchte nun eine Weile nicht zu arbeiten und konnte sich mit seinen beiden Mitarbeitern ganz der Mission widmen. Die Apostelgeschichte erzählt in 18,5: „Als aber Silas und Timotheus von Mazedonien herabkamen, widmete sich Paulus ganz dem Wort, indem er den Juden (ausführlich) bezeugte, daß Jesus der Messias sei." Paulus hat also seine

---

* Vgl. *R. Pesch*, Die Entdeckung des ältesten Paulusbriefes (HB Nr. 1167).

Lehrtätigkeit in der Synagoge intensiviert und insbesondere eine ausführliche messianische Schriftauslegung betrieben.

Jedoch regt sich in Korinth – wie fast durchweg bisher in den anderen Städten Europas – der Widerstand der Juden, die die Messianität des gekreuzigten Nazareners Jesus nicht anerkennen wollen, sondern „lästern" (Apg 18,6); gemeint ist vermutlich, daß die Juden den Fluch der Tora (vgl. Dtn 21,23) über den „Gekreuzigten" nachsprechen. Paulus spricht später davon, daß die Verkündigung des gekreuzigten Messias „für die Juden ein Ärgernis" (1 Kor 1,23) ist; und der Apostel spricht denen, die Jesus fluchen, den Besitz des heiligen Geistes ab: „Niemand, der im Geist Gottes redet, sagt: ‚Verflucht sei Jesus!', und niemand kann sprechen: ‚Herr ist Jesus!', wenn nicht im heiligen Geist" (1 Kor 12,3).

Die Apostelgeschichte deutet an, daß die Auseinandersetzungen in der jüdischen Synagoge heftige und entschiedene Formen annahmen. Paulus setzt gegen den Fluch über den gekreuzigten Jesus den symbolischen Fluchgestus des Staubabschüttelns; er macht die Juden, die ihn aus der Synagoge vertreiben, für das Unheil, das ihnen droht, selbst verantwortlich: „Euer Blut über euer Haupt! Ich, ich bin daran unschuldig" (Apg 18,6). Das Wort meint: Indem die Juden in Korinth den gekreuzigten Jesus verfluchen, laden sie die Blutschuld an seinem Tod, den er unschuldig starb, auch auf ihr Haupt; Paulus kann keine Verantwortung dafür übernehmen, da er alle in seiner Predigt zur Umkehr eingeladen hat.

Als Paulus in der Synagoge nicht mehr geduldet wird, bietet ihm ein gottesfürchtiger Heide, der offenbar von Paulus überzeugt worden war, sein Haus als Versammlungsort an. Titius Justus besaß ein offenbar geräumiges Haus, das „an die Synagoge angrenzte" (Apg 18,7). Hier kann Paulus wirken – und zwar in offener Konkurrenz zur Synagoge bei der Werbung um heidnische Hörer. Die in Korinth entstehende Gemeinde setzt sich bald aus ehemaligen Juden und ehemaligen Heiden zusammen, unter den Heiden aus solchen, die sich schon für die Synagoge, für das Judentum interessiert und als „Gottesfürchtige" (wie Titius Justus) an den Sabbatgottesdiensten teilgenommen hatten, und aus solchen, von denen Paulus später schreibt, daß sie vor ihrer Bekehrung sich noch „unwiderstehlich zu den stummen Götzen hinziehen" (1 Kor 12,2) ließen.

Über die Missionserfolge des Paulus in Korinth sind wir ausnehmend gut unterrichtet. Die Apostelgeschichte erwähnt als besonders aufsehenerregende Bekehrung die des Synagogenvorstehers: „Krispus aber, der Synagogenvorsteher, kam zum Glauben an den Herrn mit seinem ganzen Haus; und viele Korinther, die es hörten, wurden gläubig und ließen sich taufen" (Apg 18,8). Paulus selbst bestätigt in 1 Kor 1,14, daß er Krispus getauft hat. Wahrscheinlich gelang es Paulus später, einen zweiten Synagogenvorsteher für den Glauben an Jesus als den Messias und für die christliche Gemeinde in Korinth zu gewinnen. Nach 1 Kor 1,1 hat Paulus in Ephesus Sosthenes zu Besuch, der auch als Mitabsender des Briefes zeichnet. Die Apostelgeschichte kennt in Apg 18,17 einen Synagogenvorsteher Sosthenes, der vor dem Gericht des römischen Provinzialstatthalters Gallio von den Juden verprügelt wurde.

Der Kern des judenchristlichen Teils der korinthischen Gemeinde bestand also aus prominenten ehemaligen Juden, neben dem Kleinunternehmerehepaar Aquila und Priszilla aus Synagogenvorstehern. Zum judenchristlichen Teil der Gemeinde wird man auch Stefanas und dessen Familie rechnen dürfen; Paulus erwähnt in 1 Kor 1,16, daß er die Familie des Stefanas selbst getauft hat, und in 1 Kor 16,15, daß Stefanas der Erstbekehrte in der Provinz Achaia war. Zu dessen Familie gehören auch wohl Fortunatus und Achaikus, die Paulus später zusammen mit Stefanas in Ephesus besuchen (vgl. 1 Kor 16,17).

In 1 Kor 1,14 erwähnt Paulus neben dem Synagogenvorsteher Krispus noch einen Gajus, den er selbst getauft hat; vielleicht ist dieselbe Person gemeint, die Apg 18,7 als der Besitzer des an die Synagoge angrenzenden Hauses vorgestellt war: Titius Justus; denn *Gajus Titius Justus* ergibt zusammen einen vollständigen römischen Namen. Der ehemalige Gottesfürchtige wäre zum Kern des heidenchristlichen Teils der korinthischen Gemeinde zu zählen. Dazu zählt als weiteres prominentes Mitglied auch der in Röm 16,23 genannte Stadtkämmerer Erastus.

Der Römerbrief wurde ja später von Paulus bei seinem dritten Aufenthalt in Korinth geschrieben, als er dort vor der Kollektenreise nach Jerusalem überwinterte; er enthält in Röm 16,21–23 eine Liste von Personen, die von Korinth aus an die römische Gemeinde Grüße ausrichten lassen. Neben Timotheus, dem Mitarbeiter des Paulus, grüßen „Lucius, Jason und

Sosipater, die zu meinem Volk gehören" (Röm 16,21), als ehemalige Juden, die – wenn nicht von Anfang an, dann jedenfalls später – den judenchristlichen Teil der Gemeinde verstärkten. Dann grüßt „Tertius, der Schreiber dieses Briefes" (Röm 16,22), der zu den Heidenchristen gehört. Dann stoßen wir erneut auf „Gajus, der mich und die ganze Gemeinde gastlich aufgenommen hat" (Röm 16,23). Er war also später wieder Gastgeber Pauli, wie in der Anfangszeit, als er sein Haus für die Lehrvorträge des Apostels zur Verfügung stellte. Zu den Heidenchristen zählt schließlich noch der neben dem Stadtkämmerer Erastus genannte „Bruder Quartus" (Röm 16,23).

Zur Zeit des dritten Besuchs des Paulus in Korinth, fünf bis sechs Jahre nach dem Gründungsbesuch, gab es auch in der Hafenstadt Kenchreä schon eine eigene Gemeinde, in der Phöbe, eine Frau, Diakon war (Röm 16,1). In Korinth selbst wird Paulus die entstehende Gemeinde schon während seiner anderthalbjährigen Wirksamkeit dort in verschiedene „Hausgemeinden" strukturiert haben; die Gemeindemitglieder, die Häuser mit größeren Versammlungsräumen besaßen, haben sie für die Gemeindeversammlungen, Gottesdienste und gemeinsamen Mahlzeiten zur Verfügung gestellt.

Während die ehemaligen Juden durch die Synagoge und die relativ eigenständige jüdische Gesellschaft schon eingeübt waren, in der „Gemeinde" eine neue gesellschaftliche Lebensform entstehen zu lassen, hatten die ehemaligen Heiden vermutlich mehr Schwierigkeiten, ihr Leben mit anderen zu verflechten. Und ganz neu war für beide: das unterschiedslose und vorbehaltlose Miteinander, des Juden mit dem Heiden, des Heiden mit dem Juden – und quer dazu aller Christen jeglichen Geschlechts und sozialen Stands.

Es wäre „utopisch" gewesen zu erwarten, daß die neue Vergesellschaftung von Menschen so unterschiedlicher Herkunft und Geschichte ohne Schwierigkeiten gelingen, von Anfang an und durchweg reibungsfrei „funktionieren" würde; Paulus – und die Verantwortlichen der Hausgemeinden und der Gesamtgemeinde mit ihm – mußten jahrelang um die Einübung einer neuen Lebensform ringen, ja kämpfen und leiden. Nur hätten sie nie zugelassen, daß diese durch den Tod und die Auferstehung Jesu von Gott ermöglichte Lebensform als „Uto-

pie" hätte abgetan werden dürfen – wie das heute unter Christen fast die Regel geworden ist.

Neben den schon genannten Gemeindemitgliedern gehörte zu den vermögenden Christen in Korinth, die der entstehenden Gemeinde den notwendigen wirtschaftlichen Rückhalt gaben und für die Hausgemeinden die Versammlungsräume bereitstellten, noch die in 1 Kor 1,11 genannte Frau namens Chloe; Mitglieder ihres Hauses konnten ja nach Ephesus zu Paulus reisen – und zum Reisen benötigte man Geld.

Der größere Teil der entstehenden, gewiß bald überwiegend heidenchristlichen Gemeinde gehörte indes den unteren sozialen Schichten der Bevölkerung an; Paulus sagt selbst in 1 Kor 1,26: „Seht doch eure Berufung, Brüder! Da sind nicht viele Weise nach irdischem Maßstab, nicht viele Mächtige, nicht viele Adlige!" In 1 Kor 7,17–24 setzt er Sklaven in der Gemeinde voraus: „Bist du als Sklave berufen worden? Das soll dich nicht kümmern!" (7,21). Die Mißstände, die beim Herrenmahl eingerissen sind, drücken auch soziale Desintegration aus: „Jeder nimmt beim Essen sein eigenes Mahl voraus, und der eine hungert, der andere hingegen ist betrunken ... Und demütigt ihr die, die nichts haben?" (1 Kor 11,21 f).

Die Apostelgeschichte erzählt in Apg 18,9–11, daß der Widerstand der Juden, die Paulus in der Synagoge nicht mehr geduldet hatten, nach dessen Umzug in das benachbarte Haus des Titius Justus eher gewachsen war. Paulus wird in einem Nachtgesicht vom „Herrn" Jesus, der ihm erscheint, ermutigt: „Fürchte dich nicht, sondern rede und schweige nicht! Denn ich bin mit dir. Und niemand wird dich antasten, um dir Böses anzutun. Denn mir gehört ein großes Volk in dieser Stadt" (Apg 18,9–11). Indirekt wird auf den verhältnismäßig großen Missionserfolg des Apostels hingewiesen; er kann in den anderthalb Jahren, die er in Korinth bleibt (vgl. Apg 18,11) seine bislang größte und bedeutendste Gemeinde sammeln.

3. Paulus verläßt nach anderthalb Jahren Korinth

Korinth war aufgrund des anderthalbjährigen Wirkens des Paulus nach Jerusalem und Antiochia zum *dritten Vorort* der entstehenden Kirche geworden. Korinth lag, von den beiden ersten Vororten aus gesehen, auf der Brücke nach Rom. Der Weg in die Welthauptstadt war für Paulus nach dem Klaudius-edikt, das ja zur Ausweisung von Aquila und Priszilla aus Rom geführt hatte, zunächst verschlossen. Als Paulus Korinth verließ, ging er in die Provinz Asia und machte deren Hauptstadt Ephesus zu einem weiteren Vorort seiner Mission.

Doch bevor Paulus von Korinth schied, stand er noch vor dem Gericht des neuen kaiserlichen Provinzstatthalters, des Prokonsuls Gallio, wie wir aus Apg 18, 12–17 erfahren: „Als aber Gallio Prokonsul von Achaia war, traten die Juden einmütig gegen Paulus auf und führten ihn zum Richterstuhl, und sagten: ‚Gegen das Gesetz verführt dieser die Menschen, Gott zu verehren‘ " (Apg 18, 12–13).

Junius Annaeus Gallio – wie der Name des Prokonsuls, der zuvor Marcus Annaeus Novatus hieß, seit seiner Adoption durch den Rhetor L. Junius Gallio lautete – war ein Sohn des Rhetors *M. Annaeus Seneca,* des älteren Seneca, und ein Bruder des jüngeren Seneca, des Philosophen und Erziehers des Kaiser Nero. Gallio war in Spanien in Cordoba geboren und unter Kaiser Tiberius mit seinem Vater nach Rom gekommen; hier hatte er die Ämterlaufbahn im kaiserlichen Dienst eingeschlagen und war vor seinem Prokonsulat in Korinth schon römischer Konsul gewesen. Kaiser Klaudius hatte ihn zum Prokonsul in Achaia gemacht. Kaiser Nero hat Gallio später zum Freitod gezwungen.

Der jüngere Seneca, der seinem Bruder zwei Werke gewidmet hat, schildert Gallio als außerordentlich liebenswürdigen Menschen. Er hebt aber auch seine unbestechliche Widerstandsfähigkeit hervor, er nennt Gallio „inexpugnabilis vir", jemanden, den man nicht ausmanövrieren kann. Der römische Historiker Tacitus hat freilich ein anderes Bild von Gallio gezeichnet: Er sei ein vorsichtig um sein Leben besorgter Politiker gewesen. Seneca und Plinius berichten über den insgesamt gut bekannten Römer, er sei um seine Gesundheit ängstlich bekümmert gewesen; er habe sich in Korinth nicht wohl gefühlt und nach einem Fieberanfall alsbald zur Erholung eine Seereise unternommen.

Als Gallio sein Amt in Korinth antrat, suchten die Juden, denen der Missionseifer des Paulus ein Dorn im Auge war, ihre Chance. Sie klagten Paulus vor dem Gericht des Statthalters an. Doch Gallio, der schon in Rom unter Klaudius innerjüdische Querelen – wie sich der Streit zwischen Juden und Christen in den Augen der römischen Beamten ausnahm – kennengelernt hatte, wollte mit der Sache nichts zu tun haben: „Als aber Paulus den Mund auftun wollte, sprach Gallio zu den Juden: ‚Wenn ein Unrecht oder ein Verbrechen vorläge, o Juden, würde ich ordnungsgemäß eure Klage zulassen. Wenn es aber Streitfragen sind betreffs Lehre, Personen und das bei euch geltende Gesetz, seht selber zu! Ich, ich will darüber nicht Richter sein!'" (Apg 18, 14–15). Gallio verjagt die Juden – und unter ihnen wohl auch Paulus – kurzerhand von seinem Richterstuhl auf der Agora. Die Juden verprügeln nach Apg 18, 17 Sosthenes, ihren Synagogenvorsteher, der ihre Sache schlecht vertreten habe. Vielleicht war dies für Sosthenes ein wichtiger Anlaß, über seine Bekehrung und über die Wahrheit der Verkündigung des Paulus genauer nachzudenken.

In Apg 18, 18 wird die Gallio-Episode nicht direkt mit dem Weggang des Paulus aus Korinth verknüpft: „Paulus blieb noch eine Reihe von Tagen. Dann verabschiedete er sich von den Brüdern." Die Gallio-Episode erlaubt uns aber im Zusammenhang mit dem Klaudiusedikt vom Jahr 49 n. Chr., den anderthalbjährigen Aufenthalt des Paulus in Korinth zeitlich relativ genau einzuordnen. In Delphi ist eine Inschrift gefunden worden, die sogenannte Gallio-Inschrift, anhand deren sich die Amtszeit des Gallio in Korinth mit hoher Wahrscheinlichkeit auf die Zeit zwischen dem 1. 7. 51 und dem 30. 6. 52 n. Chr. datieren läßt.

Wenn Paulus also, wie in Apg 18, 12 angedeutet ist, zu Beginn der Amtszeit des Gallio im Sommer 51 von den Juden angeklagt wurde und wenn die Anklage, worauf Apg 18, 11 hinweist, gegen Ende der anderthalbjährigen Wirksamkeit des Apostels in Korinth erfolgte, muß Paulus zu Beginn des Jahres 50 n. Chr. nach Korinth gekommen sein, wo Aquila und Priszilla seit dem Spätherbst des Jahres 49 n. Chr. ihre neue Werkstatt eingerichtet hatten. Der Abschied des Paulus von Korinth fällt, wenn unsere Berechnung stimmt, in den Herbst des Jahres 51 n. Chr. Ab 52 n. Chr. wirkte er dann für drei Jahre in Ephesus. Doch zuvor kehrte er an den Ausgangspunkt seiner Mission, nach Jerusalem und Antiochia, zurück. Und unterdessen kam ein anderer begabter Missionar nach Korinth: Apollos.

4. Nach Paulus wirkt Apollos in Korinth

Unter den Parteien in Korinth, welche die Gemeinde spalten und gegen die Paulus in 1 Kor 1, 10 – 4, 21 angeht, gibt es eine, deren Parole lautet: „Ich gehöre zu Apollos" (1, 12). Offenbar ist Apollos ein Missionar, der *nach* Paulus in Korinth gewirkt hat, wie aus 1 Kor 3, 4–6 hervorgeht: „Denn wenn einer sagt: ,*Ich* gehöre zu Paulus!', ein anderer aber: ,*Ich* zu Apollos', seid ihr da nicht Menschen? Was bedeutet denn Apollos? Was Paulus? Diener sind wir, durch die ihr zum Glauben gekommen seid! Und jedem kommt die Bedeutung zu, die ihm der Herr gegeben hat. Ich habe gepflanzt, Apollos begossen, aber Gott hat wachsen lassen."

Über die Informationen hinaus, die Paulus im 1. Korintherbrief bietet, erfahren wir Näheres über Apollos aus der Apostelgeschichte; sie weiß, daß Apollos zunächst schon in Ephesus war, und stellt ihn so vor: „Ein Jude aber namens Apollos, der Herkunft nach ein Alexandriner, ein gebildeter Mann, gelangte nach Ephesus; er war mächtig in den Schriften" (Apg 18, 24).

Apollos – der Name ist die Kurzform von *Apollonios* – war Jude, genauer: wie Paulus Judenchrist. Er stammte aus dem gebildeten Judentum Alexandriens, des ägyptischen Vororts des hellenistischen Judentums. Vielleicht hatte er in Jerusalem zur „Synagoge der Alexandriner" (Apg 6, 9) gehört und hier das Christentum kennengelernt. Die Beschreibung der Apostelgeschichte charakterisiert ihn als glänzenden Redner und subtilen Theologen, als einen geschulten Schriftausleger. Die Apostelgeschichte fährt fort: „Dieser war unterwiesen über den Weg des Herrn; und mit brennendem Geist redete er und lehrte genau die Dinge über Jesus" (Apg 18, 25). Gemeint ist: Apollos kennt sich in der christlichen Lehre, die vom durch Jesus erschlossenen Weg Gottes handelt, gut aus; er ist überdies ein pneumatisch begabter, glühender Redner. Seine Begeisterung schließt nicht die Genauigkeit seiner Lehrvorträge aus, in denen er die Hörer insbesondere auch durch seine Weisheit zu fesseln vermag.

In Ephesus waren Aquila und Priszilla, die mit Paulus von Korinth gekommen waren und hier die Mission des Apostels durch Einrichtung eines Stützpunktes für eine Hausgemeinde vorbereiteten, mit Apollos bekannt geworden. Apollos „fing an, freimütig in der Synagoge aufzutreten. Da ihn aber Priszilla und Aquila hörten, nahmen sie sich seiner an und setzten ihm genauer den Weg Gottes auseinander" (Apg 18,26). Aquila und Priszilla scheinen Apollos – den Lukas in Apg 18,25 zu Unrecht zu einem halben Jünger Johannes des Täufers gemacht hat – in die entwickeltere paulinische Theologie und deren heilsgeschichtliche Sicht vom Weg Gottes zu Juden *und* Heiden eingeführt zu haben.

Apollos scheint schon in Ephesus eine kleine Christengemeinde gesammelt zu haben; diese wird jedenfalls in Apg 18,27–28 vorausgesetzt. „Als Apollos aber nach Achaia weiterziehen wollte, schrieben die Brüder den Jüngern einen Brief mit der Aufforderung, ihn aufzunehmen. Nach seiner Ankunft (in Korinth) wurde er den Gläubigen durch seine Gnadengabe eine große Hilfe. Denn energisch widerlegte er die Juden, da er öffentlich durch die Schrift aufwies, daß Jesus der Messias sei." Vielleicht war Apollos gerade dadurch motiviert, nach Korinth zu gehen, daß Aquila und Priszilla ihm vom dortigen Widerstand der Juden gegen Paulus erzählten.

Paulus, der von Ephesus nach Jerusalem und Antiochia und von dort über Galatien nach Ephesus reiste, wird zunächst von alledem nichts erfahren haben. Schon bevor Paulus wieder nach Ephesus kam, war Apollos mit einem Empfehlungsschreiben der kleinen judenchristlichen Gemeinde in Ephesus nach Korinth abgereist.

Apollos muß in Korinth eine gute Weile missioniert und in der Gemeinde selbst als christlicher Weisheitslehrer gewirkt haben. Paulus spricht später anerkennend von den missionarischen Erfolgen des Apollos, wenn er auch durchblicken läßt, daß er das Wirken eines Missionars, der nicht seiner Autorität untersteht, nicht ohne weiteres begrüßte. Apollos muß – gewollt oder ungewollt, wahrscheinlich ungewollt – eine Gruppe in der korinthischen Gemeinde so beeindruckt und beeinflußt haben, daß man sich auf ihn als *den* Missionar einschwor: „*Ich* gehöre zu Apollos." Dadurch entstanden „Parteiungen" in der christlichen Gemeinde, die Paulus in Ephesus zu einem ersten Brief nach Korinth veranlassen, sobald er durch die Leute der Chloe von den Streitereien hört.

5. Paulus macht Ephesus zum neuen Vorort der Mission in der Provinz Asia

Nach dem Abschied von Korinth war Paulus, wie in Apg 18,18–23 erzählt wird, zusammen mit Aquila und Priszilla und vermutlich auch mit seinen Mitarbeitern Silas und Timotheus zu Schiff zunächst bis Ephesus gereist, wo er das Ehepaar zurückließ, wohl deshalb, weil sie in Ephesus bis zur Rückkehr des Paulus wieder ein Haus erwerben, eine Werkstatt einrichten und so die missionarische Basis herstellen und den wirtschaftlichen Grund zu einer Gemeindebildung legen wollten. Paulus wird mit Silas und Timotheus weitergereist sein; er landete in Cäsarea am Meer in Palästina und stieg von hier nach Jerusalem hinauf, wo er nach Apg 18,18 ein Gelübde auszulösen hatte: Paulus „hatte sich aber in Kenchreä das Haupt scheren lassen, denn er hatte ein Gelübde".

In Jerusalem – wie danach dann auch in Antiochia – wird sich Paulus an die beim Apostelkonzil übernommene Kollektenverpflichtung, eine Sammlung der Heidenchristen für die Urgemeinde, erinnern lassen haben. Die Apostelgeschichte berichtet leider sonst nichts von dem, was sich in Jerusalem und Antiochia, von wo aus Paulus vor etwa drei Jahren zur Mission in Europa aufgebrochen war, bei seinen Besuchen zutrug; es heißt nur: „Nach der Landung in Cäsarea stieg Paulus hinauf und begrüßte die Gemeinde (in Jerusalem), stieg hinab nach Antiochia und ging, nachdem er dort einige Zeit zugebracht hatte, hinaus, durchzog nacheinander das galatische Land und Phrygien und stärkte alle Jünger" (Apg 18,22–23).

Der knappe Text erwähnt einige wichtige Daten, die wir aus den Paulusbriefen erschließen können, nicht: 1. *Silas,* der bisherige Jerusalemer Begleiter des Paulus, scheint Paulus nach Jerusalem zurückbegleitet, sich dort aber vom Apostel getrennt zu haben und später in die Begleitung des Petrus übergewechselt zu sein (vgl. 1 Petr 5,12). 2. An die Stelle des Silas tritt in der Folgezeit *Titus,* der Paulus schon mit der antiochenischen Delegation zum Apostelkonzil nach Jerusalem begleitete und in der Zwischenzeit wohl in Antiochia geblieben war; nach Gal 2,1.3 war Titus den galatischen Gemeinden bekannt, wohl deshalb, weil er mit Paulus von Antiochia aus durch Galatien nach Ephesus gereist war. 3. Paulus hat Titus, der später als der wichtigste *Kollek-*

tendelegat erscheint (vgl. 2 Kor 8,6.16.23; 12,18), wohl insbesondere der neu übernommenen Kollektenverpflichtung wegen als Mitarbeiter angeworben. Beim zweiten Besuch in den galatischen Gemeinden hat Paulus dort die Sammlung für die Jerusalemer Urgemeinde angeregt; davon spricht er bald in 1 Kor 16,1–2: „Über die Kollekte aber für die Heiligen: Wie ich es für die Gemeinden Galatiens angeordnet habe, so macht auch ihr es. Jeden ersten Wochentag soll jeder von euch etwas zurücklegen und so zusammensparen, was er kann."

Falls Paulus im Herbst des Jahres 51 n. Chr. – vor Schließung der Seefahrt im Oktober – nach Cäsarea gesegelt war, kann er über den Winter in Jerusalem und Antiochia gewesen und im Frühjahr des Jahres 52 n. Chr. über Galatien und Phrygien nach Ephesus aufgebrochen sein. Hier wird er spätestens im Herbst 52 n. Chr. angekommen sein, nachdem er unterwegs die früher gegründeten Gemeinden gestärkt hatte.

Von der dreijährigen Wirksamkeit (vgl. Apg 20,31) des Paulus in Ephesus berichtet die Apostelgeschichte nicht viel: Sie weiß von der Bekehrung von Johannesjüngern (Apg 19,1–7), von drei Monaten, während deren Paulus in der Synagoge Lehrvorträge halten konnte (Apg 19,8), bevor er – ähnlich wie zuvor in Korinth – dort nicht mehr geduldet wurde und in ein anderes Haus überwechselte, diesmal in Ephesus in den Hörsaal des Tyrannus, wo Paulus zwei Jahre hindurch täglich lehren konnte (Apg 19,9–10). Die Apostelgeschichte läßt mit der Bemerkung, „daß alle Bewohner der Asia das Wort des Herrn hörten" (13,10), erkennen, daß Paulus von der Metropole, dem neuen Vorort aus, das Ganze der Provinz Asia erreichen wollte.

Apg 19,11–20 erzählt noch vom Wundertäter Paulus und seinem erfolgreichen Einschreiten gegen Magie und Zauberwesen; in Apg 19,21–22 wird dann vom Plan des Paulus berichtet, nach Jerusalem und Rom zu ziehen. Die Jerusalemreise hängt mit der Kollekte für die Urgemeinde zusammen, die Paulus während der Zeit in Ephesus und danach auf seinem Zug durch Mazedonien nach Korinth beschäftigt. Bevor Paulus von Ephesus aufbricht, schildert die Apostelgeschichte noch die dramatische Episode vom Aufruhr der Silberschmiede in Ephesus (19,21–40), die den großen Missionserfolg des Apostels in der Provinz Asia spiegelt; Demetrius, der

Zunftmeister der Silberschmiede, führt in ihrer Versammlung aus: „Ihr seht und hört, daß dieser Paulus nicht nur in Ephesus, sondern fast in der ganzen Provinz Asia viele Leute verführt hat" (Apg 19, 26).

Paulus war in den Jahren 52–55 n. Chr. in Ephesus. In diese Zeit fällt nicht nur ein Teil seiner Korrespondenz mit seiner „Lieblingsgemeinde" in Philippi, nicht nur die im Galaterbrief gespiegelte Auseinandersetzung mit den in den galatischen Gemeinden eingedrungenen judaisierenden Gegnern und mit den von diesen bedrohten Gemeinden selbst, sondern auch ein guter Teil des Ringens mit den Korinthern um die Lebensform der Kirche, der *ekklesia,* der neutestamentlichen Gemeinde aus Juden *und* Heiden. Zeuge dieses Ringens ist zunächst und hauptsächlich der 1. Korintherbrief.

6. Paulus schreibt aus Ephesus „an die Gemeinde Gottes, die in Korinth ist"

Im 1. Korintherbrief wird Ephesus zweimal erwähnt. In 1 Kor 15, 30–32 verteidigt Paulus seine Auferstehungshoffnung und führt dabei aus: „Warum auch setzen wir uns stündlich Gefahren aus? Täglich sehe ich dem Tod ins Auge, so wahr ihr, Brüder, mein Ruhm seid, den ich in Christus Jesus, unserem Herrn, habe. Wenn ich – wie man so sagt – mit wilden Tieren gekämpft habe *in Ephesus,* was habe ich für einen Nutzen davon?" In 1 Kor 16, 5–8 erörtert Paulus seine Reisepläne; er will durch Mazedonien ziehen, nach Korinth kommen und dort überwintern: „Denn ich möchte euch nicht nur im Vorbeigehen sehen; ich hoffe nämlich, eine Zeitlang bei euch zu bleiben, wenn der Herr es gestattet. Ich werde aber *in Ephesus* bleiben bis Pfingsten ..." (16, 7–8).

Daß Paulus aus Ephesus schreibt, macht auch den regen Besucherverkehr von Leuten aus Korinth bei Paulus verständlich; denn Ephesus liegt an der kleinasiatischen Küste auf der Höhe von Korinth; Schiffe können von Ephesus aus in direkter Fahrt den östlichen Hafen Kenchreä ansteuern und in längstens einer Woche erreichen. In Ephesus kommen die Leute der Chloe (1, 11), Stefanas, Fortunatus und Achaikus (16, 17), weitere Brüder (16, 12) und Apollos (16, 12) zu Paulus. Vielfältige Nachrichten, auch ein Brief der Korinther (vgl. 7,1), veranlassen Paulus, zur Feder zu greifen.

Der 1. Korintherbrief umfaßt 16 Kapitel; was Paulus hier geschrieben hat, ist zwischen 52 und 55 n.Chr. zu Papier gebracht worden und spiegelt das Ringen des Apostels um die Lebensform der Kirche, der neutestamentlichen Gemeinden, die zwar an die Erfahrungen der jüdischen Synagoge anknüpfen konnten, in der neuen Vergesellschaftung von Juden *und* Heiden jedoch neue Wege gehen mußten, um den Glauben zu der ihm angemessenen Form zu verhelfen und allen Glaubenden zu der ihnen zugedachten Identität – kurz, der Kirche zu ihrer Aufgabe, konkrete Lebensgestalt der Erlösung zu sein.

Für ein grundlegendes Exercitium dieses Auftrags war die von Paulus in der Hafen- und Hauptstadt Korinth gegründete, aus den verschiedensten gesellschaftlichen Herkünften der Mitglieder heranwachsende Gemeinde besonders geeignet. Der Apostel war nicht nur als Theologe, sondern auch als Gemeindeleiter herausgefordert wie sonst nie.

7. Wo ist der in 1 Kor 5,9.11 erwähnte frühere Brief geblieben?

Aus 1 Kor 5.9.11 erfährt jeder Leser des 1. Korintherbriefes, daß Paulus schon früher einen Brief nach Korinth geschickt hat: *„Ich schrieb euch in dem Brief,* ihr solltet mit Unzüchtigen nichts zu schaffen haben; nicht schlechthin mit den Unzüchtigen dieser Welt oder den Habgierigen und Räubern und Götzendienern – denn dann müßtet ihr ja aus der Welt auswandern. *Nun aber schrieb ich euch,* ihr solltet nichts zu schaffen haben mit einem, der sich Bruder nennt, aber doch ein Unzüchtiger ist …"

Lange hat man dieser Passage entnommen, daß Paulus zwar mehr Briefe geschrieben hat, diese Briefe aber nicht erhalten geblieben seien. Seit es jedoch möglich geworden ist und sich als sinnvoll erwiesen hat, auch heute noch nach verlorenen oder bislang unbekannten Paulusbriefen zu forschen, hat sich die Lage verändert. Wie wir in unserem Bericht über „Die Entdeckung des ältesten Paulusbriefes" und in der Rekonstruktion dreier „Briefe an die Heiligen von Philippi" gezeigt haben, führt uns die Suche nach verlorenen Paulusbriefen nicht in das Gebiet der Archäologie, sondern in das Gebiet der Literarkritik: der Untersuchung der Einheitlichkeit oder Zusammengesetztheit der vorliegenden Dokumente, der im Kanon enthaltenen und von der kritischen Paulusforschung als echt anerkannten Briefe des Paulus.

Die Suche nach dem in 1 Kor 5,9.11 erwähnten Brief kann sich also als Untersuchung des vorliegenden 1. Korintherbriefes ereignen. Jedem Leser, der diesen Brief neben den übrigen Briefen des Paulus liest, fällt ohne weiteres die Fülle von Themen und mitunter die Widersprüchlichkeit der Aussagen des Apostels auf. An verschiedenen Stellen wird man sich nahezu unwillkürlich fragen: Sollte dies alles in ein und demselben Brief gestanden haben?

Die Frage, die wir an den 1. Korintherbrief richten, lautet also zunächst: Ist es denkbar, ist es möglich, ist es wahrscheinlich, daß der in 1 Kor 5,9.11 erwähnte frühere Brief des Paulus bei der Herausgabe der Briefe des Apostels nach dessen Tod in das im 1. Korintherbrief vorliegende Dokument eingearbeitet worden ist? Mit anderen Worten: Ist der 1. Korintherbrief ein einheitliches Schreiben oder eine Briefkomposition?

Die Untersuchung des 1. Korintherbriefes anhand dieser Fragen führt von Überraschung zu Überraschung. Wir werden sehen: Nicht nur der in 1 Kor 5,9.11 erwähnte frühere Brief läßt sich entdecken, darüber hinaus enthält die Briefkomposition drei weitere Briefe, also insgesamt vier Briefe! Paulus hat weit öfter, als man zunächst vermuten konnte, nach Korinth geschrieben. Noch abgesehen vom kanonischen 2. Korintherbrief bezeugen nun schon vier Briefe das Ringen des Apostels um die Lebensform der Kirche in der „Gemeinde Gottes in Korinth". Lassen wir uns also darauf ein, die Überprüfung des 1. Korintherbriefes mitzuverfolgen und die Rekonstruktion von vier Briefen aus der vorliegenden Briefsammlung nachzuvollziehen, damit wir dann auch das über längere Zeit sich hinziehende und in vier Briefen dokumentierte spannende Ringen des Paulus mit den Korinthern konkreter erkennen und besser verstehen lernen.

II.
Der erste Korintherbrief –
eine Briefkomposition?

Der 1. Korintherbrief folgt im Kanon des Neuen Testaments als der zweite Brief des Apostels Paulus auf den Römerbrief. Wie der Römerbrief ist er im Mittelalter in 16 Kapitel eingeteilt worden; er ist ein langes, umfangreiches Schreiben. Vom systematisch aufgebauten und spannungsfrei einen großen zusammenhängenden Bogen schlagenden Schreiben an die Römer unterscheidet sich der 1. Korintherbrief jedoch deutlich durch die Vielzahl der – zum Teil sogar widersprüchlich – behandelten Themen.

Die Fragestellung, ob der 1. Korintherbrief eine Briefkomposition sei, ist für denjenigen Leser, der unseren Bericht über „Die Entdeckung des ältesten Paulusbriefes" (Herderbücherei Nr. 1167) oder/und das Bändchen „Paulus und seine Lieblingsgemeinde. Drei Briefe an die Heiligen in Philippi" (Herderbücherei Nr. 1208) schon gelesen hat, keine Überraschung mehr. Die Korintherbriefe mit ihren oben (vgl. S. 10, 27) genannten Erwähnungen weiterer, früherer Briefe des Paulus nach Korinth werfen überdies selbst die Frage nach dem Verbleib dieser Briefe auf. Sie regen selbst zur kritischen Nachprüfung an, ob, wie im ersten Thessalonicherbrief und im Philipperbrief, Briefkompositionen vorliegen.

Wir ermöglichen und erleichtern unseren Lesern eine selbständige kritische Nachprüfung wieder dadurch, daß wir den 1. Korintherbrief im Blick auf seinen Wortbestand, die Wiederholungen von Worten und Wendungen, möglichst wortgetreu übersetzt und überdies alle Passagen und Worte, deren Doppelung auffällig und wichtig ist, durch Fettdruck und Verweise auf die Parallelen im Brief selbst am Rand des Textes kenntlich gemacht haben. Jeder Leser kann sich mit dem Dokument, dem vorliegenden 1. Korintherbrief, und seinen Eigenarten also recht genau vertraut machen. Er kann dann unseren Beobachtungen und Argumenten folgen und sie im Text selbst überprüfen und urteilen, ob es wahrscheinlich ist, daß uns kein Brief des Paulus an die Gemeinde in Korinth verlorengegangen ist, sondern daß in der Briefkomposition des 1. Korintherbriefes vier Briefe vorliegen.

1. Der Text

1,1 Paulus, berufener Apostel Christi Jesu
durch Gottes Willen,
und Sosthenes, der Bruder,

2 an die Gemeinde Gottes, die in Korinth ist,
die Geheiligten in Christus Jesus,
die berufenen Heiligen,
zusammen mit allen,
die den Namen unseres Herrn Jesus Christus anrufen
an jedem Ort, bei ihnen und bei uns.

3 **Gnade** euch und Friede   16,23
von Gott, unserem Vater,
und dem **Herrn Jesus** Christus!

4 Ich danke meinem Gott allezeit euretwegen
für die **Gnade Gottes,**   3,10; 15,10
die euch gegeben wurde durch Christus Jesus,

5 daß ihr an allem reichgemacht worden seid
durch ihn, in aller **Rede** und aller **Erkenntnis,**   12,8f

6 so wie das Zeugnis von Christus
bei euch gefestigt wurde,

7 so daß ihr keinen Mangel habt
an irgendeiner Gnadengabe,
während ihr die Offenbarung
unseres Herrn Jesus Christus erwartet.

8 Er wird euch auch festigen bis ans **Ende**
als Schuldlose **am Tag** unseres Herrn   3,13
Jesus Christus.

9 **Treu ist Gott,** durch den ihr berufen wurdet   10,13
zur Gemeinschaft mit seinem Sohn Jesus Christus,
unserem Herrn.

1,10 Ich ermahne euch aber, Brüder,
im Namen unseres Herrn Jesus Christus,
daß ihr alle dasselbe meint
und **keine Spaltungen** unter euch seien,   11,18
ihr aber gerüstet seid
in demselben Denken und derselben Meinung.

11 Es wurde mir nämlich kundgetan über euch,
meine Brüder, von den Leuten der Chloe,
daß es Streitigkeiten unter euch gibt.

12 Ich meine aber dies,
daß jeder von euch (etwas anderes) sagt:
„Ich gehöre zu Paulus!",   3,4
„Ich gehöre zu Apollos!"
„Ich aber zu Kefas!"
„Ich aber zu Christus!"

13 Ist der Christus zerteilt?
Ist etwa Paulus für euch gekreuzigt worden?
Oder seid ihr auf den Namen Pauli getauft worden?

14 Ich bin dankbar,
daß ich niemand von euch getauft habe –
außer Krispus und Gajus –

15 damit keiner sagen kann,
ihr seid auf meinen Namen getauft worden.

16 Ich habe aber auch **das Haus des Stefanas** getauft. 16,15
Sonst weiß ich nicht,
ob ich einen anderen getauft habe.

17 Denn Christus hat mich nicht (so sehr) gesandt,
zu taufen, sondern (vielmehr) zu frohbotschaften, –
nicht in **Weisheitsrede,**   2,1; 12,8
damit das Kreuz des Christus
nicht um seine Kraft gebracht wird.

18 Denn die Rede vom Kreuz ist für die,
die verlorengehen, Torheit,
für die aber,
die gerettet werden, für uns, Kraft Gottes.

19 Denn es steht geschrieben:
„Ich lasse verlorengehen die Weisheit der Weisen
und die Klugheit der Klugen
lasse ich verschwinden."

1,20 Wo ist ein Weiser?
Wo ein Schriftgelehrter?
Wo ein Debattierer dieses Äons?
Hat nicht Gott die Weisheit der Welt töricht gemacht?

21 Denn da ja angesichts der Weisheit Gottes
die Welt durch die Weisheit Gott nicht erkannt hat,
gefiel es Gott,
durch die Torheit der Verkündigung
die Glaubenden zu retten.

22 Da ja auch **die Juden** Zeichen fordern   10,32; 12,13
und **die Griechen** Weisheit suchen,

23 verkündigen wir aber Christus, einen Gekreuzigten,
für die Juden ein Ärgernis,
für die Heiden **Torheit,**   2,14

24 für die Berufenen selbst aber, Juden wie Griechen,
Christus, Gottes Kraft und Gottes Weisheit.

25 Denn das Törichte bei Gott
ist weiser als die Menschen,
und das Schwache bei Gott
ist stärker als die Menschen.

26 Seht doch eure Berufung, Brüder!
Da sind nicht viele Weise nach irdischem Maßstab,
nicht viele Mächtige, nicht viele Adelige!

27 Vielmehr das Törichte der Welt hat Gott erwählt,
um die Weisen zuschanden zu machen,
und das Schwache der Welt hat Gott erwählt,
um das Starke zuschanden zu machen,

28 und das Unadlige der Welt und das Verachtete
hat Gott erwählt, das nichts zählt,
um das, was zählt, zu vernichten,

29 damit sich kein Fleisch rühme vor Gott.

30 Von ihm her seid ihr aber in Christus Jesus,
der für uns zur Weisheit gemacht wurde von Gott,
zur Gerechtigkeit und Heiligung und Erlösung,

31 damit gelte, was geschrieben steht:
„Wer sich rühmt, rühme sich im Herrn!"

2,1 Auch ich, als ich zu euch kam, Brüder,
    kam nicht mit der Pose außergewöhnlicher
        Rede oder **Weisheit,**   1,17; 12,8
    um euch das Geheimnis Gottes zu vermelden.
2   Denn ich hatte mich entschlossen,
    bei euch nichts zu wissen,
    außer Jesus Christus –
    und diesen als Gekreuzigten.
3   Und ich bin in Schwachheit und Furcht
    und mit viel Zittern bei euch aufgetreten.
4   Und meine **Rede** und meine Verkündigung   4,19 f
    bestand **nicht in Überredung mit Weisheitsworten,** 2,13
    sondern im Erweis von Geist und **Kraft,**
5   damit euer Glaube sich **nicht auf Weisheit**
    von Menschen, sondern auf Gottes Kraft gründe.

6   Weisheit aber reden wir unter den Vollkommenen,
    nicht aber Weisheit dieses Äons,
    auch nicht die der Oberen dieser Welt,
    die vernichtet werden,
7   vielmehr reden wir Gottes Weisheit,
    die im Geheimnis besteht,
    die verborgen ist,
    die Gott vor den Äonen zu unserer Verherrlichung
    vorherbestimmt hat.
8   Sie hat keiner der Oberen dieses Äons erkannt;
    denn hätten sie sie erkannt,
    hätten sie den Herrn der Herrlichkeit nicht
    gekreuzigt.
9   Vielmehr gilt, wie es geschrieben steht:
    „Was kein Auge gesehen und kein Ohr gehört hat,
    und was in keines Menschen Herz aufgestiegen ist,
    das hat Gott denen bereitet, die ihn lieben."
10 Uns aber hat Gott es geoffenbart durch den Geist.
    Denn der Geist offenbart alles,
    auch die Tiefen Gottes.
11 Denn wer von den Menschen kennt,
    was den Menschen ausmacht,
    außer dem Geist des Menschen in ihm?

So hat auch das, was Gott ausmacht,
niemand erkannt außer dem Geist Gottes.

2,12 Wir aber haben nicht den Geist der Welt empfangen,
sondern den Geist, der aus Gott stammt,
damit wir erkennen,
was uns von Gott geschenkt worden ist.

13 Davon reden wir auch –
nicht in gelehrten Worten menschlicher Weisheit,   2,4
sondern in gelehrten (Worten) des Geistes,
indem wir den Geisterfüllten die Geistesgaben
deuten.

14 Der Mensch aber, der Psychiker ist,
nimmt das, was den Geist Gottes ausmacht,
nicht auf; denn für ihn ist das **Torheit,**   1,23
und er kann es nicht erkennen,
was nur auf die Weise des Geistes beurteilt
werden kann.

15 Der Geisterfüllte aber beurteilt alles,
er selbst aber wird von niemandem beurteilt.

16 „Denn wer hat das Denken des Herrn erkannt,
wer kann ihn belehren?"
Wir aber haben das Denken Christi!

3,1 Auch ich, Brüder,
konnte zu euch nicht wie zu Geisterfüllten reden,
sondern nur wie zu Fleischlichen,
wie zu Unmündigen in Christus.

2 Milch gab ich euch zu trinken,
nicht feste Speise;
ihr konntet sie noch nicht vertragen.

3 Ihr seid auch noch Fleischliche.
Denn solange **unter euch Eifersucht und Streit** 1,11; 11,18
vorkommen, seid ihr da nicht Fleischliche
und wandelt ihr da nicht nach Menschenweise?

4 Denn wenn einer sagt:
„Ich gehöre zu Paulus",   1,12
ein anderer aber *„Ich* zu Apollos!"
seid ihr da nicht Menschen?

3,5 Was bedeutet denn Apollos?
Was Paulus?
Diener sind sie,
durch die ihr zum Glauben gekommen seid!
Und jedem kommt die Bedeutung zu,
die ihm der Herr gegeben hat.

6 Ich habe gepflanzt,
Apollos hat begossen,
aber Gott hat wachsen lassen.

7 So bedeutet weder der etwas, der pflanzt,
noch der, der begießt,
sondern der wachsen läßt: Gott.

8 Der pflanzt und der begießt aber sind eins,
jeder aber wird seinen eigenen Lohn empfangen
gemäß seiner eigenen Mühe.

9 Denn wir sind Gottes Mitarbeiter.
Gottes Ackerfeld, Gottes Bauwerk seid ihr.

10 Gemäß der **Gnade Gottes,**   1,4; 15,10
die mir verliehen wurde,
habe ich wie ein weiser Architekt das Fundament
gelegt, ein anderer aber baut darauf weiter.

11 Denn ein anderes Fundament kann niemand legen
außer dem, das gelegt ist:
das ist Jesus Christus.

12 Ob aber einer auf dem Fundament weiterbaut
mit Gold, Silber, kostbaren Steinen,
Hölzern, Heu oder Stroh,

13 ein **jedes Werk** wird offenbar werden;   9,1
denn **der Tag** wird es offenkundig machen.   1,8
Weil er durch Feuer **offenbart wird,**   4,5
wird auch das Feuer die Beschaffenheit des Werkes
eines jeden prüfen.

14 Wenn jemandes Werk,
das er darauf gebaut hat, Bestand hat,
wird er Lohn erhalten.

15 Wenn jemandes Werk verbrennt,
muß er den Verlust tragen;
er selbst aber wird gerettet werden,
aber so wie durch Feuer.

3,16   Wißt ihr nicht, daß ihr **Gottes Tempel** seid   6,19
       und der **Geist Gottes** in euch wohnt?

17   Wenn einer den Tempel Gottes verdirbt,
       wird diesen Gott verderben.
       Denn der Tempel Gottes ist heilig,
       und der seid ihr.

18   **Niemand täusche sich selbst!**   6,9
       Wenn einer unter euch **weise** zu sein meint   4,10
       in diesem Äon,
       werde er **töricht,** damit er **weise** wird.

19   Denn die Weisheit dieser Welt
       ist Torheit bei Gott.
       Denn es steht geschrieben:
       „Er fängt die Weisen durch ihre List."

20   Und wiederum:
       „Der Herr kennt die Erwägungen der Weisen,
       daß sie nichtig sind."

21   Daher soll sich niemand rühmen
       unter Berufung auf Menschen!
       Denn alles ist euer,

22   sei es Paulus, sei es Apollos, sei es Kefas,
       sei es Welt, sei es Leben, sei es Tod,
       sei es Gegenwärtiges, sei es Zukünftiges, –
       alles ist euer,

23   **ihr aber seid Christi,**   6,10
       Christus aber Gottes.   11,3

4,1   So soll man uns als Diener Christi betrachten
       und als Verwalter der Geheimnisse Gottes.

2   Hier übrigens verlangt man von Verwaltern,
       daß einer treu erfunden wird.

3   Für mich aber ist von geringster Bedeutung,
       daß ich **von euch beurteilt werde**   9,3
       oder von einem menschlichen Gerichtstag.
       Ich beurteile mich auch nicht selbst.

4   Ich bin mir zwar keiner Schuld bewußt,
       aber dadurch bin ich nicht gerechtfertigt;
       der mich beurteilt, ist der Herr.

4,5 Richtet also nicht vor der Zeit über etwas,
    bevor der Herr kommt,
    der auch das im Dunkeln Verborgene durchleuchten
    und die Beschlüsse der Herzen
       offenbar machen wird.   3,13
    Und dann wird jedem das Lob von Gott zuteil
       werden.

6 Dies aber, Brüder, habe ich auf mich selbst
    und auf Apollos gemünzt –
    um euretwillen, damit ihr an uns lernt:
    „Nicht über das hinaus, was geschrieben steht",
    damit ihr euch nicht aufblast,
    indem ihr für den einen
    und gegen den anderen Stellung nehmt.
7 Denn wer gibt dir einen Vorzug?
    Was aber hast du, das du nicht empfangen hättest?
    Wenn du es aber empfängst, was rühmst du dich,
    als hättest du es nicht empfangen?
8 Ihr seid schon gesättigt,
    ihr seid schon reich geworden!
    Ohne uns seid ihr zur Herrschaft gelangt!
    Ja, wäret ihr doch nur zur Herrschaft gelangt,
    damit wir zusammen mit euch herrschen könnten.
9 Denn ich glaube,
    Gott hat uns Apostel als „Letzte" erwiesen,
    wie Todgeweihte;
    denn ein Schauspiel sind wir geworden
    für die Welt und für Engel und Menschen.
10 Wir sind **Toren** um Christi willen,   3,18; 10,15
    ihr aber Verständige in Christus.
    Wir sind Schwache, ihr aber Starke.
    Ihr seid Angesehene, wir aber Ehrlose.
11 Bis zur jetzigen Stunde hungern und dürsten wir
    und gehen in Lumpen und werden geschlagen
    und sind heimatlos.
12 Und wir mühen uns ab,
    indem wir **mit den eigenen Händen arbeiten.**   9,6.14f
    Beschimpft – segnen wir,
    verfolgt – halten wir stand,

4,13 geschmäht – trösten wir.
Wie Abschaum der Welt sind wir geworden,
von allen verstoßen – bis jetzt.

14 Nicht um euch bloßzustellen, schreibe ich dies,
sondern um euch als meine geliebten Kinder
zurechtzuweisen.
15 Denn wenn ihr auch unzählige Erzieher in Christus
hättet, so doch nicht viele Väter;
denn in Jesus Christus habe ich euch
durch das Evangelium gezeugt.
16 Ich ermahne euch also: **Werdet meine Nachahmer!** 11,1

17 Deshalb habe ich euch **Timotheus** geschickt, 16,10f
der mein geliebtes und treues Kind im Herrn ist.
Er wird euch an meine Wege erinnern,
die in Christus Jesus,
wie ich sie allerorten in **jeder Gemeinde** lehre. 11,16
18 Als ob ich aber nicht zu euch käme,
haben sich einige **aufgeblasen.** 5,2
19 Ich werde aber rasch zu euch kommen,
wenn der Herr will, 16,7
und ich werde nicht nur die **Rede** der 2,4
Aufgeblasenen prüfen, sondern auch ihre **Kraft.**
20 Denn nicht in der **Rede** erweist sich die 6,9f
Herrschaft Gottes, sondern in der **Kraft.**
21 Was wollt ihr?
Soll ich mit dem Stock zu euch kommen
oder mit Liebe und im Geist der Sanftmut?

5,1 Übrigens **hört man** von **Unzucht** unter euch, 11,18
und zwar solcher **Unzucht,** 6,18
wie sie nicht einmal unter Heiden vorkommt:
daß einer die Frau seines Vaters (als Frau) hat.
2 Und ihr seid **aufgeblasen,** 4,18f
statt vielmehr zu trauern.
Entfernt werden **aus eurer Mitte** soll der, 5,11.13
der eine solche Tat getan hat.

5,3 Denn *ich,* obwohl dem Leib nach abwesend,
    anwesend aber im Geist,
    habe schon entschieden,
    als ob ich anwesend wäre:
  4 Der so dies verübt hat,
    soll im Namen unseres Herrn Jesus,
    da ihr und mein Geist euch versammelt
    zusammen mit der Kraft unseres Herrn Jesus
        Christus,
    dem Satan ausgeliefert werden
  5 zum Verderben des Fleisches,
    damit der Geist gerettet werde am Tag des Herrn.
  6 Euer Ruhm ist nicht gut!
    Wißt ihr nicht, daß ein wenig Sauerteig
    den ganzen Teig durchsäuert?

  7 Schafft den alten Sauerteig hinaus,
    damit ihr neuer Teig seid,
    wie ihr Ungesäuerte seid.
    Denn unser Paschalamm wurde geschlachtet:
    Christus.
  8 Daher wollen wir das Fest feiern,
    nicht im alten Sauerteig,
    auch nicht mit Sauerteig der Schlechtigkeit
    und Bosheit,
    sondern mit Ungesäuertem der Aufrichtigkeit
    und Wahrheit.

  9 **Ich schrieb euch in dem Brief,**   5,11
    ihr solltet mit **Unzüchtigen** nichts zu schaffen
    haben;
 10 nicht schlechthin mit den **Unzüchtigen**   5,11; 6,9f
    dieser Welt oder den **Habgierigen** und **Räubern** und
    Götzendienern –
    denn dann müßtet ihr ja aus der Welt auswandern.
 11 **Nun aber schrieb ich euch,**   5,9
    ihr solltet nichts zu schaffen haben mit einem,
    der sich Bruder nennt,   6,5f.8

aber doch ein **Unzüchtiger**　　　　　　　　6,9f
oder **Habgieriger** oder **Götzendiener** oder **Lästerer**
oder **Trinker** oder **Räuber** ist;
mit einem solchen sollt ihr nicht einmal
zusammen essen!

5,12 Denn was ginge es mich an,　　　　　　　6,1–3
die draußen zu **richten?**
Ihr **richtet** doch auch die drinnen?

13 Die draußen aber wird Gott **richten.**
„Schafft den Übeltäter weg **aus eurer Mitte!"**　　5,2

6,1 Wagt es einer von euch,
der mit einem anderen einen Rechtsstreit hat,
sich bei den Ungerechten **richten** zu lassen　　5,12f
statt bei den Heiligen?

2 Oder wißt ihr nicht,
daß die Heiligen die Welt **richten** werden?
Und wenn durch euch die Welt **gerichtet** wird,
seid ihr unwürdig,
geringere Rechtsachen (zu schlichten)?

3 Wißt ihr nicht,
daß wir die Engel **richten** werden?
Also doch erst recht alltägliche Angelegenheiten!

4 Wenn ihr nun alltägliche Rechtsfälle habt,
wieso setzt ihr dann diejenigen (als Richter) ein,
die in der Gemeindeversammlung nichts gelten?

5 Zu eurer Beschämung sage ich das!
Gibt es unter euch wirklich niemanden,
der weise wäre und unter **seinen Brüdern**　　5,11
schlichten könnte?

6 Jedoch, **ein Bruder** prozessiert mit dem anderen,
und dies vor den Ungläubigen!

7 Ist es nicht überhaupt schon ein Versagen bei euch,
daß ihr miteinander Rechtsauseinandersetzungen
habt? Warum leidet ihr nicht lieber Unrecht?
Warum laßt ihr euch nicht lieber berauben?

8 Jedoch, ihr tut Unrecht und begeht Raub,
und dies **an Brüdern!**　　　　　　　　　5,11

6,9 Oder wißt ihr nicht,
daß Ungerechte **das Reich Gottes** nicht erben 4,20; 5,10
werden? **Täuscht euch nicht!** 3,18
Weder **Unzüchtige** noch **Götzendiener** noch 5,10f
Ehebrecher
noch Lustknaben noch Knabenschänder
10 noch Diebe noch Habgierige, –
keine **Trinker,** keine **Lästerer,** keine **Räuber**
werden **das Reich Gottes** erben. 4,20; 5,9
11 Und davon gab es einige unter euch.
Aber ihr seid abgewaschen,
aber ihr seid geheiligt,
aber ihr seid gerechtgesprochen worden
durch den Namen des Herrn Jesus Christus
und durch den Geist unseres Gottes.

12 „Alles ist mir erlaubt!", 10,23
aber nicht alles nützt.
„Alles ist mir erlaubt!"
aber ich will von nichts überwältigt sein.
13 Die **Speisen** sind für den Bauch, 8,8
der Bauch ist für die **Speisen** –
Gott aber wird diesen und jene vernichten!
Der Leib aber ist nicht für die Unzucht da,
sondern für den Herrn,
und der Herr für den Leib.
14 **Gott** aber hat **den Herrn auferweckt** 15,15.20
und wird **auch uns auferwecken durch seine Kraft.** 15,43
15 Wißt ihr nicht,
daß **eure Leiber Glieder Christi** sind? 12,27
Soll ich nun die Glieder Christi nehmen
und sie zu Gliedern einer Dirne machen?
Keinesfalls!
16 Oder wißt ihr nicht:
Wer der Dirne anhängt,
ist ein Leib mit ihr!
Denn so heißt es:
„Die zwei werden ein Fleisch sein!"

6,17 Wer aber dem Herrn anhängt,
     ist ein Geist mit ihm!
  18 **Flieht** die **Unzucht!**   5,1; 10,14
     Jede (andere) Sünde, die ein Mensch tut,
     ist außerhalb des Leibes.
     Wer aber Unzucht treibt,
     versündigt sich gegen den eigenen Leib.
  19 Oder wißt ihr nicht,
     daß euer Leib ein **Tempel des heiligen Geistes**   3,16
     in euch ist, den ihr **von Gott** habt?
     Und ihr gehört nicht euch selbst;   3,23
  20 **denn ihr seid um einen teuren Preis gekauft!**   7,23
     Verherrlicht also Gott durch euren Leib!

7,1 Über die Dinge aber,
     von denen ihr geschrieben habt:
     „Es ist gut für den Menschen,
     keine Frau zu berühren!"
   2 Wegen der Unzucht aber
     soll jeder die eigene Frau haben,
     und jede soll den eigenen Mann haben.
   3 Der Frau soll der Mann die Pflicht erfüllen,
     ebenso aber auch die Frau dem Mann.
   4 Die Frau verfügt nicht über den eigenen Leib,
     sondern der Mann;
     ebenso aber auch verfügt nicht der Mann
     über den eigenen Leib,
     sondern die Frau.
   5 Entzieht euch einander nicht,
     es sei denn im Einverständnis für eine Frist,
     um für das Gebet frei zu sein;
     und kommt wieder zusammen,
     damit euch der Satan nicht versuche
     wegen eurer Unbeherrschtheit.
   6 Dies aber sage ich als Zugeständnis,
     nicht als Befehl.
   7 Ich möchte aber,
     alle Menschen wären so wie ich selbst.
     Doch jeder hat sein eigenes Charisma von Gott,
     der eine so, der andere so.

7,8 Ich sage aber den Unverheirateten und den Witwen:
Es ist gut für sie,
wenn sie so bleiben wie ich.

9 Wenn sie aber nicht enthaltsam leben können,
sollen sie heiraten;
denn es ist besser zu heiraten als zu brennen.

10 Den Verheirateten aber befehle ich –
nicht ich, sondern der Herr – :
Die Frau soll sich vom Mann nicht trennen –

11 wenn sie sich aber doch getrennt hat,
soll sie unverheiratet bleiben
oder sich mit dem Mann versöhnen –
und der Mann soll die Frau nicht entlassen.

12 Den übrigen aber sage ich, nicht der Herr:
Wenn ein Bruder eine ungläubige Frau hat
und diese willigt ein, mit ihm zusammenzuwohnen,
soll er sie nicht entlassen.

13 Und die Frau, wenn sie einen ungläubigen Mann hat
und dieser willigt ein, mit ihr zusammenzuwohnen,
soll den Mann nicht entlassen.

14 Denn der ungläubige Mann
ist durch die Frau geheiligt,
und die ungläubige Frau
ist durch den Bruder geheiligt.
Sonst wären ja eure Kinder unrein;
jetzt aber sind sie heilig.

15 Wenn aber der Ungläubige sich trennt,
soll er sich trennen.
Der Bruder oder die Schwester
ist in solchen Fällen nicht versklavt.
In Frieden hat Gott euch berufen.

16 Woher weißt du denn, Frau,
ob du den Mann retten wirst?
Oder woher weißt du, Mann,
ob du die Frau retten wirst?

7,17 Ansonsten soll jeder so einen Lebenswandel
führen, wie der Herr es ihm zugeteilt,
wie Gott jeden berufen hat.
Und so ordne ich es in allen Gemeinden an.

18 Ist einer als Beschnittener berufen,
soll er beschnitten bleiben;
ist einer als Unbeschnittener berufen,
soll er sich nicht beschneiden lassen.

19 Die Beschneidung bedeutet nichts
und die Unbeschnittenheit bedeutet nichts,
sondern die Befolgung der Gebote Gottes.

20 **Jeder soll in dem Stand, in dem er berufen wurde,** 7,24
eben in diesem bleiben.

21 Bist du als Sklave berufen worden?
Das soll dich nicht kümmern!
Ja, auch wenn du frei werden kannst,
lebe lieber als Sklave weiter.

22 Denn wer im Herrn als Sklave berufen wurde,
ist ein Freigelassener im Herrn.
Ebenso ist der als Freier Berufene
ein Sklave vor dem Herrn.

23 **Um einen teuren Preis seid ihr gekauft.** 6,20
Werdet nicht Sklaven von Menschen!

24 **Jeder soll, Brüder, in dem Stand,** 7,20
in dem er berufen wurde,
in eben diesem vor Gott bleiben.

25 Über die Jungfrauen aber habe ich kein Gebot
des Herrn; ich gebe aber einen **Rat** als jemand, 7,40
der dank des Erbarmens des Herrn zuverlässig ist.

26 Ich meine aber das:
Es ist gut, (jungfräulich) zu sein,
wegen der bevorstehenden Not,
ja, es ist gut für den Menschen,
so zu sein.

27 Bist du an eine Frau gebunden?
Suche keine Scheidung!
Bist du frei von einer Frau?
Suche keine Frau!

7, 28 Wenn du aber doch heiratest,
        sündigst du nicht.
        Und wenn die Jungfrau heiratet,
        sündigt sie nicht.
        Drangsal aber in ihrem Leben werden solche haben;
        ich aber möchte sie euch ersparen.
   29 Dies aber sage ich, Brüder:
        Die Frist ist zusammengedrückt!
        Im übrigen sollen die, die Frauen haben,
        sein, als hätte sie keine,
   30 und die Weinenden, als weinten sie nicht,
        und die sich freuen, als freuten sie sich nicht,
        und die kaufen, als würden sie keine Besitzer,
   31 und die von der Welt Gebrauch machen,
        als verbrauchten sie nicht.
        Denn es vergeht die Gestalt dieser Welt.

   32 Ich möchte aber, daß ihr sorglos (ungeteilt) seid.
        Der Unverheiratete sorgt sich um die Sache
        des Herrn, wie er dem Herrn gefallen könne.
   33 Der Verheiratete aber sorgt sich um die Sache
        der Welt, wie er der Frau gefallen könne;
   34 und er ist (in Sorge) geteilt.
        Und die unverheiratete Frau und die Jungfrau
        sorgt sich um die Sache des Herrn,
        damit sie heilig sei an Leib und Geist.
        Die Verheiratete aber sorgt sich um die Sache
        der Welt, wie sie dem Mann gefallen könne.
   35 Dies aber sage ich zu eurem eigenen Nutzen,
        nicht um euch eine Fessel anzulegen,
        sondern damit ihr in rechter Weise und ungestört
        immer dem Herrn dienen könnt.
   36 Wenn aber einer sich gegenüber seiner Jungfrau
        unrecht zu verhalten glaubt,
        wenn sein Verlangen zu stark ist,
        der soll tun, was er möchte,
        und so muß es sein.
        Er sündigt nicht,
        Sie sollen heiraten!

7,37 Wer aber in seinem Herzen feststeht
und keine Not hat,
sondern die Vollmacht über sein eigenes Wollen
besitzt, und dies in seinem Herzen entschieden hat,
seine Jungfrau (unberührt) zu bewahren,
wird gut handeln.
38 Folglich:
Auch wer seine Jungfrau heiratet,
handelt gut,
und wer nicht heiratet,
wird besser handeln.

39 Eine Frau ist gebunden,
solange ihr Mann lebt.
Wenn aber der Mann entschlafen ist,
ist sie frei, sich, wenn sie will, zu verheiraten!
Nur (es geschehe) im Herrn.
40 Glücklich aber ist sie, wenn sie so bleibt,
gemäß meinem **Rat**;   7,25
ich denke aber auch,
daß ich den Geist Gottes habe.

8, 1 **Über das Götzenopferfleisch aber**;   8,4; 10,19–11,1
wir wissen, daß **alle Erkenntnis** haben.   8,7
Die **Erkenntnis** bläht auf,
die Liebe aber baut auf.
2 Wenn einer meint,
etwas erkannt zu haben,
hat er doch nicht so erkannt,
wie man erkennen muß.
3 Wenn aber einer Gott liebt,
ist dieser von ihm erkannt.
4 **Über das Essen nun von Götzenopfer-**   8,1; 10,19–11,1
fleisch; wir wissen,
daß es **keinen Götzen in der Welt gibt**   10,19
und daß niemand Gott ist außer dem einzigen.
5 Und selbst wenn es sogenannte Götter gibt,
sei es im Himmel, sei es auf Erden,
– wie es viele Götter und viele Herren gibt –,

8,6   doch für uns gibt es nur **den einen Gott,**   12,5 f
      den Vater,
     von dem her alles ist und wir auf ihn hin,
     und nur **einen Herrn Jesus Christus,**
     durch den alles ist und wir durch ihn.

7   Jedoch **nicht in allen ist die Erkenntnis.**   8,1
    Einige aber essen nach ihrer Gewöhnung an Götzen
    bis jetzt (das Fleisch) als Götzenopferfleisch,
    und ihr **Gewissen, das schwach** ist,   8,10.12; 10,27 f
    wird befleckt.
8   **Speise** aber wird uns nicht
    vor Gott(es Gericht) bringen.
    Weder ermangeln wir etwas,
    wenn wir nicht essen,
    noch haben wir Überfluß,
    wenn wir essen.
9   Seht aber zu,
    daß dieses euer „Recht"
    den Schwachen nicht zum Anstoß wird.   9,12.22
10 Denn wenn einer dich,
    der du Erkenntnis hast,
    im Götzentempel zu Tisch liegen sieht,
    wird nicht sein **Gewissen, das schwach ist,**   8,7.12; 10,27 f
    „aufgebaut" zum Götzenopferfleischessen?
11 Es geht nämlich der Schwache
    an deiner Erkenntnis zugrunde, der Bruder,
    um dessentwillen Christus gestorben ist.
12 Wenn ihr so gegen die Brüder sündigt,
    und ihr **schwaches Gewissen** verletzt,   8,7.10; 10,27 f
    sündigt ihr gegen Christus.
13 Deshalb, wenn eine Speise
    meinen Bruder skandalisiert,
    werde ich in Ewigkeit kein Fleisch essen,
    damit ich meinen Bruder nicht skandalisiere.

9,1 Bin ich nicht frei?
   Bin ich nicht Apostel?
   Habe ich nicht Jesus, unseren Herrn, gesehen?   15,8
   Seid ihr nicht **mein Werk im Herrn?**   3,10–15
2 Wenn ich für andere kein Apostel bin,
   bin ich es doch für euch!
   Denn ihr seid der Siegelabdruck
   meines Apostolats im Herrn.

3 Meine Verteidigung gegen die,
   die **mich beurteilen,** ist diese: 4,3
4 Haben wir nicht das Recht,
   zu essen und zu trinken?   10,31
5 Haben wir nicht das Recht,
   eine Schwester als Frau mitzunehmen,
   wie auch die übrigen Apostel
   und die Brüder und **Kefas?**   1,12; 3,22
6 Oder haben allein ich und Barnabas
   nicht das Recht, nicht zu **arbeiten?**   4,12
7 Wer zieht je zu Felde für eigenen Sold?
   Wer pflanzt einen Weinberg
   und ißt nicht seine Frucht?
   Oder wer weidet eine Herde
   und ißt nicht von der Milch der Herde?
8 Sage ich dies etwa gemäß menschlicher Einsicht?
   Oder spricht nicht auch das Gesetz dies aus?
9 Im Gesetz des Mose steht nämlich geschrieben:
   „Du sollst einem dreschenden Ochsen
   keinen Maulkorb anlegen!"
   Liegt Gott etwas an den Ochsen?
10 Oder sagt er es nicht offensichtlich unseretwegen?
   Unseretwegen wurde doch geschrieben,
   daß der Pflüger auf Hoffnung hin pflügen soll
   und der Drescher (dreschen) auf Hoffnung hin,
   Anteil zu erhalten.
11 Wenn wir euch die Geistesgaben gesät haben,
   ist es dann zuviel,
   wenn wir von euch irdische Gaben ernten?

9,12 Wenn andere an eurem Vermögen Anteil haben,
wir nicht um so mehr?

Aber wir haben von diesem Recht keinen Gebrauch
gemacht; **vielmehr ertragen wir alles,** 13,7
damit wir dem Evangelium des Christus
keinen Anstoß bereiten. 8,9.13

13 Wißt ihr nicht,
daß diejenigen, die für die Tempel arbeiten,
die [Nahrung] vom Tempel essen?
Daß diejenigen, die am Altar Dienst tun,
vom Altar Anteil erhalten?

14 So hat auch der Herr angeordnet,
daß die Verkündiger des Evangeliums
vom Evangelium leben sollen.

15 Ich aber habe in keiner Weise
davon Gebrauch gemacht.
Ich habe dies aber nicht geschrieben,
damit es so bei mir geschehe.
Denn es ist gut für mich,
lieber zu sterben als –
meinen Ruhm wird mir niemand zunichte machen!

16 Denn wenn ich das Evangelium verkünde,
ist das kein Ruhm für mich.
Eine Nötigung nämlich ist mir auferlegt.
Denn ein Wehe gilt mir,
wenn ich das Evangelium nicht verkünde.

17 Denn wenn ich dies freiwillig tue,
erhalte ich Lohn.
Wenn aber unfreiwillig,
bin ich mit einem Auftrag betraut.

18 Welcher ist nun mein Lohn?
Daß ich als Verkündiger des Evangeliums
das Evangelium unentgeltlich ausrichte,
um von meinem Recht am Evangelium
keinen Gebrauch zu machen.

9,19 Denn obwohl ich frei bin von **allem,** 10,33
     habe ich mich **allen** versklavt,
     um möglichst viele zu gewinnen.

20 Und ich bin den Juden geworden wie ein Jude,
     um Juden zu gewinnen;
     denen unter dem Gesetz wie unter dem Gesetz,
     obwohl ich selbst nicht unter dem Gesetz (bin),
     um die unter dem Gesetz zu gewinnen.

21 Den Gesetzlosen wie ein Gesetzloser,
     – obwohl ich kein Gesetzloser Gottes bin,
     sondern ein an Christi Gesetz Gebundener –,
     um die Gesetzlosen zu gewinnen.

22 Ich bin den **Schwachen** geworden ein 8,7.9f.12
     Schwacher,
     um die **Schwachen zu gewinnen.**
     Denen allen bin ich alles geworden, 10,33
     um überhaupt einige zu retten.

23 Alles aber tue ich um des Evangeliums willen,
     um sein Mitteilhaber zu werden.

24 Wißt ihr nicht,
     daß die Läufer im Stadion alle zwar laufen,
     aber nur einer den Siegespreis empfängt?
     Lauft so, daß ihr ihn empfangt!

25 Jeder Wettkämpfer aber enthält sich in allem;
     jene nun,
     damit sie einen vergänglichen Kranz empfangen,
     wir aber einen unvergänglichen.

26 Ich also, ich laufe so,
     nicht wie jemand ohne Ziel,
     ich kämpfe so,
     nicht wie jemand, der in die Luft schlägt,

27 vielmehr züchtige ich meinen Leib
     und mache ihn dienstbar,
     damit ich nicht anderen gepredigt habe
     und selbst unbewährt bin.

Ich will euch aber nicht in Unkenntnis lassen, 12, 1
Brüder,
daß unsere Väter alle unter der Wolke waren
und alle durch das Meer hindurchzogen
2 und alle auf Mose getauft wurden
in der Wolke und im Meer
3 und alle dieselbe geistige Speise aßen
4 und alle denselben geistigen Trank tranken.
Es tranken ja alle von dem geistigen Felsen,
der nachfolgte.
Der Fels aber war der Christus.
5 Doch hat an den meisten von ihnen Gott
kein Gefallen gefunden,
denn sie kamen in der Wüste um.
6 Diese aber sind Vorbilder für uns geworden,
damit wir nicht begierig nach Bösem sind,
wie auch jene begehrt haben.
7 Werdet auch keine **Götzendiener,** 10, 14
wie einige von ihnen.
Wie geschrieben steht:
„Es setzte sich das Volk,
um zu essen und zu trinken,
und sie standen auf,
sich zu vergnügen."
8 Wir wollen auch nicht huren,
wie einige von ihnen gehurt haben;
und es fielen an einem Tag Dreiundzwanzigtausend.
9 Wir wollen auch den Herrn nicht versuchen,
wie einige von ihnen (ihn) versucht haben,
und sie wurden von den Schlangen umgebracht.
10 Murrt auch nicht,
wie einige von ihnen gemurrt haben,
und sie wurden vom Verderber umgebracht.
11 Dies aber ist jenen exemplarisch widerfahren,
aufgeschrieben aber wurde es zu unserer Ermahnung,
auf die das Ende der Zeiten gekommen ist.
12 Folglich:
Wer glaubt zu stehen,
sehe zu, daß er nicht falle!

10,13 Eine übermenschliche Versuchung
      hat euch nicht erreicht.
      Gott aber ist treu,   1,9
      er wird nicht zulassen,
      daß ihr versucht werdet über euer Vermögen hinaus,
      vielmehr wird er mit der Versuchung
      auch den Ausweg schaffen,
      so daß ihr sie ertragen könnt.

14 Deshalb, meine Geliebten,
   flieht vor dem **Götzendienst!**   6,18; 10,7
15 Wie zu **Verständigen** rede ich.   4,10
   Urteilt selbst über das, was ich sage!
16 Der Becher des Segens, den wir segnen,
   ist er nicht Teilhabe am Blut des Christus?
   Das Brot, das wir brechen,
   ist es nicht Teilhabe am Leib des Christus?
17 Denn **ein** Brot ist es,   12,12.27
   ein Leib sind wir vielen;
   denn alle haben wir Anteil an dem **einen** Brot.
18 Schaut auf das Israel dem Fleisch nach:
   Sind diejenigen, die von dem Opfer essen,
   nicht Teilhaber am Altar?
19 Was also sage ich?
   Daß Götzenopferfleisch etwas ist?
   Oder daß ein Götze etwas ist?   8,4
20 Aber, was sie opfern,
   opfern sie den Dämonen und nicht Gott!
   Ich will aber nicht,
   daß ihr Teilhaber der Dämonen werdet.
21 Ihr könnt nicht **den Becher des Herrn trinken**   11,27
   und den Becher der Dämonen!
   Ihr könnt nicht am Tisch des Herrn Anteil haben
   und am Tisch der Dämonen.
22 Oder wollen wir den Herrn eifersüchtig machen?
   Sind wir etwa stärker als er?

23 **„Alles ist erlaubt!",**   6,12
   aber nicht alles nützt.

„Alles ist erlaubt!",
aber nicht alles baut auf!
10,24 Niemand suche das Seine,
sondern das des Anderen.
25 Alles, was auf dem Fleischmarkt verkauft wird,
eßt, ohne Unterscheidungen zu treffen
um des Gewissens willen;   8,7.10.12; 10,27 f
26 denn „des Herrn ist die Erde und ihre Fülle".
27 Wenn einer von den Ungläubigen euch einlädt
und ihr hingehen wollt,
eßt alles, was euch vorgesetzt wird,
ohne Unterscheidungen zu treffen
um des Gewissens willen.   8,7.10.12; 10,25
28 Wenn aber einer euch sagt:
„Das ist Opferfleisch!",
dann eßt nicht um jenes willen,
der euch aufmerksam macht,
um des Gewissens willen –
29 ich meine nicht das eigene Gewissen,
sondern das des anderen.
Denn: Wozu soll meine Freiheit von einem
anderen Gewissen beurteilt werden?
30 Wenn *ich* mit Dank Anteil habe,
was werde ich geschmäht für das,
wofür ich danksage?
31 **Ob ihr also eßt, ob ihr trinkt,**   9,4
ob ihr sonst etwas tut,
tut alles zur Ehre Gottes!
32 Werdet weder **den Juden noch den Griechen**   1,22; 12,13
noch der Gemeinde Gottes zum **Anstoß,**   8,9; 9,12; 11,22
33 wie auch ich **in allem allen zu gefallen suche,**   9,19–23
da ich nicht meinen Nutzen suche,
sondern den der Vielen,
damit sie gerettet werden.   9,22
11,1 **Werdet meine Nachahmer,**   4,16
wie auch ich des Christus!
2 **Ich lobe euch aber,**   11,17.22
daß ihr in allem an mich denkt,
und **an den Überlieferungen festhaltet,**   11,23; 15,2 f
wie **ich** sie euch überliefert habe.

11,3 Ich möchte aber, daß ihr wißt:
Jedes Mannes Haupt ist der Christus,
Haupt aber einer Frau der Mann,
Haupt aber des Christus Gott. 3,23
4 Jeder Mann, der betet oder prophetisch redet,
während er sein Haupt bedeckt hat,
entehrt sein Haupt.
5 Jede Frau aber, die betet oder prophetisch redet,
während sie ihr Haupt entblößt hat,
entehrt ihr Haupt.
Ein und dasselbe ist sie nämlich
mit einer Geschorenen.
6 Wenn eine Frau sich nicht bedeckt,
soll sie sich gleich scheren lassen!
Wenn es aber für eine Frau schändlich ist,
sich scheren zu lassen oder kahl zu sein,
soll sie sich bedecken!
7 Ein Mann allerdings darf sein Haupt nicht bedecken,
weil er als Abbild und Abglanz Gottes existiert.
Die Frau aber ist Abglanz des Mannes.
8 Denn der Mann stammt ja nicht von der Frau,
sondern die Frau vom Mann.
9 Denn der Mann ist auch nicht um der Frau willen
geschaffen, sondern die Frau um des Mannes willen.
10 Deshalb muß die Frau ein Vollmachtszeichen
auf ihrem Haupt haben wegen der Engel.
11 Ansonsten: Weder gilt die Frau etwas
unabhängig vom Mann
noch der Mann unabhängig von der Frau im Herrn.
12 Denn wie die Frau von dem Mann stammt,
so existiert auch der Mann durch die Frau.
Alles aber stammt von Gott!
13 Urteilt selber:
Ziemt es sich,
daß eine Frau unbedeckt zu Gott betet?
14 Lehrt euch nicht die Natur selber,
daß der Mann, wenn er langes Haar trägt,
es eine Schande für ihn ist,

11,15 die Frau aber, wenn sie langes Haar trägt,
es eine Ehre für sie ist?
Denn das lange Haar ist ihr anstelle
eines Schleiers gegeben.
16 Wenn aber einer meint, er solle darüber streiten, –
wir haben einen solchen Brauch nicht
und auch **die Gemeinden** Gottes nicht.   4,17

17 Da ich dies **anordne,** –   11,34
nicht lobe ich euch,
daß ihr nicht zum Besten,
sondern zum Schlechtesten zusammenkommt.
18 Als erstes **höre ich** nämlich,   5,1
daß bei euch,
wenn ihr in der Gemeinde zusammenkommt,
Spaltungen existieren;   1,10; 3,3
und zum Teil glaube ich das auch.
19 Denn es muß auch Parteiungen unter euch geben,
damit die Bewährten unter euch offenkundig werden.
20 **Wenn ihr nun an einem Ort zusammenkommt,**   14,23
ist das kein „Herrenmahl essen";
21 denn jeder nimmt beim Essen
sein eigenes Mahl voraus,
und der eine hungert,
der andere hingegen ist betrunken.
22 Habt ihr denn keine Häuser zum Essen und Trinken?
Oder verachtet ihr **die Gemeinde Gottes?**   10,32
Und demütigt ihr die, die nichts haben?
Was soll ich euch sagen;
Soll ich euch loben?   11,2.17
In diesem Fall lobe ich euch nicht!
23 **Ich** nämlich habe vom Herrn **übernommen,**   15,3
was **ich** auch **euch überliefert habe:**   11,2; 15,2f
Der Herr Jesus nahm in der Nacht,
in der er ausgeliefert wurde, Brot
24 und brach es nach dem Dankgebet und sprach:
„Dies ist mein Leib für euch.
Tut dies zu meinem Gedächtnis!"

11, 25 Ebenso auch den Becher nach dem Mahl
mit den Worten:
„Dieser Becher ist der neue Bund in meinem Blut.
Tut dies, sooft ihr trinkt, zu meinem Gedächtnis."

26 Denn sooft ihr dieses Brot eßt
und den Becher trinkt,
verkündigt ihr den Tod des Herrn,
bis er kommt.

27 Deshalb: Wer unwürdig das Brot ißt   10, 21
und **den Becher des Herrn trinkt,**
ist schuldig am Leib und am Blut des Herrn.

28 Der Mensch aber soll sich selbst prüfen,
und dann soll er von dem Brot essen
und aus dem Becher trinken.

29 Denn wer ißt und trinkt,
ißt und trinkt sich das Gericht,
wenn er den Leib nicht unterscheidet.

30 Deshalb gibt es unter euch viele Schwache
und Kranke, und einige sind entschlafen.

31 Wenn wir mit uns selbst ins Gericht gingen,
würden wir nicht gerichtet werden.

32 Wenn wir aber vom Herrn gerichtet werden,
werden wir erzogen,
damit wir nicht mit der Welt verurteilt werden.

33 Deshalb, meine Brüder:
Wenn ihr zum Essen zusammenkommt,
wartet aufeinander!

34 Wenn einer Hunger hat, soll er zu Hause essen,
damit ihr nicht zum Gericht zusammenkommt.
Das übrige aber werde ich **anordnen,**   11, 17
wenn ich komme.   4, 18–21; 16, 3–9

12, 1 Über die Geistesgaben aber, **Brüder,**   10, 1
will ich euch nicht im Unklaren lassen.

2 Ihr wißt:
Als ihr noch Heiden wart, zog es euch
unwiderstehlich zu den stummen Götzen hin.

12, 3 Darum erkläre ich euch:
Niemand, der im Geist Gottes redet, sagt:
„Verflucht sei Jesus!"
und niemand kann sprechen:
„Herr (ist) Jesus",
wenn nicht im heiligen Geist.

4 Es gibt aber Unterschiede der Charismen,
aber nur denselben Geist.
5 Und es gibt Unterschiede der Dienste,
aber nur **denselben** Herrn.
6 Und es gibt Unterschiede der Wirkkräfte,
aber nur **denselben** Gott,
der alles in allen wirkt.
7 Jedem aber wird die Äußerung des Geistes
zum (allgemeinen) Nutzen gegeben.
8 Dem einen nämlich wird durch den Geist
Weisheitsrede gegeben,
dem anderen Erkenntnisrede gemäß demselben Geist,
9 einem weiteren Glaube durch denselben Geist,
einem anderen aber Heilungscharismen
durch den einen Geist,
10 einem anderen aber Wirkkräfte zu Machttaten,
einem anderen Prophetie,
einem anderen Unterscheidung der Geister,
einem weiteren Arten von Zungenreden,
einem anderen die Übersetzung der Zungensprachen.
11 Alles dies aber bewirkt der eine und selbe Geist,
der einem jeden zuteilt, wie er will.

12 Denn wie der Leib einer ist und viele Glieder hat,
alle Glieder aber des Leibes,   10,17
obwohl sie viele sind, **ein Leib** sind,
so auch **der Christus.**
13 Denn auch wir sind durch den einen Geist alle
in einen Leib getauft worden,
sei es **Juden,** sei es **Griechen,**   1,22; 10,32
sei es **Sklaven,** sei es **Freie;**   7,21 f
und alle sind wir mit dem einen Geist
getränkt worden.

12,14 Denn auch der Leib besteht nicht aus einem Glied,
       sondern aus vielen.

   15 Wenn der Fuß sagt:
       „Weil ich nicht Hand bin,
       gehöre ich nicht zum Leib",
       gehört er nicht deswegen nicht zum Leib.

   16 Und wenn das Ohr sagt:
       „Weil ich nicht Auge bin,
       gehöre ich nicht zum Leib",
       gehört es nicht deswegen nicht zum Leib.

   17 Wäre der ganze Leib Auge,
       wo bliebe des Gehör?
       Wenn ganz Gehör,
       wo der Geruch?

   18 Jetzt aber hat Gott die Glieder,
       jedes einzelne von ihnen,
       im Leib an die Stelle gesetzt,
       wie er wollte.

   19 Wenn das Ganze ein Glied wäre,
       wo bliebe der Leib?

   20 Jetzt aber gibt es viele Glieder,
       aber einen Leib.

   21 Das Auge aber kann nicht zur Hand sagen:
       „Ich brauche dich nicht",
       oder etwa der Kopf zu den Füßen:
       „Ich brauche euch nicht!"

   22 Hingegen gilt vielmehr:
       Die Glieder des Leibes,
       die schwächer zu sein scheinen,
       sind unentbehrlich,

   23 und die wir für weniger edel am Leib ansehen,
       diesen lassen wir um so mehr Ehre zukommen,
       und unseren weniger anständigen Gliedern
       begegnen wir mit mehr Anstand,

   24 während die anständigen dessen nicht bedürfen.
       Wohlan: Gott hat den Leib so zusammengefügt,
       daß er dem geringsten Glied größere Ehre gab,

   25 damit keine Spaltung im Leibe sei,
       sondern die Glieder einträchtig füreinander sorgen.

12, 26 Und wenn ein Glied leidet,
leiden alle Glieder mit.
Wenn ein Glied geehrt wird,
freuen sich alle Glieder mit.

27 Ihr aber seid **der Leib Christi**   6,15
und Glieder im einzelnen.
28 Und die einen hat Gott in der Gemeinde eingesetzt:
Zuerst als Apostel, zweitens als Propheten
drittens als Lehrer;
dann Machttaten, dann Heilungscharismen, Hilfen,
Leitungsgaben, Arten von Zungenreden.
29 Sind etwa alle Apostel?
Sind etwa alle Propheten;
Sind etwa alle Lehrer?
Haben alle Machttaten?
30 Haben etwa alle Heilungscharismen?
Reden etwa alle mit Zungen?
Übersetzen etwa alle?
31 **Eifert aber nach den größeren Charismen!**   14,1.39
Und noch darüber hinaus zeige ich euch einen Weg:

13, 1 Wenn ich mit den Zungen von Menschen rede
und von Engeln, habe aber die Agape nicht,
bin ich ein tönendes Erz oder eine lärmende Pauke.
2 Und wenn ich die Prophetie habe
und alle Geheimnisse kenne und die ganze Erkenntnis,
und wenn ich allen Glauben habe,
so daß ich Berge versetzen kann,
habe aber die Agape nicht,
bin ich nichts!
3 Und wenn ich meine ganze Habe verschenke
und wenn ich meinen Leib zum Verbrennen übergebe,
habe aber die Liebe nicht,
schaffe ich keinen Nutzen.

13,4   Die Agape ist großmütig,
      gütig ist die Agape,
      sie eifert nicht,
      sie prahlt nicht,
      sie bläht sich nicht auf,

  5   sie handelt nicht ungehörig,
      sie sucht nicht ihren Vorteil,
      sie zürnt nicht,
      sie rechnet das Böse nicht an,

  6   sie freut sich nicht über das Unrecht,
      sie freut sich aber mit an der Wahrheit.

  7   **Alles erträgt sie,**   9,12
      alles glaubt sie,
      alles hofft sie,
      alles erduldet sie.

  8   Die Agape kommt niemals zu Fall.
      Sei es aber prophetische Rede, sie wird vergehen.
      Seien es Zungenreden, sie werden aufhören.
      Sei es Erkenntnis, sie wird vergehen.

  9   Denn bruchstückhaft erkennen wir
      und bruchstückhaft prophezeien wir.

10   Wenn aber das Ganze-Vollendete kommt,
      wird das Bruckstückhafte vergehen.

11   Als ich unmündig war,
      redete ich wie ein Unmündiger,
      dachte ich wie ein Unmündiger,
      urteilte ich wie ein Unmündiger.
      Als ich aber ein Mann geworden war,
      verging das, was den Unmündigen ausmachte.

12   Wir sehen nämlich jetzt durch einen Spiegel
      in Rätselgestalt,
      dann aber von Angesicht zu Angesicht.
      Jetzt erkenne ich bruchstückhaft,
      dann werde ich erkennen, wie ich erkannt bin.

13   Jetzt aber bleibt: Glaube, Hoffnung, Agape,
      diese drei.
      Am größten von diesen aber ist die Agape.

14, 1 Strebt nach der Agape,
eifert aber um die Geistesgaben,   12,31; 14,39
vor allem aber,
daß ihr prophetisch redet.

2 Denn der Zungenredner redet nicht zu Menschen,
sondern zu Gott.
Keiner nämlich versteht ihn,
im Geist aber redet er Geheimnisse.

3 Der prophetisch Redende aber redet zu Menschen:
Erbauung und Mahnung und Trost.

4 Der Zungenredner erbaut sich selbst,
der prophetisch Redende erbaut die Gemeinde.

5 Ich möchte aber,
daß ihr alle in Zungen redet,
mehr aber, daß ihr prophetisch redet.
Denn der prophetisch Redende ist größer
als der Zungenredner, es sei denn, er übersetze,
damit die Gemeinde Erbauung empfange.

6 Jetzt aber, Brüder,
Wenn ich als Zungenredner zu euch komme,
was nütze ich euch, wenn ich zu euch nicht
rede mit einem Offenbarungsspruch oder einer
Erkenntnis oder einer Prophetie oder einer Lehre?

7 Ebenso ist es, wenn die leblosen Dinge einen Ton
geben, sei es eine Flöte, sei es eine Harfe,
wenn sie keine unterschiedlichen Töne
hervorbringen, wie soll man erkennen,
was geflötet oder auf der Harfe geschlagen wird?

8 Und wenn die Posaune einen undeutlichen Ton
hervorbringt, wer rührt sich dann zur Schlacht?

9 So ist es auch bei euch:
Wenn ihr als Zungenredner keine klaren Worte
hervorbringt, wie soll man das Gesprochene verstehen?
Ihr werdet nämlich in den Wind reden!

14,10 Es gibt wer weiß wieviele Arten von Sprachen
       in der Welt, und nichts ist stumm.
   11 Wenn ich nun den Sinn der Sprache nicht kenne,
       werde ich dem Redenden ein Fremder sein
       und der Redende ist für mich ein Fremder.
   12 So ist es auch bei euch:
       Wenn ihr **Eiferer** seid **nach Geistesgaben,**   14,1
       sucht sie zur Erbauung der Gemeinde,
       damit ihr (darin) hervorragt.
   13 Deshalb soll der Zungenredner beten,
       daß er auch übersetzen kann.
   14 Denn wenn ich als Zungenredner bete,
       betet mein Geist,
       mein Verstand aber ist unfruchtbar.
   15 Was bedeutet das nun?
       Ich soll nicht nur im Geist beten,
       ich soll auch mit dem Verstand beten.
       Ich soll im Geist preisen,
       ich soll aber auch mit dem Verstand preisen.
   16 Denn wenn du nur im Geist den Lobpreis sprichst,
       wie soll dann derjenige,
       der den Platz des Laien einnimmt,
       das „Amen" zu deinem Dankgebet sagen?
       Wenn er doch nicht weiß, was du sagst!
   17 Du sprichst nämlich zwar trefflich den Dank,
       aber der andere wird nicht erbaut.

   18 Ich danke Gott,
       daß ich mehr als ihr **alle in Zungen rede.**
   19 Aber in der Gemeindeversammlung möchte ich lieber
       fünf Worte mit meinem Verstand reden,
       damit ich auch andere unterweise,
       als zehntausend Worte in Zungen.
   20 Brüder, seid doch nicht Kinder an Einsicht,
       sondern seid unmündig im Bösen,
       an Einsicht aber reife Menschen.

14, 21 Im Gesetz steht geschrieben:
„Durch fremde Sprache und mit den Lippen Fremder
werde ich zu diesem Volk reden,
aber auch so werden sie nicht auf mich hören,
sagt der Herr."
22 Folglich sind die Zungen nicht den Glaubenden,
sondern den Ungläubigen zum Zeichen,
die Prophetie aber nicht den Ungläubigen,
sondern den Gläubigen.

23 **Wenn nun die ganze Gemeinde zusammen-**   11, 20; 14, 26
kommt an einem Ort
und alle in Zungen reden,
aber Unkundige oder Ungläubige hereinkommen,
werden sie nicht sagen, daß ihr rast?
24 Wenn aber alle prophetisch reden,
ein Ungläubiger oder Unkundiger hereinkommt,
wird er von allen überführt, von allen beurteilt;
25 das Verborgene seines Herzens wird offenbar,
und dann fällt er auf sein Antlitz
und huldigt Gott, bekennend:
„Wirklich, Gott ist unter euch!"

26 Was gilt nun, Brüder?
Wenn ihr zusammenkommt,   14, 23
trägt jeder etwas bei:
Er hat einen Psalm, er hat eine Belehrung,
er hat eine Offenbarung, er hat eine Zungenrede,
er hat deren Übersetzung.
Alles soll zur Erbauung geschehen.
27 Sei es, daß einer in Zungen redet,
dann nur zwei oder höchstens drei,
und nacheinander!
Und einer soll übersetzen!
28 Wenn aber kein Übersetzer da ist,
soll der Zungenredner in der Gemeindeversammlung
schweigen;
er mag für sich (still) und zu Gott reden.

14, 29 Propheten aber sollen zwei oder drei reden,
und die anderen sollen urteilen.
30 Wenn aber einem anderen, der da ist,
eine Offenbarung zuteil wird,
soll der erste schweigen.
31 Denn ihr könnt einer nach dem anderen,
alle prophetisch reden,
damit alle hören und alle erbaut werden.
32 Und die Geister der Prophetie
sind den Propheten untertan.
33 Denn Gott ist nicht ein Gott der Unordnung,
sondern des Friedens.

Wie in allen Gemeinden der Heiligen,
34 sollen die Frauen in den Gemeindeversammlungen
schweigen;
denn es ist ihnen nicht gestattet zu reden.
Vielmehr sollen sie sich unterordnen,
wie auch das Gesetz sagt.
35 Wenn sie aber etwas lernen wollen,
sollen sie zu Hause ihre eigenen Männer fragen;
denn es ist ungeziemend für eine Frau,
in der Gemeindeversammlung zu reden.
36 Oder ist von euch das Wort Gottes ausgegangen,
oder ist es zu euch allein gelangt?

37 Wenn einer meint, Prophet zu sein oder Pneumatiker,
soll er erkennen, daß, was ich euch schreibe,
ein Gebot des Herrn ist.
38 Wenn aber einer das nicht anerkennt,
wird er nicht anerkannt.
39 Deshalb, meine Brüder,
eifert nach der prophetischen Rede,   12,31; 14,1
und die Zungenrede hindert nicht.
40 Alles aber soll geziemend
und nach der Ordnung geschehen.

15,1 Ich erinnere euch aber, Brüder, an das Evangelium,
das ich euch gefrohbotschaftet habe,
das ihr auch angenommen habt,
in dem ihr auch feststeht,

2 durch das ihr auch gerettet werdet,
wenn ihr es **festhaltet** in dem Wortlaut,   11,2.23
in dem ich es euch gefrohbotschaftet habe –
es sei denn, ihr wäret vergeblich zum Glauben
gekommen.

3 Ich habe euch nämlich vor allem **überliefert,**   11,23
was auch **ich übernommen habe:**
„Christus ist gestorben für unsere Sünden
          gemäß den Schriften

4 und ist begraben worden;
und er ist auferstanden am dritten Tag
          gemäß den Schriften

5 und ist erschienen
          dem Kephas, dann den Zwölfen."

6 Darauf erschien er mehr als fünfhundert Brüdern auf-
einmal, von denen die meisten bis jetzt (am Leben)
blieben, einige aber entschlafen sind.

7 Darauf erschien er dem Jakobus,
dann allen Aposteln.

8 Als letzten aber von allen, wie einer Mißgeburt,
erschien er auch mir.   9,1

9 Denn ich bin der geringste der Apostel,
der ich nicht würdig bin,
Apostel gerufen zu werden,
weil ich die Gemeinde Gottes verfolgt habe.

10 Durch die Gnade Gottes aber bin ich, was ich bin,
und seine Gnade für mich ist nicht umsonst gewesen,
sondern mehr als sie alle habe ich mich abgemüht,
nicht ich, sondern die Gnade Gottes in mir.

11 Ob nun ich oder ob nun jene –
so verkündigen wir,
und so seid ihr alle zum Glauben gekommen.

12 Wenn aber verkündigt wird,
daß der Christus von den Toten auferstanden ist,
wieso sagen dann einige unter euch:
„Eine Auferstehung der Toten gibt es nicht"?

15,13 Wenn es keine Auferstehung der Toten gibt,
       ist auch Christus nicht auferstanden.
   14 Wenn aber Christus nicht auferstanden ist,
       ist unsere Verkündigung nichtig,
       nichtig ist auch euer Glaube.
   15 Wir würden aber auch als Falschzeugen Gottes
       erfunden werden,   6,14
       weil wir gegen **Gott** bezeugt hätten,
       er **habe den Christus auferweckt,**
       den er nicht auferweckte,
       da ja die Toten nicht auferstehen!
   16 Denn wenn die Toten nicht auferstehen,
       wurde auch Christus nicht auferweckt.
   17 Wenn aber Christus nicht auferweckt wurde,
       ist euer Glaube fadenscheinig,
       ihr seid noch in euren Sünden.
   18 Folglich sind auch die in Christus Entschlafenen
       verloren.
   19 Wenn wir in diesem Leben allein auf Christus
       unsere Hoffnung setzten,
       wären wir erbärmlicher daran als alle Menschen.

   20 Jetzt aber ist Christus von den Toten
       auferweckt worden, als Erstling der Entschlafenen.
   21 Da nämlich durch einen Menschen der Tod (kam),
       (kam) auch durch einen Menschen
       die Auferstehung der Toten.
   22 Denn wie in Adam alle sterben, so werden
       auch in Christus alle lebendig gemacht werden.
   23 Jeder aber gemäß der ihm eigenen Reihenfolge:
       Als Erstling Christus,
       darauf die zu Christus Gehörigen
       bei seiner Parusie.
   24 Dann das Ende,
       wenn er die Herrschaft Gott, dem Vater, übergibt,
       wenn er vernichtet hat jede Macht
       und jede Gewalt und Kraft.
   25 Denn er muß herrschen,
       bis er alle Feinde unter seine Füße gelegt hat.

15, 26 Als letzter Feind wird der Tod vernichtet.
27 Denn alles hat er unter seine Füße unterworfen.
Wenn es aber heißt,
daß ihm alles unterworfen ist,
ist klar, daß der ausgenommen ist,
der ihm alles unterwirft.
28 Wenn ihm aber alles unterworfen ist,
dann wird auch der Sohn selbst
sich dem unterwerfen, der ihm alles unterworfen hat,
damit Gott alles in allem sei.

29 Ansonsten,
wozu lassen sich einige für die Toten taufen?
Wenn doch Tote überhaupt nicht auferweckt werden,
wozu lassen sie sich für sie taufen?
30 Warum setzen auch wir uns stündlich Gefahren aus?
31 Täglich sehe ich dem Tod ins Auge,
so wahr ihr, Brüder, mein Ruhm seid,
den ich in Christus Jesus, unserem Herrn, habe.
32 Wenn ich – wie man sagt – mit wilden Tieren
gekämpft habe in Ephesus,
was habe ich für einen Nutzen davon?
Wenn Tote nicht auferweckt werden:
„Laßt uns essen und trinken,
denn morgen werden wir sterben!"
33 Laßt euch nicht irreführen!
Schlechter Umgang verdirbt gute Sitten!
34 Werdet nüchtern auf rechte Weise
und sündigt nicht!
Denn einige leiden an Unkenntnis Gottes!
Zur Beschämung sage ich euch das.

35 Doch wird einer sagen:
„Wie werden die Toten auferweckt?
Mit welchem Leib kommen sie?"
36 Du Tor,
was du säst,
wird nicht lebendig gemacht,
wenn es nicht stirbt!

15, 37 Und was du säst,
es ist nicht der künftige Leib, den du säst,
sondern ein nacktes Samenkorn,
etwa ein Weizenkorn oder ein anderes.

38 Gott aber gibt ihm einen Leib, wie er wollte,
und einem jeden der Samen einen eigenen Leib.

39 Nicht jeder Körper ist derselbe Körper,
vielmehr ein anderer ist der von Menschen,
ein anderer der Körper der Landtiere,
ein anderer der Körper der Vögel,
ein anderer der der Fische.

40 Es gibt himmlische Leiber
und irdische Leiber.
Doch ist der Glanz der himmlischen ein anderer,
ein anderer auch der der irdischen.

41 Anders ist der Glanz der Sonne,
und anders der Glanz des Mondes,
und anders der Glanz der Sterne.
Denn ein Stern unterscheidet sich vom anderen
durch den Glanz.

42 So ist es auch mit der Auferstehung der Toten.
Gesät wird in Vergänglichkeit,
auferweckt wird in Unvergänglichkeit.

43 Gesät wird in Unehre,
auferweckt wird in Herrlichkeit.
Gesät wird in Schwachheit,
auferweckt wird in Kraft.   6, 14

44 Gesät wird ein beseelter Leib,
auferweckt wird ein pneumatischer Leib.
Wenn es einen beseelten Leib gibt,
gibt es auch einen pneumatischen.

45 So steht auch geschrieben:
„Es ward der erste Mensch, Adam,
zu einem lebendigen Wesen."
Der letzte Adam zu lebendigmachendem Geist.

46 Doch ist nicht zuerst das Pneumatische,
sondern das Seelische,
danach das Pneumatische.

15, 47 Der erste Mensch stammt als erdgebundener
       von der Erde, der zweite Mensch vom Himmel.
    48 Wie der Erdgebundene,
       sind auch die Erdgebundenen,
       und wie der Himmlische, so auch die Himmlischen.
    49 Und wie wir das Bild des Erdgebundenen getragen
          haben, werden wir auch das Bild des Himmlischen
          tragen.
    50 Dies aber sage ich, Brüder:
       Fleisch und Blut
       können das Reich Gottes nicht erben!
       Auch wird die Vergänglichkeit
       nicht die Unvergänglichkeit erben!

    51 Siehe, ich sage euch ein Geheimnis:
       Alle werden wir nicht entschlafen,
       alle aber werden wir verwandelt werden,
    52 in einem Nu, in einem Augenblick,
       bei der letzten Posaune.
       Denn sie wird posaunen,
       und die Toten werden als Unvergängliche auferste-
          hen, und wir werden verwandelt werden.
    53 Denn dieses Vergängliche
       muß Unvergänglichkeit anziehen,
       und dieses Sterbliche
       (muß) Unsterblichkeit anziehen.
    54 Wenn aber dieses Vergängliche
       Unvergänglichkeit angezogen
       und dieses Sterbliche
       Unsterblichkeit angezogen hat,
       dann geschieht das Wort, das geschrieben steht:
       „Verschlungen wurde der Tod vom Sieg.
    55 Wo, Tod, ist dein Sieg?
       Wo, Tod, ist dein Stachel?"
    56 Der Stachel des Todes aber ist die Sünde,
       die Kraft der Sünde aber das Gesetz.
    57 Gott aber sei Dank,
       der uns den Sieg gibt
       durch unseren Herrn Jesus Christus.

15,58 Daher, meine geliebten Brüder,
       werdet standhaft und unerschütterlich,
       hervorragend im Werk des Herrn allezeit,
       wissend,
       daß eure Mühe im Herrn nicht vergeblich ist.

16,1 Über die Kollekte aber für die Heiligen:
      Wie ich es für die Gemeinden Galatiens
      angeordnet habe, so macht auch ihr es.
   2 Jeden ersten Wochentag soll jeder von euch etwas
      zurücklegen und so zusammensparen, was er kann.
      Dann sind keine Sammlungen mehr nötig,
      wenn ich komme.
   3 Wenn ich aber angekommen bin,
      werde ich diejenigen, die ihr als bewährt schätzt,
      mit Briefen senden,
      daß sie eure Gabe nach Jerusalem bringen.
   4 Wenn es angemessen erscheint, daß auch ich reise,
      sollen sie zusammen mit mir reisen.

   5 Ich werde aber zu euch kommen,
      wenn ich durch Mazedonien gezogen bin;
      denn ich ziehe durch Mazedonien.
   6 Bei euch aber werde ich, wenn es glückt,
      bleiben oder auch überwintern,
      damit ihr mich ausrüstet,
      wohin auch immer ich reisen werde.
   7 Denn ich möchte euch jetzt nicht nur im Vorbeigehen
      sehen; ich hoffe nämlich, eine Zeitlang bei euch zu
      bleiben,
      wenn der Herr es gestattet.   4,19
   8 Ich werde aber in Ephesus bleiben bis Pfingsten.
   9 Eine Tür hat sich mir nämlich geöffnet,
      groß und wirksam;
      doch gibt es auch viele Gegner.

  10 Wenn aber **Timotheus** kommt,   4,17
      seht zu, daß er furchtlos bei euch sein kann;
      denn er wirkt das Werk des Herrn wie ich selbst.

16,11 Niemand also soll ihn verachten!
Rüstet ihn aber in Frieden aus,
damit er zu mir kommt;
ich erwarte ihn nämlich mit den Brüdern.

12 Über **Apollos** aber, den Bruder: 1,12; 2,4–6; 3,22; 4,6
Oft habe ich ihn gebeten,
daß er mit den Brüdern zu euch gehen solle.
Doch war es überhaupt nicht sein Wille,
daß er jetzt gehe;
er wird aber gehen,
wenn sich eine gute Gelegenheit bietet.

13 Wachet, steht fest im Glauben,
seid mutig, seid stark!
14 Alles geschehe bei euch in der Agape!
15 Ich ermahne euch aber, Brüder:
Ihr kennt **das Haus des Stefanas,**   1,16
daß es die erste Frucht Achaias ist
und daß sie sich selbst in den Dienst
für die Heiligen gestellt haben.
16 Auch ihr sollt euch solchen unterordnen
und jedem, der mitarbeitet und sich abmüht.
17 Ich freue mich aber über die Ankunft von Stefanas
und Fortunatus und Achaikus;
denn sie haben den Mangel eurer Abwesenheit ersetzt.
18 Sie haben ja meinen und euren Geist erfrischt.
Erkennt also solche an!

19 Es grüßen euch die Gemeinden der Asia.
Es grüßen euch im Herrn vielmals
Aquila und Priska mit ihrer Hausgemeinde.
20 Es grüßen euch alle Brüder.
Grüßt einander mit heiligem Kuß!

21 Der Gruß mit meiner Hand, von Paulus!
22 Wenn einer den Herrn nicht liebt,
sei er verflucht!
Marána-tha – Unser Herr, komm!

16, 23   Die Gnade des Herrn Jesus sei mit euch!
   24   Meine Agape ist mit euch allen in Christus Jesus.

2. Zweifel an der Einheitlichkeit des Briefes

Die Echtheit des 1. Korintherbriefes als eines vom Apostel
Paulus stammenden Dokuments – im Unterschied zu in seinem Namen geschriebenen Briefen – ist nie ernsthaft bestritten
worden. Seit dem letzten Jahrhundert sind jedoch wiederholt
und in jüngster Zeit vermehrt Zweifel an seiner Einheitlichkeit
angemeldet worden. Dies bedeutet freilich nicht, daß der
1. Korintherbrief der heutigen neutestamentlichen Forschung
längst unstreitig als Briefkomposition gälte; es gibt nach wie
vor ernsthafte Verfechter seiner Einheitlichkeit, die mit ihren
Gründen, die sie für ihre Auffassung und ihr Urteil vorbringen, eine genauere Klärung der Zweifel mit veranlaßt haben.
Auch wenn nicht ausreichend geklärt ist, ob die angenommene
Briefkomposition aus zwei oder mehr Briefen hergestellt
wurde, und wenn umstritten bleibt, in welchem Umfang die rekonstruierten ursprünglichen Briefe existiert haben sollen,
empfiehlt sich die Auffassung von einer Briefkomposition
nicht besonders nachdrücklich.
   Wie schon wiederholt erwähnt wurde, legt der 1. Korintherbrief mit der Erwähnung eines früheren Briefes (in 5, 9.11)
selbst die Nachfrage nach weiteren Briefen des Paulus an die
Gemeinde in Korinth nahe. Die Zweifel an der Einheitlichkeit
des Briefes beflügeln nun diese Nachfrage. Doch ist es angebracht, die Prüfung der berechtigten Zweifel mit aller Umsicht
und Behutsamkeit vorzunehmen; wir müssen uns erst mit den
Wiederholungen, Dopplungen und Spannungen im Text *im
Vergleich* mit den übrigen Paulusbriefen sorgfältig beschäftigen, auch das antike und das paulinische Briefformular be-
rücksichtigen. Im Falle des 1. Korintherbriefes müssen wir
überdies die Regeln antiker Rhetorik beachten.
   Wir werden freilich sehen: In dem Maße, in dem wir den
Brief genau untersuchen, wachsen die Zweifel an seiner Einheitlichkeit. Immer deutlicher stellt sich heraus: Nicht nur der
in 1 Kor 5, 9.11 erwähnte Brief ist im 1. Korintherbrief enthal-

ten, sondern neben ihm drei weitere Briefe, die Paulus nach Korinth schickte.

Der Leser soll – wie in den früheren Bändchen „Paulus – neu gesehen" – am Verfahren der Klärung aller Zweifel beteiligt werden; der Autor möchte ihm ermöglichen, sich selbst ein Urteil zu bilden. Jeder mag am Schluß der Darlegungen selbst urteilen, ob wir über die bewegte Geschichte des Apostels Paulus mit der Gemeinde in Korinth durch die Wiederentdeckung einer Briefserie, die sich in der Briefkomposition des zweiten kanonischen Korintherbriefes ja noch fortsetzt, mehr in Erfahrung bringen konnten, als wir bislang dachten.

3. Zur Methode der Prüfung der Einheitlichkeit des ersten Korintherbriefes

Zur „literarkritischen Methode" ist in unserem Bericht über „Die Entdeckung des ältesten Paulusbriefes" (Herderbücherei Nr. 1167) alles Wichtige bereits gesagt worden. Die Fragestellung lautet: Ist der 1. Korintherbrief ein *einheitliches* oder ein aus mehreren, ursprünglich getrennt existierenden Briefen *zusammengesetztes* Dokument? Als Kriterien der Prüfung stehen uns die Beobachtungen von *unvereinbaren Spannungen* und *störenden Wiederholungen* zur Verfügung. Bei deren Beurteilung müssen wir darauf achten, daß uns keine Geschmacksurteile unterlaufen, sondern daß wir uns an *objektive,* am Briefformular, an Briefformeln und geschichtlichen Sachverhalten objektivierbare Kriterien halten; im vorliegenden Fall spielen auch die Regeln antiker Rhetorik eine besondere Rolle. Wie immer bei Urteilen, die aus vielen Argumenten erwachsen, können wir nur mit einem *Bündelargument* arbeiten.

Wir können auch diesmal die Aufmerksamkeit unserer Leser nicht über Gebühr beanspruchen, und wir wollen sie nicht langweilen. Der Gang der Untersuchung, der durch die Forschungsgeschichte – mit deren Wegen und Irrwegen wir uns hier auch nicht beschäftigen können – schon vielfach vorgespurt ist, läßt sich nicht ohne beständigen Vorblick auf das Ergebnis, zu dem er führte, darstellen. Aber der Leser kann ja auch diesmal, wenn er will, leicht vom Ergebnis absehen und –

wie es jeder Wissenschaftler tun sollte – auf den methodischen
Gang der Untersuchung achten und selbst zusehen, ob die Ar-
gumentation das Ergebnis rechtfertigt, ob die Annahme, daß
im 1. Korintherbrief vier Briefe gesammelt sind, tatsächlich gerechtfertigt ist.

III.
Die Rekonstruktion von vier Briefen aus dem ersten Korintherbrief

Der Leser des 1. Korintherbriefes erfährt in 1 Kor 5,9.11 von einem früheren Schreiben des Paulus nach Korinth: „Ich schrieb euch in dem Brief, ihr solltet mit Unzüchtigen nichts zu schaffen haben ... Nun aber schrieb ich euch ..." Zwei Kapitel später, in 1 Kor 7,1, erwähnt Paulus einen Brief der Korinther, den er selbst erhalten hatte, der Anfragen enthielt, die der Apostel nun beantwortet: „Über die Dinge aber, von denen ihr geschrieben habt ..." Der aufmerksame Leser erfährt also, daß es zwischen Paulus und den Korinthern eine regelrechte Korrespondenz gegeben hat. Und fragt er sich, ob davon nicht mehr erhalten geblieben sein könnte, so stößt er bei wiederholter Lektüre des vorliegenden umfangreichen Dokuments mit seinen sechzehn Kapiteln auf Sachverhalte, die Zweifel an dessen Einheitlichkeit nahelegen und die Überprüfung veranlassen, ob nicht der 1. Korintherbrief eine Briefkomposition aus mehreren ursprünglichen Paulusbriefen ist, die der Apostel nach Korinth schrieb.

Einige *Widersprüche* sind kritischen Lesern des 1. Korintherbriefes seit langem schon aufgefallen. In 1 Kor 1,10–4,21 kämpft Paulus leidenschaftlich gegen „Spaltungen" in der korinthischen Gemeinde: „Ich ermahne euch aber, Brüder, im Namen unseres Herrn Jesus Christus, daß ihr alle dasselbe meint und *keine Spaltungen* unter euch seien, ihr aber gerüstet seid in demselben Denken und derselben Meinung" (1,10); später, in 1 Kor 11,18f, scheint Paulus „Spaltungen" in der Gemeinde anders zu beurteilen: „Als erstes höre ich nämlich, daß bei euch, wenn ihr in der Gemeinde zusammenkommt, *Spaltungen* existieren; und zum Teil glaube ich das auch. Denn es muß auch Parteiungen unter euch geben, damit die Bewährten unter euch offenkundig werden." Darf es keine Spaltungen geben oder muß es Parteiungen geben? Sollte Paulus in einunddemselben Brief unterschiedliche Urteile gefällt haben?

Paulus behandelt zweimal die Frage des *Genusses von Götzenopferfleisch,* speziell in 1 Kor 8,1–13 und 10,23–11,1, wo er den Genuß des von den Schlachtbänken der Tempel stammenden und auf den Märkten verkauften, bei den Juden verpönten und verbotenen Fleisches für *prinzipiell erlaubt* erklärt, auch wenn die Christen gelegentlich um des schwachen Gewissens eines Bruders willen darauf verzichten sollen; in 1 Kor 10,1–22 polemisiert Paulus gegen den Götzendienst, und in diesem Zusammenhang erklärt er den Genuß von Götzenopferfleisch für *rundweg verboten.* Sollte Paulus in einunddemselben Brief geschrieben haben: „Über das Essen nun von Götzenopferfleisch; wir wissen, daß es keinen Götzen in der Welt gibt …" (8,4) und: „Ich will aber nicht, daß ihr Teilhaber der Dämonen werdet" (10,20)?

Paulus befaßt sich auch zweimal mit der Frage, ob *Frauen* in der Gemeindeversammlung reden dürfen. In 1 Kor 11,2–16 setzt der Apostel voraus, daß Frauen öffentlich *Gebete sprechen und prophetisch reden;* sie sollen nur ihr Haupt bedecken. In 1 Kor 14,33–36 heißt es hingegen prinzipiell, daß „Frauen in der Versammlung *schweigen* sollen" (14,34). Standen solche gegenläufige Anweisungen im selben Brief?

Solche *Widersprüche* sind von Verfechtern der Einheitlichkeit des 1. Korintherbriefes dem angeblich sprunghaften Denken des Paulus zugeschrieben worden. Auf dessen Konto hat man auch *Wiederholungen* und andere *Unebenheiten* im 1. Korintherbrief schreiben wollen, die bei anderen die Zweifel an der Einheitlichkeit des Dokuments verstärkt haben. So wechselt Paulus in den Kapiteln 5 und 6 auffällig sein Thema: Zunächst (1 Kor 5,1–8) handelt er von einem Fall von *„Unzucht",* wobei er (1 Kor 5,9–13) auf seinen früheren Brief verweist und Mißverständnisse seiner Anweisungen korrigiert; danach (1 Kor 6,1–11) geht es um das *Prozessieren vor Heiden,* bevor dann (1 Kor 6,12–20) das Thema „Unzucht" erneut aufgegriffen wird. Dieser Themenwechsel wird dadurch noch merkwürdiger, daß in kurzen Abständen einander zwei Kataloge folgen, in denen Sünder aufgezählt werden, Menschen, die Lastern verfallen sind (in 1 Kor 5,10f und 6,9f). Sollte

Paulus nicht nur plötzlich das Thema gewechselt, sondern überdies einen *Lasterkatalog* so rasch *wiederholt* haben?

Folgen wir nach den Kapitel 5 und 6 weiter dem 1. Korintherbrief, so erhalten wir auch an anderen Stellen noch den Eindruck, der zusammenhängende Faden sei gerissen. Ob sich alle diese Stellen mit der Annahme von Diktatpausen erklären lassen? In 1 Kor 7, 1 beginnt Paulus mit der Beantwortung von Fragen, die ihm von den Korinthern brieflich vorgelegt wurden: *„Über die Dinge aber, von denen ihr geschrieben habt ..."* Die einzelnen Abschnitte seiner Antwort leitet der Apostel jeweils mit Themenangaben ein:

> 7, 25: *„Über* die Jungfrauen *aber ..."*
> 8, 1: *„Über* das Götzenopferfleisch *aber ..."*
> 12, 1: *„Über* die Geistesgaben *aber ..."*
> 16, 1: *„Über* die Kollekte *aber ..."*
> 16, 12: *„Über* Apollos *aber ..."*.

Die mit diesen Themenangaben versehenen Abschnitte (7, 1–24; 7, 25–40; 8, 1–13; 12, 1–31; 16, 1–4; 16, 12) folgen aber einander nicht in lückenlosem Zusammenhang, sondern werden wiederholt unterbrochen von Abschnitten, in denen andere Themen behandelt werden, von denen nicht ohne weiteres klar ist, ob sie im Kontext sinnvoll plaziert sind oder nicht. Nach der Behandlung des Themas „Götzenopferfleisch" handelt Paulus von seinem Apostolat und seinem Verzicht auf das apostolische Unterhaltsrecht (9, 1–27): „Bin ich nicht frei; bin ich nicht Apostel ... Meine Verteidigung gegen die, die mich beschuldigen, ist diese ..." (9, 1–3). Der Apostel beantwortet in 1 Kor 9, 1–27 keine briefliche Anfrage der Korinther, vielmehr verteidigt er sich gegen in Korinth umlaufende Beschuldigungen gegen ihn, die ihm zu Ohren gekommen sind. Danach geht Paulus auf ein neues Thema ein: „Götzendienst" (10, 1–22); erneut liegt keine briefliche Anfrage vor, sondern Paulus greift von sich aus das Thema auf: „Ich möchte euch aber nicht im Unklaren lassen, Brüder ..." (10, 1).

Dann kommt Paulus auf die schon in 1 Kor 8, 1–13 behandelte Frage des Götzenopferfleischgenusses zurück (10, 23–11, 1). Paulus läßt bei dieser *Wiederholung,* die zudem –

wie wir oben schon angemerkt haben – mit einem Widerspruch belastet ist, nicht erkennen, daß er auf eine weitere briefliche Anfrage antwortet. Vielmehr greift er in 1 Kor 10,23 die schon in 1 Kor 6,12 zitierte (korinthische) Parole *„Alles ist erlaubt"* erneut auf und korrigiert sie erneut mit *„aber nicht alles nützt".* Wir stellen also eine weitere *Wiederholung* fest.

In 1 Kor 11,2 beginnt eine Reihe von Anweisungen für den Gottesdienst der Gemeinde, bevor in 1 Kor 12,1 die nächste Themenangabe folgt, die die Beantwortung der brieflichen Anfrage aus Korinth anzeigen kann. Zunächst geht es um die Kopfbedeckung der in der Versammlung redenden Frau (11,2–16), dann um Mißstände beim Herrenmahl (11,17–34). Beide Abschnitte stehen – wie oben angedeutet wurde – in Spannung zu früheren (1,10–4,21: *Spaltungen*), bzw. späteren (14,33–36: *Schweigen der Frauen*) Aussagen.

In 1 Kor 12,1–31 handelt Paulus „über die Geistesgaben", von denen er in 1 Kor 13,1–13 – wie in einem Exkurs – besonders die *Agape* (Liebe) preist, bevor er in 1 Kor 14,1–40 speziell von der Prophetie und der Glossolalie (der Zungenrede) handelt. Der ganze Komplex der Kapitel 12 bis 14 kann als die Antwort des Apostels auf eine briefliche Anfrage aus Korinth begriffen werden. In 1 Kor 15,1–58 nimmt Paulus aber wieder eigenständig – auf der Basis ihm zugekommener Nachrichten (vgl. 15,12: „Wieso sagen dann einige unter euch...?") – zu einem neuen Thema Stellung: „Ich erinnere euch aber, Brüder an das Evangelium..." (15,1); er handelt von der Auferstehung der Toten.

Zwischen den Themen „Kollekte" (16,1–4) und „Apollos" (16,12) bespricht Paulus seine eigenen Reisepläne und die Sendung seines Mitarbeiters Timotheus nach Korinth. Das ist am Ende eines Schreibens zu erwarten und weiter nicht auffällig, wie sich auch gut anhand der aus dem 1. Thessalonicherbrief und dem Philipperbrief rekonstruierten Paulusbriefe ersehen läßt. Jedoch hat Paulus schon früher von seinen *Reiseplänen* (4,18–21; 11,34) und von der *Sendung des Timotheus* (4,17) gesprochen; wir stoßen also erneut auf eine *Wiederholung.* Dabei handelt es sich um Aussagen, die überdies in *Spannung* zueinander stehen. Sie verdienen unsere besondere Aufmerksamkeit, zumal sie in der bisherigen Forschung noch zu wenig Beachtung gefunden haben.

Noch gar nicht beachtet worden ist schließlich ein Sachverhalt, der erst wahrnehmbar wird, wenn man sich mit den Gattungen und Regeln antiker Rhetorik befaßt. In den letzten Jahren ist in verschiedenen Untersuchungen, die unabhängig voneinander entstanden und nicht miteinander in Verbindung gebracht worden sind, nachgewiesen worden, daß Paulus im 1. Korintherbrief gleich *dreimal* die Gattung einer *Apologie,* einer Verteidigungsrede, benutzt: in 1 Kor 1,10–4,21; in 1 Kor 9,1–27 und in 1 Kor 15,1–58. Jedesmal geht es dabei unter anderem um das Apostolat des Paulus. Sollte sich Paulus gleich dreimal im selben Brief zu dieser Frage geäußert, gleich dreimal eine *apologetische Rede* (gemäß dem Schema solcher Verteidigungsreden) zu Papier gebracht haben?

Wir sehen, daß eine ganze Reihe von Beobachtungen dafür spricht, daß es sich lohnt, der Frage nach der Einheitlichkeit des ersten Korintherbriefes genauer nachzugehen – bzw. der Frage, ob eine Briefkomposition vorliegt. Wir wenden uns den genannten Beobachtungen nun im einzelnen zu, gehen dabei aber so vor, daß wir zunächst den – wie es scheint – bruchlosen Zusammenhang 1 Kor 1,1–5,8 ins Auge fassen.

1. Findet sich in 1 Kor 1,1–5,8 + 6,1–11 der in 1 Kor 5,9.11 erwähnte frühere Brief?

Wir haben schon wiederholt darauf hingewiesen, daß der unbefangene Leser des 1. Korintherbriefes bei 1 Kor 5,9 zum ersten Mal stutzt: „Ich schrieb euch in dem Brief , ihr solltet mit Unzüchtigen nichts zu schaffen haben.“ Aha, Paulus hatte schon früher einen Brief geschrieben, in dem er der Gemeinde in Korinth die Anweisung erteilt hatte, sie sollten mit Unzüchtigen nichts zu schaffen haben! Aus 1 Kor 5,10–13 geht hervor, daß die Korinther ihren Apostel mißverstanden hatten und ihm nicht gefolgt waren; sie hatten wohl argumentiert, dann müßten sie ja aus der Welt, die – zumal in Korinth, dem Sankt Pauli der damaligen Welt – voller Unzüchtiger sei, auswandern. Paulus korrigiert das Mißverständnis: „Nun aber schrieb ich euch, ihr solltet nichts zu schaffen haben mit einem, *der sich Bruder nennt,* aber doch ein Unzüchtiger... ist“ (5,11). Paulus fordert – mit einem alttestamentlichen Rechtssatz (Dtn

17,7 u.ö.) –: „Schafft den Übeltäter weg aus eurer Mitte!"
(5,13). Der Fall, von dem Paulus handelt, scheint nun aber in
1 Kor 5,1–8 beschrieben zu sein. Kann dieser Abschnitt der
Text sein, den die Korinther mißverstanden hatten? Kann dieser Abschnitt im früheren Brief gestanden haben, der in 1 Kor
5,9 erwähnt ist? Wird in 1 Kor 5,9–13 das Mißverständnis von
1 Kor 5,1–8 korrigiert? Falls man überhaupt damit rechnet,
daß der frühere Brief nicht verlorenging, sondern im vorliegenden kanonischen Dokument als einer Briefkomposition aufbewahrt sein könnte, legt sich eine solche Vermutung nahe.

Dafür, daß der 1. Korintherbrief nicht einheitlich ist, haben
wir schon oben Anhaltspunkte gesammelt, die wir später genauer besprechen werden. Dafür, daß 1 Kor 5,1–8 ein Teil des
früheren Briefes sein kann, dessen Mißverständnis in 1 Kor
5,9–13 korrigiert wird, zeigen sich auch – hat sich erst einmal
eine solche Fragestellung ergeben – deutliche Anhaltspunkte.

In 1 Kor 5,13 wiederholt Paulus – nun mit dem alttestamentlichen Zitat als dem Ausdruck des Gottesrechts – seine Anweisung aus 1 Kor 5,2, die im früheren Brief gestanden haben
kann: „Entfernt werden aus eurer Mitte soll der, der eine solche Tat getan hat!" Ein Mitglied der Gemeinde hatte die Frau
seines Vaters zur Frau genommen, und Paulus hatte davon gehört (5,1); er hatte die „aufgeblasenen" Korinther, die sich liberal gebärdeten, getadelt und den Ausschluß dieses Mannes
aus der Gemeinde verlangt (5,2–5) und diese Forderung begründet (5,6–8). Falls 1 Kor 5,1–8 in den früheren Brief gehört
– freilich bedarf diese Annahme noch der genaueren Begründung – waren, wie aus 1 Kor 5,9–13 hervorgeht, die Korinther
der Forderung des Apostels nicht gefolgt, der sich in einem
späteren Brief jedenfalls veranlaßt sah, eine frühere Forderung zu bestätigen. Ist 1 Kor 5,9–13 diese spätere Wiederholung der in 1 Kor 5,1–8 erhaltenen Forderung aus dem ersten
Brief?

Diese Frage ist ohne einen genauen Hinblick auf den Gesamtzusammenhang von 1 Kor 1,1 – 4,21 (und auch 6,1–11,
wie wir sehen werden) mit 1 Kor 5,1–13 nicht zu lösen. Gehen
wir Schritt für Schritt vor und erinnern wir uns an einige der
schon aufgelisteten Sachverhalte.

1 Kor 1,10 – 4,21 mit dem leidenschaftlichen Kampf Pauli
gegen die *Spaltungen* steht nicht nur zu späteren Aussagen in

1 Kor 11,18f in Spannung, sondern ist auch eine von drei „Apologien" (Verteidigungsreden) im 1. Korintherbrief. Von 1 Kor 1,10 – 4,21 reicht ein fester gedanklicher und rhetorischer Zusammenhang; er ist durch die rhetorische Form der „Gerichtsrede" bestimmt, der Verteidigungsrede. Paulus will als Briefschreiber wie ein Redner vor Gericht auf die Überzeugung seiner Hörer einwirken.

Als Faustregel gilt dem antiken Redner – und entsprechend dem Briefschreiber, der sich seiner Mittel bedient: Je unsicherer die Zustimmung der Zuhörer oder Leser, desto notwendiger ist die überlegte Disposition! Der Aufbau einer „Apologie" sieht zunächst ein *„exordium"*, eine *Eröffnung*, vor, in welcher die zur Debatte stehende „Sache" eingeführt wird; dann folgt eine *„narratio"*, ein *Bericht*, der die Verteidigung der Sache vorbereitet; an dritter Stelle steht die *„probatio"*, die *Beweisführung*, gefolgt von der *„peroratio"*, einem *Plädoyer*, mitunter einer *„refutatio"*, dem *Aufweis von Konsequenzen*, dem dann eine zweite *„peroratio"* nachfolgt.

In 1 Kor 1,10 – 4,21 lassen sich die einzelnen Textteile deutlich den in der Verteidigungsrede verlangten rhetorischen Abschnitten zuweisen; die Disposition des Paulus folgte der Disposition einer Gerichtsrede *(genus iudiciale),* einer „Apologie":

exordium – Eröffnung:	1,10–17
narratio – Bericht:	1,18 – 2,16
probatio – Berichterstattung:	3,1–17
peroratio I – Plädoyer I:	3,18–23
refutatio – Konsequenzen:	4,1–13
peroratio II – Plädoyer II:	4,14–21

Dieselbe Disposition finden wir nun in 1 Kor 9 und in 1 Kor 15 wieder:

1 Kor	*1,10 – 4,21*	*9,1–27*	*15,1–58*
exordium:	1,10–17	9,1–3	15,1–2
narratio:	1,18–2,16	9,4–14	15,3–11
probatio:	3,1–17	9,15–23	15,12–28
peroratio I:	3,18–23	9,24–27	15,29–34
refutatio:	4,1–13	——	15,35–49
peroratio II:	4,14–21	——	15,50–58

Nun kann es – zumal wenn man noch den Galaterbrief verglei-
chend zu Rate zieht, der selbst in der rhetorischen Form einer
Apologie geschrieben ist – nicht als besonders wahrscheinlich
gelten, daß Paulus sich innerhalb eines Briefes dreimal der
rhetorischen Form der „Apologie" bediente. Er hätte damit
seine eigene Absicht, durch die besondere Form seine Leser zu
überzeugen, eher zunichte gemacht. Der Apologie in 1 Kor
1,10 – 4,21 geht das *Präskript* (1,1–3) und die *Danksagung*
(1,4–9) voraus. Mit dem Hauptteil eines möglicherweise eigenständigen Briefes, der Verteidigungsrede (1,10 – 4,21) stehen
diese beiden Teile in gutem Zusammenhang. Wichtige Stichworte der Apologie werden in der einleitenden Danksagung
schon benutzt; Rede (*logos*), Erkenntnis (*gnosis*), Zeugnis von
Christus.

In 1 Kor 4,14–16 blickt Paulus auf seine bisherigen Ausführungen mahnend zurück: „Nicht um euch bloßzustellen,
schreibe ich dies... Ich ermahne euch also: *Werdet meine
Nachahmer!*" Diese Aufforderung wird später, am Ende eines
anderen Abschnittes, in 1 Kor 11,1 *wiederholt*: „*Werdet meine
Nachahmer, wie auch ich des Christus!*" Der Vergleich mit
1 Thess 1,6 (und 2,14) zeigt, daß Paulus sich, als er diese Auf-
forderungen niederschrieb, mit der korinthischen Gemeinde
nicht im besten Einvernehmen wußte. Die *Wiederholung*
(4,16/11,1) kann als Dopplung auf verschiedene Briefe hinweisen.

In 1 Kor 4,17 kündigt Paulus die Sendung seines Mitarbei-
ters Timotheus nach Korinth an. Er bedient sich eines Formulars, in dem jeweils erstens von der Sendung eines Boten die
Rede ist, und zwar im sogenannten epistolaren Aorist „ich
habe geschickt", der die Bedeutung „ich schicke" hat, weil der
Briefschreiber von der Ankunft des Boten, der gleichzeitig der
Briefüberbringer ist, bei den Adressaten her denkt; wenn die
Korinther den Brief, den Timotheus mitgebracht hat, lesen, hat
Paulus ihn längst zu ihnen geschickt. In diesem Formular wird
zweitens der Bote vorgestellt, werden seine besonderen Quali-
fikationen hervorgehoben: Timotheus ist des Apostels „gelieb-
tes und treues Kind im Herrn"; schließlich wird drittens die
Aufgabe des Boten bezeichnet: „Er wird euch an meine Wege
erinnern, die in Christus Jesus, wie ich sie allerorten in jeder
Gemeinde lehre."

Paulus bedient sich dieses Formulars, mit dem er seine Mitarbeiter als Boten zu seinen Gemeinden sendet, in der Regel gegen Schluß seiner Briefe. Davon haben wir bei der Untersuchung des 1. Thessalonicherbriefes (Herderbücherei Nr. 1167) und des Philipperbriefes (Herderbücherei Nr. 1208) ausführlich gehandelt. Die Ankündigung des Briefboten erfolgt am Schluß der ursprünglichen Paulusbriefe. Im 1. Korintherbrief ist besonders auffällig, daß Paulus in 16, 10–11 – also am Schluß des vorliegenden Dokuments – noch einmal von einer Sendung des Timotheus nach Korinth spricht. Da Timotheus in 1 Kor 4, 17 bereits als Briefüberbringer vorgestellt ist, da dieser Mitarbeiter also schon in Korinth ist, wenn der von ihm überbrachte Brief dort in der Gemeindeversammlung vorgelesen wird, macht es keinen Sinn anzunehmen, daß mit 1 Kor 16, 10–11 noch im selben Brief eine spätere Ankunft des Timotheus in Korinth erst angekündigt wird. Der Bedingungssatz „Wenn aber Timotheus kommt, seht zu, daß er furchtlos sein kann," (16, 10) scheint nicht von der Gegenwart des Briefschreibers Paulus aus in die Zukunft zu blicken, in der Timotheus den Brief in Korinth abgegeben hat, sondern von der Gegenwart der korinthischen Gemeinde aus, die einen Brief Pauli liest. Der Bedingungssatz macht guten Sinn, wenn er nicht im selben Brief stand wie 1 Kor 4, 17, wo von der Sendung des Timotheus die Rede war; wenn er also einen anderen (vermutlich weiteren) Besuch des Timotheus in Korinth im Auge hat, der in einem anderen Brief ins Auge gefaßt wird, den *nicht* Timotheus selber überbringt.

Die *Wiederholung* in 1 Kor 4, 17/16, 10–11 erweist sich also zugleich als eine *Spannung*, die auf zwei unterschiedliche Briefsituationen und damit zwei verschiedene Briefe hinweist. In 1 Kor 16, 10–11 ist *nicht* derselbe Besuch des Timotheus in Korinth gemeint wie in 1 Kor 4, 17. War er hier als Briefüberbringer vorgestellt, so dort nicht. Zwischen den beiden Besuchen des Timotheus in Korinth, von denen wir also erfahren, scheint – wie wir noch sehen werden – mindestens ein Jahr zu liegen. Paulus kann nicht von beiden Besuchen in einunddemselben Brief gehandelt haben, weil einmal (nach 4, 17) Timotheus als Briefüberbringer nach Korinth geschickt wird, das andere Mal (nach 16, 10–11) Timotheus ein Jahr später, da Paulus schreibt, offenbar schon unterwegs ist. Von Ephesus nach Korinth konnte man direkt mit dem Schiff oder auf dem Landweg (nach Überquerung des Bosporus per Schiff) durch Mazedonien reisen. Paulus selbst nutzt später nacheinander beide Möglichkeiten. Timotheus reiste das erste Mal (nach 4,17) als Briefbote wohl direkt mit dem Schiff nach Korinth; das zweite Mal (nach 16,10–11), da Paulus ihn ankündigte (in einem Brief, der wohl auch per Schiff direkt nach Korinth gelangte), war er auf dem Landweg durch Mazedonien nach Korinth unterwegs.

In 1 Kor 4,18–21 kündigt Paulus selbst einen eigenen baldigen Besuch in Korinth an: „Ich werde aber *rasch* zu euch kommen, wenn der Herr will…" Erneut kündigt Paulus – jetzt bedingt – in 1 Kor 11,34 einen Besuch in Korinth an: „Das übrige aber werde ich anordnen, *wenn ich komme.*" Diese beiden Ankündigungen stehen – für sich genommen – nicht zueinander in Spannung; jedoch hat Paulus in 1 Kor 16,5–8 vor den Aussagen über einen künftigen Besuch des Timotheus in Korinth erneut von seinen Reiseplänen gesprochen – und zwar in deutlicher, unvereinbarer Spannung zu dem „rasch" und „wenn der Herr will" von 1 Kor 4,18. In 1 Kor 16,5–8 heißt es jetzt: „Ich werde aber zu euch kommen, wenn ich *durch Mazedonien gezogen bin...* Ich werde aber in Ephesus bleiben *bis Pfingsten...*"

Ein rascher Besuch von Ephesus aus in Korinth, wie Paulus ihn in 1 Kor 4,18–21 ankündigt, war doch wohl ein mit dem Schiff, mit dem Korinth von Ephesus aus in längstens acht Tagen erreichbar war, geplanter Besuch, nicht ein Besuch nach einem Zug durch Mazedonien (wo Paulus ja auch die dortigen Gemeinden sehen wollte), der aber Monate dauerte; Paulus will ja nach 1 Kor 16,6.8 auch mindestens bis Pfingsten (des Jahres, in dem er schreibt) in Ephesus bleiben und nach dem Zug durch Mazedonien im Sommer und Herbst in Korinth „überwintern".

Wie die *Wiederholung* in 1 Kor 4,17/16,10–11 erweist sich diejenige in 1 Kor 4,18–21/16,5–8 also zugleich als eine *Spannung*, die deutlich auf zwei unterschiedliche Briefsituationen und damit auf zwei verschiedene Briefe hinweist. In 1 Kor 16,5–8 denkt Paulus an einen Besuch der mazedonischen Gemeinden in Philippi, Saloniki und Beröa, bevor er nach Korinth weiter zieht; der Apostel hat inzwischen auch die

Sammlung der Kollekte für die Jerusalemer Urgemeinde in Gang gesetzt (16, 1–4). In 1 Kor 4, 18–21 hat Paulus hingegen einen raschen Abstecher von Ephesus aus nach Korinth im Auge, einen Blitzbesuch per Schiff. Die unterschiedlichen eigenen Reisepläne des Apostels korrespondieren also mit den verschiedenen Besuchen seines Mitarbeiters Timotheus in Korinth. Und mit großer Klarheit lassen sich folglich zwei Briefsituationen erkennen, die ein Jahr auseinanderliegen, wie wir sehen werden. Die unterschiedlichen Briefsituationen weisen also zwingend auf verschiedene Briefe hin – und damit darauf, daß der 1. Korintherbrief eine Briefkomposition ist.

In 1 Kor 4, 19 f hat Paulus denen, die sich in Korinth „aufblasen", geschrieben , nicht in der Rede erweise sich die Herrschaft Gottes, sondern in der Kraft. Mit einer Drohgebärde fährt der Apostel fort: „Was wollt ihr? Soll ich mit dem Stock zu euch kommen oder mit Liebe und im Geist der Sanftmut?" (4, 21). Mit dieser Frage leitet Paulus zur Besprechung eines Falles von „Unzucht" über, den er vor seinem Besuch in Korinth schon geregelt wissen will, auch vor dem herannahenden Paschafest (5, 1–8). Mit der Erörterung des Falles des Blutschänders könnte Paulus zum Schluß des in 1 Kor 1, 1 – 4, 21 bzw. 5, 8 vorliegenden Briefes hingesteuert haben . 1 Kor 5, 9–13 hingegen gehört in einen zweiten Brief, in dem Paulus darauf reagiert, daß die korinthische Gemeinde den Blutschänder nicht ausschloß: „Ich schrieb euch in dem Brief…"(5, 9).

Nun ist in 1 Kor 5, 11 der frühere Brief, der nach unserer bisherigen Einsicht in 1 Kor 1, 1 – 5, 8 vorliegt, ein zweites Mal erwähnt: „Nun aber schrieb ich euch, ihr solltet nichts zu schaffen haben mit einem, der sich Bruder nennt, aber doch ein Unzüchtiger oder Habgieriger oder Götzendiener oder Lästerer oder Trinker oder Räuber ist…" Von einem solchen Katalog, den Paulus im früheren Brief erwähnt haben will, war in 5, 1–8 (und in den Kapiteln 1 bis 4) aber keine Spur zu finden. Haben wir also doch nicht den in 1 Kor 5, 9.11 erwähnten Vorbrief gefunden?

Jetzt ist es an der Zeit, daß wir uns daran erinnern, daß wir zwei Lasterkataloge als eine der im 1. Korintherbrief auffälligen Doppelungen schon angeführt haben (5, 10 f / 6, 9 f). Sehen wir von der rhetorischen Doppelung (Unzüchtige, Habgierige,

Räuber, Götzendiener) in 1 Kor 5,10f ab, so folgt im jetzigen
Dokument ein längerer auf einen kürzeren Katalog:

5,1	6,9f
Unzüchtiger	Unzüchtige
Habgieriger	Götzendiener
Götzendiener	Ehebrecher
Lästerer	Lustknaben
Trinker	Knabenschänder
Räuber	Diebe
	Habgierige
	Trinker
	Lästerer
	Räuber

Der kürzere Katalog umfaßt 6 Glieder, die alle im längeren,
der 10 Glieder umfaßt, wiederkehren; die vier Glieder, die in
6,5–10 hinzu gekommen sind, beziehen sich auf das in 5,1–8
behandelte Thema „Unzucht" (*Ehebrecher, Lustknaben, Knabenschänder*) und das in 6,1–11 zuvor behandelte Thema
„Diebstahl" (*Diebe*; vgl. bes. 6,7). Überdies fällt auf, daß Paulus in 5,11 behauptet, er habe im früheren Brief geschrieben,
die Korinther sollten „nichts zu schaffen haben mit einem, *der
sich Bruder nennt*, aber doch ein Unzüchtiger... ist"; in 6,5.6.8
ist nun in auffälliger Häufung von den „*Brüdern*" in der Gemeinde die Rede, und zwar nicht in Anreden an die Korinther,
wie zuvor mehrmals, sondern in Ausführungen über die sittli-
chen Mißstände unter den Brüdern: „Gibt es unter euch wirklich niemanden, der weise wäre und unter *seinen Brüdern*
schlichten könnte?"(6,5); „Jedoch, *ein Bruder* prozessiert mit
dem anderen, und dies vor den Ungläubigen!" (6,6); „Jedoch,
ihr tut Unrecht und begeht Raub, und dies *an Brüdern*!"(6,8).
Die Dopplung der Kataloge wird also verständlich, wenn
Paulus in 1 Kor 5,10f mit dem kürzeren Katalog den längeren
(6,9f), der schon im früheren Brief stand, erinnert: „Nun aber
schrieb ich euch, ihr sollt nichts zu schaffen haben mit einem,
der sich Bruder nennt, aber doch ein Unzüchtiger oder Habgieriger oder Götzendiener oder Lästerer oder Trinker oder Räuber ist!" (5,11). 1 Kor 6,1–11 gehörte also wohl im Anschluß
an 1 Kor 5,8 in den früheren Brief, der nicht verlorengegangen

ist, sondern in 1 Kor 1,1–5,8 *und* 6,1–11 erhalten geblieben zu sein scheint. Daß in 1 Kor 6,1–11 wie in 1 Kor 5,1–8 in den früheren Brief gehört, erhält in 1 Kor 5,12–13 eine weitere Bestätigung. Nach der Zitation des kurzen Lasterkatalogs von 5,11, der auf den zeitlich früheren in 1 Kor 6,9f anspielt, geht Paulus in seinem zweiten Brief (vgl. 5,9.11) auch noch auf das in 1 Kor 6,1–11 hauptsächlich behandelte Thema „richten" ein.

Das Stichwort „richten", das uns in 1 Kor 6,1–11 in den ersten drei Versen viermal begegnet, kehrt in 1 Kor 6,12–13 dreimal wieder: „Denn was ginge es euch an, die draußen *zu richten*? Ihr *richtet* doch auch die drinnen? Die draußen aber wird Gott *richten*."

Die Annahme, daß 1 Kor 6,1–11 zum ansonsten in 1 Kor 1,1 – 5,8 erhaltenen, in 1 Kor 5,9.11 erwähnten früheren Brief gehört, empfiehlt sich auch noch insofern, als in 1 Kor 6,11 eine ziemlich feierliche Schlußpassage vorliegt, mit der Paulus vor den Grüßen und dem Schlußsegenswunsch sein erstes Schreiben nach Korinth abgeschlossen haben könnte: „Aber ihr seid abgewaschen, aber ihr seid geheiligt, aber ihr seit gerechtgesprochen worden durch den Namen unseres Herrn Jesus Christus und durch den Geist unseres Gottes." Eine *trinitarische Formel* braucht Paulus gerne in Schlußpassagen; das schönste Beispiel findet sich am Ende des 2. Korintherbriefes.

Wie wir später noch zu erörtern haben, wenn wir gewissermaßen die Gegenprobe machen, läßt sich bei Annahme, daß 1 Kor 1,1 – 5,8 + 6,1–11 dem ersten Brief der in der Briefkomposition des ersten Korintherbriefes gesammelten Korrespondenz zugehört, auch das Verfahren der Redaktion beim Anlegen der Briefkomposition leicht und gut erklären.

Fassen wir hier kurz zusammen:
Die Suche nach dem in 1 Kor 5,9.11 erwähnten „*Vorbrief*" hat uns dazu geführt, diesen Brief, den ersten, den Paulus nach Korinth schickte, *in 1 Kor 1,1 – 5,8 + 6,1–11* zu erkennen und wieder zu entdecken. Im Zuge unserer Erörterung ist deutlich geworden, daß der 1. Korintherbrief unterschiedliche Briefsituationen spiegelt, die auf verschiedene Briefe verweisen. *Die Frage ist gestellt:* Falls der „Vorbrief" in 1 Kor 1,1 – 5,8 + 6,1–11 vorliegt, ist dann der ganze Rest des 1. Korintherbriefes

ein zweites Schreiben; und ist dieses Schreiben der in 1 Kor
7, 1 angezeigte „Antwortbrief" auf die aus Korinth eingetroffe-
nen schriftlichen Anfragen?

2. Aus welchen Teilen setzt sich der in 1 Kor 7, 1 vorausgesetzte Antwortbrief auf briefliche Anfragen der Korinther zusammen?

Sofern der in 1 Kor 5, 9.11 erwähnte frühere Brief, wie wir zu
zeigen versuchten, in 1 Kor 1, 1 – 5, 8 + 6, 1–11 erhalten geblieben ist, ist zunächst anzunehmen, daß der kanonische 1. Korintherbrief zumindest aus zwei Briefen zusammengesetzt ist.
Da Paulus in 7, 1 beginnt, auf briefliche Anfragen der Korinther zu antworten, der frühere Brief aber keinen Brief aus
Korinth voraussetzt (so daß man ihn in 7, 1 ff fortgesetzt sehen
könnte), stellt sich die Frage, ob außer 1 Kor 1, 1 – 5, 8 +
6, 1–11, dem „Vorbrief", alle weiteren Teile des kanonischen
Dokuments ein und demselben zweiten Brief, dem „Antwortbrief", angehört haben. Nach der Auflistung der Dopplungen
und Widersprüche oben ist dies eigentlich nicht zu erwarten.
Doch sehen wir genauer zu.

Wir gehen am besten so vor, daß wir alle verbleibenden Abschnitte sichten und zunächst diejenigen zusammenstellen, in
denen Paulus erkennbar auf (briefliche) Anfragen aus Korinth
antwortet. Das ist zunächst weder in 1 Kor 5, 9–13, wo Paulus
den ersten, den Vorbrief, interpretiert, der Fall, noch in 1 Kor
6, 12–20, wo erneut das Thema „Unzucht" behandelt wird,
aber nicht in Beantwortung einer Anfrage. *Eindeutig* beginnt
der Antwortbrief erst in 1 Kor 7, 1: „Über die Dinge aber, von
denen ihr geschrieben habt..." Paulus antwortet in 1 Kor
7, 1–16 auf *Anfragen zu Ehe und Ehescheidung* und weitet in
1 Kor 7, 17–24 seine Antwort zu einer grundsätzlichen Darlegung über die Berufung des Christen. Die zweite Antwort auf
eine zweite Anfrage behandelt in 1 Kor 7, 25–38 das Thema
„über die Jungfrauen"; Paulus erörtert Jungfräulichkeit und
Ehe, schließlich noch in 1 Kor 7, 39–40 die Frage einer Wiederheirat von Frauen nach dem Tod des Mannes. Insgesamt ist
1 Kor 7 das Ehekapitel im kanonischen Dokument.

Ab 1 Kor 8, 1 beantwortet Paulus *eine zweite Anfrage:* „Über das Götzenopferfleisch aber" (8,1), bzw. „Über das Essen von Götzenopferfleisch" (8,4). Der jeweilige Einsatz mit „wir wissen" (8,2.4) nach den Themenangaben macht deutlich, daß Paulus lehrhaft auf (briefliche) Anfragen aus Korinth antwortet. Die Antwort zum Thema „Götzenopferfleischessen" füllt das ganze Kapitel 8 im kanonischen Dokument (8,1–13).

Das Thema „Götzenopferfleisch" kehrt nach Kapitel 9, in dem Paulus von seinem Verzicht auf sein apostolisches Unterhaltsrecht handelt, im Abschnitt 1 Kor 10,1–22, wo Paulus vor dem Götzendienst warnt, und im Abschnitt 1 Kor 10,23 – 11,1 mit zum Teil widersprüchlichen Aussagen wieder, wie wir oben (Seite 76) schon angemerkt haben. Da weder in 1 Kor 10,1 noch in 1 Kor 10,23 eine *Überschrift* (mit „über...aber") zu finden ist, die auf die Beantwortung einer brieflichen Anfrage aus Korinth durch Paulus schließen ließe, und da die Aussagen zum Thema „Götzenopferfleisch" untereinander nicht in Einklang stehen, wird man nicht alle Abschnitte von Kapitel 8–10 dem Antwortbrief zuschreiben können. Erstmals wird deutlich erkennbar, daß wir mit *drei* Briefen in der Briefkomposition des 1. Korintherbriefes rechnen müssen.

Auch in Kapitel 11, wo Paulus das Verhalten der Frau im Gottesdienst und die rechte Feier des Herrenmahls erörtert, antwortet er nicht auf briefliche Anfragen aus Korinth. Paulus hat gehört, daß die Korinther uneins sind, ob die Frauen im Gottesdienst eine Kopfbedeckung tragen sollen; überdies hat er gehört, daß beim Herrenmahl „Spaltungen existieren" (11,18). Aussagen im Kapitel 11 stehen nun deutlich, wie wir oben (vgl. S. 75ff) aufgezeigt haben, in Spannung zu Ausführungen im „Vorbrief" 1,1 – 5,8 + 6,1–11 einerseits, zu Ausführungen in Kapitel 14, das wahrscheinlich zum „Antwortbrief" gehört (wie wir noch sehen werden), andererseits. Zum zweiten Mal wird folglich deutlich erkennbar, daß die Briefkomposition des 1. Korintherbriefes kaum aus zwei, sondern wahrscheinlich aus drei Briefen zusammengesetzt ist.

Während in 1 Kor 7,1 und 1 Kor 8,1.4 deutlich Themenangaben vorliegen, ist 1 Kor 12,1 wie 1 Kor 7,25 die „Überschrift" in einen ganzen Satz hineingenommen, mit dem Paulus – wie 1 Thess 4,13 (und 5,1) als parallele (allerdings mündliche) Anfragen aus Saloniki, zeigen – auf vermutlich schriftliche Anfragen antwortet: „Über die Geistesgaben aber,

Brüder, will ich euch nicht in Unkenntnis lassen" (12,1). Jedoch auch wenn nach den Geistesgaben nicht im 1 Kor 7,1 erwähnten Brief gefragt war, können die Kapitel 12 bis 14, die von den Charismen handeln, durchaus als Antwort auf mündliche Fragen und Berichte aus Korinth im Antwortbrief des Paulus gestanden haben. Diese Annahme wird überdies durch die Beobachtung gestützt, daß nicht nur in Kapitel 12 das Bild vom Leib und den Gliedern auf die Gemeinde angewandt wird, sondern auch in Kapitel 10. Die Benutzung des Bildes erfolgt unterschiedlich, und da Kapitel 15 ohnehin nicht dem Antwortbrief zuzuschreiben ist (wegen der Spannung zu Kapitel 9), liegt die Annahme nahe, daß die Kapitel 12 – 14 dem Antwortbrief zugehören.

In 1 Kor 10,17 geht es Paulus um die eucharistische Einheit der Gemeinde als des Leibes Christi und die Unvereinbarkeit der Teilnahme an der Eucharistie und an heidnischen Opfermahlzeiten: „Denn *ein* Brot ist es, *ein* Leib sind wir vielen; denn alle haben wir Anteil an dem *einen* Brot." Die Rede von den „Vielen" erinnert an die älteste Abendmahlstradition (Mk 14,24).

In 1 Kor 12 geht es Paulus um die Einheit der Gemeinde als des Leibes Christi und die Vielfalt der einzelnen Gliedern geschenkten Charismen: „Denn wie der Leib *einer* ist und viele Glieder hat, alle Glieder aber des Leibes, obwohl sie viele sind, *ein* Leib sind, so auch der Christus" (12,12).

Anhand von Kapitel 15 wird erneut deutlich erkennbar, daß der erste Korintherbrief nicht nur aus zwei, sondern aus drei Briefen zusammengesetzt ist. In 1 Kor 15,1 beginnt ein neues Thema, nämlich die Behandlung der Frage der Totenauferstehung, aber nicht mit einer Überschrift, die auf den Antwortbrief hinweisen würde. Paulus erinnert die Brüder vielmehr von sich aus, weil er gehört hat, daß es in Korinth Gemeindemitglieder gibt, die sagen: „Eine Auferstehung der Toten gibt es nicht" (15,12), „an das Evangelium, das ich euch gefrohbotschaftet habe, das ihr auch angenommen habt, in dem ihr auch feststeht…" (15,1).

Falls Kapitel 9 als exkursartiger Anhang zu Kapitel 8 dem Antwortbrief zuzuordnen ist, bleibt überdies zu bedenken, daß die Kapitel 9 und 15 mit ihrer rhetorischen Struktur einer vollständigen apologetischen Rede kaum im selben Brief gestanden haben können. In beiden Kapiteln verteidigt Paulus sein Apostolat – und die Art und Weise, wie er es tut, weist deutlich auf unterschiedliche Briefsituationen hin. Die drei *Apologien* im 1. Korintherbrief (vgl. oben S. 81) sind ein unübersehbarer Hinweis auf mindestens drei ursprüngliche Schreiben, die im kanonischen Dokument gesammelt und zusammengefügt wurden.

Kapitel 16 weist sich durch zwei Überschriften, die Themenangaben „Über die Kollekte aber für die Heiligen" (16,1) und „Über Apollos aber den Bruder" (16,12), als ein Bestandteil des in 7,1 angezeigten Antwortbriefes auf die brieflichen Anfragen der Korinther aus. Die hier besprochenen Dopplungen unterstützen zunächst die Unterscheidung des „Antwortbriefes" vom ersten Brief in 1 Kor 1,1 – 5,8 + 6,1–11, dem „Vorbrief", dann aber auch die Unterscheidung eines weiteren Briefs vom „Antwortbrief":

Wie wir schon gesagt haben (vgl. S. 82–85), weisen die Ausführungen über die Besuche des Timotheus (4,17/16,10–11) und des Paulus (4,18–21/16,5–8) in Korinth auf unterschiedliche Briefsituationen und Briefe, den „Vorbrief" und den „Antwortbrief" hin. Auch die Erwähnungen des Apollos in 1,12; 2,4–6; 3,22; 4,6 einerseits und in 16,12 andererseits gehören in unterschiedliche Briefe, den „Vorbrief", in dem Paulus gegen die Parteiungen in Korinth angeht, und den „Antwortbrief", in dem Paulus auf die brieflichen Anfragen antwortet, ob nicht Apollos wieder einmal nach Korinth komme. Genauso verhält es sich mit den Erwähnungen des Stefanas in 1,16 und in 16,15–18; die Aussage im „Vorbrief" (1,16), wo sich Paulus zuletzt daran erinnert, daß er außer Krispus und Gaius (1,14) „auch das Haus des Stefanas getauft" hat, macht nicht den Eindruck, der Apostel schreibe in einer Situation, in der Stefanas gerade zu ihm nach Ephesus gekommen sei, wie sie im „Antwortbrief" (16,16–18) vorausgesetzt ist.

Auf einen neben dem „Vorbrief" und dem „Antwortbrief" dritten Brief weist die dritte Erwähnung von Besuchsplänen des Paulus, neben 4,18–21 und 16,5–8 in 11,34 hin. Rechnete Paulus im „Vorbrief" mit einer raschen Visite in Korinth per Schiff von Ephesus aus – sie sollte dazu dienen, den Streit in der Gemeinde zu schlichten, sofern das durch Timotheus und den „Vorbrief", den dieser mitnahm, nicht gelänge –, so hat der Apostel im Antwortbrief eine Reise nach Mazedonien im

Auge, die im Zusammenhang mit der Kollekte steht; diese Reise soll ihn nach Korinth führen – und vielleicht von dort nach Jerusalem (16,4). In 11,34 bleibt unklar, wann und auf welchem Weg Paulus nach Korinth kommen will: „das übrige aber werde ich anordnen, wenn ich komme". Es scheint also so zu sein, daß Briefteile, die weder dem „Vorbrief" noch dem „Antwortbrief" zugehören, in einem „Zwischenbrief" standen, der in einer Situation geschrieben wurde, in der Paulus nicht mehr mit dem raschen Besuch in Korinth rechnete, aber auch noch nicht den Plan gefaßt hatte, über Mazedonien nach Korinth zu reisen.

Wir sind also, da sich nicht alle Briefteile, die nicht zum „Vorbrief" (1,1 – 5,8 + 6,1–11) gehören, einem einzigen weiteren Schreiben, dem „Antwortbrief", zuweisen lassen, gezwungen, nach weiteren Briefen, z. B. einem „Zwischenbrief", Ausschau zu halten.

Doch zunächst halten wir fest:
Zum „Antwortbrief", in dem Paulus hauptsächlich auf briefliche Anfragen der Korinther eingeht, dürften nach unserer Musterung der Texte folgende Abschnitte des kanonischen ersten Korintherbriefes gehören: 7,1 – 9,27 + 12,1 – 14,40 + 16,1–24. Es handelt sich also um drei Blöcke, die Kapitel 7 – 9 und 12 – 14 und das Kapitel 16.

Es bleibt uns die Frage aufgegeben, in welchem Umfang ein weiterer Brief existierte.

3. In welchem Umfang existierte ein weiterer Brief, der „Zwischenbrief"?

In 1 Kor 5,9.11 hat Paulus auf einen früheren Brief hingewiesen und eine mißverständliche Auslegung von Aussagen dieses früheren Briefes, des „Vorbriefes" korrigiert. Sofern dieser „Vorbrief" in 1 Kor 1,1 – 5,8 + 6,1–11 erhalten ist, stoßen wir in 1 Kor 5,9–13 bei der Lektüre des ganzen kanonischen Dokuments zum ersten Mal auf ein Teilstück eines weiteren Briefes. Falls dieser weitere Brief nicht mit dem „Antwortbrief" gleichgesetzt werden kann, der deutlich in den Kapiteln 7 – 9, 12 – 14 und 16 greifbar ist, taucht in 5,9 zum ersten Mal der Faden eines weiteren Briefes auf; der 1. Korintherbrief ist also zumindest aus drei Briefen zusammengesetzt. Da 1 Kor 5,9–13 auf 5,1–8 und 6,1–11 bezogen ist und ein Mißverständnis der Aussagen des „Vorbriefes" korrigiert, folgte der mit diesem Abschnitt anhebende weitere Brief in der Korrespondenz des Paulus mit der Gemeinde in Korinth wohl als zweiter Brief vor dem schon vorgestellten „Antwortbrief"; wir nennen diesen zweiten Brief deshalb den „Zwischenbrief".

Lassen sich nun alle Abschnitte, die wir oben weder dem „Vorbrief" noch dem „Antwortbrief" zugeordnet haben, einem solchen „Zwischenbrief" zusprechen? In der Reihenfolge des jetzigen kanonischen Dokuments handelt es sich um folgende Stücke: 1 Kor 5,9–13 + 6,12–20 + 10,1 – 11,34 + 15,1–58. Wir haben schon besprochen (vgl. oben S. 85 ff), daß diese Stücke keine Antworten auf briefliche Anfragen der Korinther sein können und deshalb jedenfalls nicht dem „Antwortbrief" angehören müssen. Manche Abschnitte stehen überdies in Spannung zu Passagen des „Antwortbriefes" und lassen sich deshalb besser als Teile eines eigenen Schreibens, eben des „Zwischenbriefes" verstehen.

Wir sehen die Abschnitte rasch nacheinander durch: Paßt ihre Abfolge zueinander? Und wie unterscheiden sie sich von denen der beiden anderen Briefe?

In 1 Kor 5,9–13 korrigiert Paulus das Mißverständnis der Korinther, die 1 Kor 5,1–8, eine Passage aus dem „Vorbrief", nicht richtig verstanden hatten. Paulus nimmt dann die Gelegenheit wahr, in 6,12–20 erneut das Thema „Unzucht" zu behandeln; der Apostel hatte erfahren, daß Gemeindemitglieder in Korinth – vornehmlich solche, die auch den „Blutschänder" gestützt hatten – mit der Parole „Alles ist mir erlaubt" (6,12) operierten. Er mahnt nun: „Wißt ihr nicht, daß eure Leiber Glieder Christi sind?" (6,15). Zum ersten Mal taucht indirekt das Bild vom „Leib Christi" auf, das Paulus in 10,17 wieder aufgreift – und zwar ähnlich, um die Unvereinbarkeit des christlichen Lebens mit dem Götzendienst aufzuweisen, wie zuvor mit der Hurerei. Von dem einen Leib mit den vielen Gliedern handelt Paulus hingegen erst im „Antwortbrief" (vgl. oben S. 90).

In 1 Kor 10,1–33 geht Paulus – gemäß einer traditionellen biblisch-jüdischen Themenverbindung – vom Thema „Unzucht" zum Thema „Götzendienst" (mit Götzenmahlzeiten und Götzenopferfleisch) über; dem „Fliehet die Unzucht" (6,18) stellt er die Mahnung „Fliehet vor dem Götzendienst" (10,14) zur Seite. Das Thema „Götzenopferfleisch" behandelt Paulus später im „Antwortbrief" aufgrund der schriftlichen Anfrage der Korinther noch einmal (8,1–13); offenbar waren die Korinther mit den ersten Aussagen des Apostels nicht ganz zurecht gekommen. In 1 Kor 10,19–20 war unklar geblieben, ob Paulus mit der Existenz von „Götzen" und „Dämonen" rechne oder nicht. In Korinth, so erfuhr Paulus nun, rühmten sich manche Gemeindemitglieder ihrer „Erkenntnisse" (8,1), „daß es keinen Götzen in der Welt gibt" (8,4), und entsprechend ihrer Freiheit beim Genuß von Götzenopferfleisch. Paulus mußte noch einmal erklären, daß für den Aufbau der Gemeinde und das geordnet-friedliche Miteinander der Gemeindemitglieder die Rücksichtnahme auf den Bruder wichtiger ist als die Erkenntnis, die aufgeblasen machen kann.

Hatte Paulus damit schon zwei Probleme der Lebensform der Kirche behandelt, so kam er nun noch auf zwei Fragen der Form des Gottesdienstes zu sprechen: Die Frage nach der Verschleierung der Frauen beim Gebet (11,2–16) und die Frage der geordneten Feier des Herrenmahls (11,17–34). Sind im erstgenannten Abschnitt die Spannungen zu Aussagen zum späteren „Antwortbrief" (*Schweigen der Frauen*) enthalten, so im zweitgenannten diejenigen zu Aussagen im früheren „Vorbrief" (*Spaltungen*); daß Paulus die „Spaltungen" jetzt anders beurteilen kann als im „Vorbrief", zeigt die gewandelte Situation an. Der Streit um die Parteiungen unter Berufung auf Paulus, Apollos und Kefas scheint durch den „Vorbrief" und den Besuch des Timotheus geschlichtet worden zu sein.

Am Ende von Kapitel 11 scheint Paulus den Schluß seines zweiten Briefes anzusteuern: „Das Übrige aber werde ich anordnen, wenn ich komme" (11,34). Sollte der Apostel danach mit Kapitel 15 noch einmal neu angesetzt haben? Überblickt man die Abfolge der Themen des Zwischenbriefs: Korrektur des Mißverständnisses des Vorbriefs (5,9–13), Warnungen vor Unzucht (6,12–20) und Götzendienst (10,1–22), Götzenopferfleisch (10,23 – 11,1), Kopfbedeckung der Frauen im Gottesdienst (11,2–16) sowie die geordnete Feier des Herrenmahls

(11,17–34), so erwartet man kaum noch eine eher „dogmatische" Abhandlung – und dies gar noch in der Form einer apologetischen Rede.

Falls Kapitel 15 nicht zum „Zwischenbrief" gehört, wozu aber dann? Der „Vorbrief" kommt nicht in Frage und auch der „Antwortbrief" nicht, da dann im selben Schreiben jeweils zwei apologetische Reden vorlägen, was wir als sinnvolle Möglichkeit schon ausgeschlossen haben.

Wenn man die Frage – die freilich überhaupt erst als sinnvolle Frage auftauchen muß – stellt, ob Kapitel 15 etwa als selbständiger, also vierter Brief der im 1. Korintherbrief gesammelten Korrespondenz eruiert werden kann, ergeben sich rasch auffällig positive Indizien für eine entsprechende Vermutung, ja deutliche Anhaltspunkte für eine solche Annahme. Wir prüfen also, ob in 1 Kor 15,1–58 das *Corpus* eines eigenen Schreibens vorliegt, das Paulus – wohl zwischen „Zwischen-" und „Antwortbrief" – nach Korinth schickte.

Doch zunächst halten wir fest:
Zu einem weiteren, dritten Brief, den wir den „Zwischenbrief" zwischen „Vor- und Antwortbrief" nannten, zählen die Abschnitte 1 Kor 5,9–14 + 6,12–20 + 10,1–22 + 10,23 – 11,1 + 11,2–16 + 11,17–34.

4. Liegt in 1 Kor 15,1–58 ein eigener, vierter Brief vor?

Nach 1 Kor 11,34 – also bei der Annahme, 1 Kor 15 gehört zum Zwischenbrief – wirkt 1 Kor 15,1–3 als neue Einleitung ebenso merkwürdig bombastisch wie in der Stellung des Kapitels im kanonischen Dokument zwischen den Kapitel 14 und 16: „Ich erinnere euch aber, Brüder, an das Evangelium, das ich euch gefrohbotschaftet habe, das ihr auch angenommen habt, in dem ihr auch feststeht, durch das ihr auch gerettet werdet, wenn ihr es festhaltet in dem Wortlaut, in dem ich es euch gefrohbotschaftet habe – es sei denn, ihr wäret *vergeblich zum Glauben* gekommen."

Das Wort „bombastisch" ist gar nicht zutreffend, wenn man diese Zeilen charakterisieren will. Paulus schreibt eindringlich, besorgt. Das Wort „*vergeblich*" kommt ihm in die Feder, wenn die Existenz seiner Gemeinden auf dem Spiel steht. So schrieb Paulus in seinem ältesten Brief aus Athen an die Gemeinde in Soloniki, er habe Timotheus geschickt, „um von eurem *Glauben* zu erfahren, ob nicht etwa der Versucher euch versucht hat und unsere Mühe *vergeblich* war" (1 Thess 3, 5). Ähnlich besorgt äußert sich Paulus in Gal 4,11: „Ich fürchte, ich habe mich *vergeblich* um euch bemüht."

Zum Galaterbrief und dessen Eingang finden sich überdies weitere Verbindungen: Nach dem *Präskript* (Gal 1,1–5) und dem einleitenden Briefteil, der die sonst übliche Danksagung ersetzt (Gal 1,6–10), beginnt der erste Hauptteil dieses Kampfbriefes, der wie 1 Kor 15 die rhetorische Form einer apologetischen Rede besitzt, in Gal 1,11 f mit 1 Kor 15, 1 f vergleichbaren, z. T. parallelen Wendungen: *„Ich erinnere euch nämlich, Brüder, an das Evangelium, das euch von mir gefrohbotschaftet wurde,* daß es nicht nach Menschenart ist. Denn ich *habe es* auch nicht von einem Menschen *angenommen,* noch bin ich darin unterrichtet worden, sondern durch Offenbarung Jesu Christi." Stellt man sich nun in 1 Kor 15,1 in Analogie zu Gal 1,1–10 ein Präskript und eine Danksagung oder statt deren eine andere Briefeinleitung vor, so läßt sich der Anfang von Kapitel 15 als Beginn des Corpus eines eigenständigen Briefes sehr wohl begreifen.

Richten wir den Blick vom Anfang des Kapitels 15 auf dessen Schluß, so kann 15,57 durchaus als Schlußwendung vor der abschließenden Paränese des Schreibens verstanden werden.

1 Kor 15 kann also der Hauptteil eines eigenen Schreibens, das Paulus nach Korinth schickte, gewesen sein. Was den Apostel zur Abfassung dieses Briefes, der ja in die Form einer *Apologie* gegossen ist, bewog, geht aus seinen Ausführungen deutlich hervor: In Korinth gab es Auferstehungsleugner, die auch die apostolische Autorität des Paulus anzweifelten und die ganze Gemeinde zu verunsichern drohten. Da 1 Kor 15 wie 1 Kor 9 und 1 Kor 1, 10 – 4, 21 die Form einer apologetischen Rede aufweist (vgl. oben S. 81), kann das Kapitel weder zum „Vorbrief" noch zum „Antwortbrief" gehört haben. Da es zum „Zwischenbrief" schwerlich paßt und als selbständiger Brief verständlich ist, muß man mit einem *vierten* Korintherbrief in der Sammlung des 1. Korintherbriefes rechnen.

5. Die chronologische Ordnung der vier ursprünglichen Briefe

Wir sind bislang davon ausgegangen, daß die Reihenfolge: „Vorbrief" (1,1 – 5,8 + 6,1–11) – „Zwischenbrief" (5,9–13 + 6,12–20 + 10,1 – 11,34) – „Auferstehungsbrief" (15,1–58) – „Antwortbrief" (Kapitel 7 – 9 + 12 – 14 + 16) die historisch-chronologisch zutreffende ist. Ist diese Annahme berechtigt? Wie andere Briefkompositionen zeigen, ergibt sich aus der Abfolge der Texteinsätze nicht ohne weiteres die historisch-chronologische Reihenfolge. Im 1. Thessalonicherbrief ist der ältere Brief aus Athen in den jüngeren aus Korinth eingeschoben, mit dessen Textbestand der vorliegende kanonische Brief zunächst einsetzt. Im Philipperbrief bildet das zweite der drei ursprünglichen Schreiben den Rahmen der Briefkomposition, in welchen der erste Brief, das Quittungsschreiben, und der dritte, der Kampfbrief, eingeschoben wurden.

Es ist angebracht, genauer nachzufragen, in welcher Reihenfolge die im 1. Korintherbrief vorliegenden Briefe entstanden sind.

Dafür, daß der sogenannte *„Vorbrief"* das älteste Schreiben Pauli nach Korinth ist, lassen sich folgende Gründe nennen: Aus dem Sachverhalt, daß der *„Vorbrief"* eingangs eine *Danksagung* enthält, läßt sich erschließen, daß das Verhältnis des Apostels zur Gemeinde in Korinth im ganzen noch nicht getrübt ist; er bestätigt den Korinthern, daß „das Zeugnis von Christus bei euch gefestigt wurde" (1,6). Der *„Zwischenbrief"* setzt schon die Unbotmäßigkeit der aufgeblasenen Gemeinde gegenüber dem Apostel voraus.

In 1 Kor 2, 1–5 scheint Paulus in einer Weise auf seine Missionstätigkeit in Korinth zurückzublicken, die keinen weiteren Besuch und auch keinen inzwischen erfolgten Briefwechsel voraussetzt: „Auch ich, als ich zu euch kam, Brüder, kam nicht mit der Pose außergewöhnlicher Rede oder Weisheit…" Ähnlich scheint 1 Kor 3,1–4 noch keine längere Entwicklung der Gemeinde vorauszusetzen: „Auch ich, Brüder, konnte zu euch nicht wie zu Geisterfüllten reden, sondern nur wie zu Fleischlichen, wie zu Unmündigen in Christus. Milch gab ich euch zu trinken, nicht feste Speise; ihr konntet sie noch nicht vertragen. Ihr seid auch noch Fleischliche…" Überdies geht aus dem *„Vorbrief"* auch nicht eindeutig hervor, wo sich Apollos, der nach Paulus in Korinth wirkte, aufhielt: Noch in Korinth, sonstwo, oder in Ephesus in der Nähe des Paulus? Während Paulus im „Antwortbrief" erkennen läßt, daß Apollos in Ephesus oder in der Nähe der Hauptstadt der Provinz Asia zurück ist (vgl. 16,12: „Oft habe ich ihn gebeten, daß er mit den Brüdern zu euch gehen solle..."), bleibt im „Vorbrief" unklar, ob Paulus mit Apollos selbst direkten Kontakt hat. Der „Antwortbrief" läßt auch nichts mehr davon erkennen, daß es in Korinth wegen Paulus und Apollos Spaltungen gab. Und schon im „Zwischenbrief" konnte Paulus bei der Behandlung der Mißstände beim Abendmahl davon sprechen, es müsse „auch Parteiungen unter euch geben, damit die Bewährten unter euch offenkundig werden"(11,19).

Daß der „Zwischenbrief" als zweites Schreiben nach dem „Vorbrief" folgte, ergibt sich aus der doppelten Behandlung der Blutschänderfrage in 1 Kor 5,1–8 und 5,9–13 sowie daraus, daß der in 5,9.11 erwähnte frühere Brief eben das von uns als „Vorbrief" bezeichnete Schreiben gewesen sein muß. Im Unterschied zur Situation im „Vorbrief", als Paulus von den Leuten der Chloe über Spaltungen in der Gemeinde unterrichtet worden war und überdies vom Blutschänder und von Prozessen von Gemeindemitgliedern vor heidnischen Richtern gehört hatte, kennt der Apostel nach dem Besuch des Timotheus in Korinth weitere Problemfelder, die er im „Zwischenbrief" behandelt: Götzendienst und Götzenopferfleisch, das Verhalten der Frauen im Gottesdienst, die geordnete Feier des Herrenmahls. Sah Paulus die Korinther im „Vorbrief" noch als „unmündig" an, so hält er sie nun für „verständig" (10,16) und appelliert an ihr eigenes Urteil (11,13). Er weiß ferner, daß inzwischen einige Gemeindemitglieder gestorben sind (11,30). Da der Apostel im ersten Brief schon relativ ausführlich einen eigenen Besuch angekündigt hatte (4,18–21), kann er im Zwischenbrief nun eher beiläufig an diese seine Absicht erinnern: „Das Übrige aber werde ich anordnen, wenn ich komme" (11,34).

Daß der „Zwischenbrief" vor dem „Antwortbrief" verfaßt worden sein muß, ergibt sich aus dem Vergleich der Passagen in den beiden Briefen, in denen Paulus das Problem des Götzenopferfleischgenusses behandelt. Im „Zwischenbrief" kommt Paulus über das Thema „Götzendienst" (10,14) auf das Thema

„Götzenopferfleisch" (10,19) und gestattet, „alles, was auf dem Fleischmarkt verkauft wird zu essen, ohne Unterscheidungen zu treffen um des Gewissens willen" (10,25); auch bei Einladungen zu Ungläubigen sollen die korinthischen Gemeindemitglieder ruhig „alles essen, was euch vorgesetzt wird, ohne Unterscheidungen zu treffen um des Gewissens willen" (10,27). Paulus möchte nicht, daß die Christen an Götzenopfermahlfesten teilnehmen (10,14–22), aber Fleisch- auch sogenanntes Götzenopferfleisch, das auf dem Markt verkauft oder bei Einladungen in korinthischen Häusern vorgesetzt wird, können die Christen ohne Skrupel essen, bei einer Ausnahme: „Wenn aber einer euch sagt: ‚Das ist Opferfleisch', dann eßt nicht um jenes willen, der euch aufmerksam macht" (10,28). Vermutlich haben nicht alle Korinther die Auskunft des Paulus gleich gut verstanden; im Brief, den Paulus von der Gemeinde erhielt, stand eine Anfrage „Über das Götzenopferfleisch aber" (8,1) bzw. „Über das Essen nun von Götzenopferfleisch" (8,4). Paulus sieht sich nun zu einer ausführlichen und grundsätzlichen Erklärung genötigt. 1 Kor 8,1–13 setzt 1 Kor 10 voraus – nicht umgekehrt, wie wir bei unserer kurzen Kommentierung des Abschnittes später (vgl. S. 221–224) noch genauer zeigen können. Wenn Kapitel 10 dem früheren „Zwischenbrief" und Kapitel 8 dem späteren „Antwortbrief" angehört, lösen sich auch die scheinbaren Widersprüche auf, die in der literarkritischen Diskussion um den 1. Korintherbrief eine Rolle spielen. Paulus hat sich nicht widersprochen, aber er hat sich im zweiten Brief weniger klar, im vierten deutlicher erklärt.

Der „Antwortbrief" ist eindeutig später verfaßt worden als der „Vorbrief" und der „Zwischenbrief". In „Vor- und Zwischenbrief" war noch nichts davon zu spüren, daß in Korinth judenchristliche Gegner Paulus sein Apostolat streitig machen wollen; in 1 Kor 9 reagiert Paulus nun auf entsprechende Nachrichten: „Bin ich nicht frei? Bin ich nicht Apostel? Habe ich nicht Jesus, unseren Herrn, gesehen? Seid ihr nicht mein Werk im Herrn? Wenn ich für andere kein Apostel bin, bin ich es doch für euch! Denn ihr seid der Siegelabdruck meines Apostolats im Herrn" (9,1–2). Inzwischen hat Paulus auch die Korinther über sein Kollektenvorhaben, die Sammlung der heidenchristlichen Gemeinden für die Urgemeinde, unterrichtet und gibt weitere Anweisungen (16,1–4). Auch die Reisepläne sind gegenüber den früheren Angaben konkreter geworden (16,5–8). Inzwischen sind aus Korinth auch Stefanas, der schon im Vorbrief (1,16) erwähnt wurde – dessen Name dort Paulus erst nachträglich einfiel, was deutlich dagegen spricht, daß Stefanas schon früher in Ephesus war – und Fortunatus und Achaikus nach Ephesus gekommen (16,17).

Ob der *„Auferstehungsbrief"* als dritter Brief richtig eingeordnet ist, entscheidet sich nicht nur im Vergleich mit dem „Antwortbrief", sondern auch im Vorblick auf den 2. Korintherbrief. Die Zweifel am Apostolat des Paulus, gegen die er in 1 Kor 15,8–11 behutsam angeht, scheinen in Korinth noch nicht so laut geworden zu sein, wie es der „Antwortbrief" 1 Kor 9 voraussetzt. Zum Thema „Auferstehung" nimmt Paulus in 2 Kor 5 (und Phil 1) später noch einmal Stellung; man möchte wenn man die Texte vergleicht – mit einem nicht ganz geringen zeitlichen Abstand dieser Stellungnahmen rechnen.

Merkwürdig bleibt, daß Paulus in 1 Kor 15,32 schreibt, er habe „ – wie man so sagt – mit wilden Tieren gekämpft *in Ephesus"*; hielt sich der Apostel, als er den „Auferstehungsbrief" verfaßte, nicht in Ephesus auf? War er zeitweilig in anderen Orten in Asia? Wir wissen es nicht. 1 Kor 15,32 muß jedenfalls nicht als ein Rückblick auf die Zeit in Ephesus gelesen werden.

Bleibt die Einordnung des „Auferstehungsbriefes" auch mit geringer Unsicherheit belastet, so empfiehlt sich im ganzen doch für die chronologische Ordnung der vier ursprünglichen Briefe diese Abfolge:

1. Vorbrief
2. Zwischenbrief
3. Auferstehungsbrief
4. Antwortbrief

IV.
Der erste Brief „an die Gemeinde Gottes, die in Korinth ist" – Der „Vorbrief"

Paulus war, wie wir oben (vgl. S. 20–26) geschildert haben, nach seinem Abschied von Korinth, wo er sich anderthalb Jahre aufgehalten und dem Aufbau einer Gemeinde gewidmet hatte, länger unterwegs gewesen und schließlich nach Ephesus gekommen, wo er Aquila und Priszilla als sein missionarisches „Vorauskommando" schon zurückgelassen hatte.

In Ephesus erreichten den Apostel beunruhigende Nachrichten aus Korinth; die „Leute der Chloe" sind gekommen und haben von „Streitigkeiten" (1, 11) unter den Korinthern berichtet. Auch „Sosthenes, der Bruder" (1, 1), vermutlich der frühere Synagogenvorsteher aus Korinth, der Christ geworden ist, befindet sich bei Paulus und kann ihm Nachrichten überbracht haben. Ob Apollos, der nach Paulus in Korinth gewirkt hat, schon in Ephesus zurück ist (wie später 1 Kor 16, 12 voraussetzt), ist ungewiß. Jedenfalls hat Paulus auch vom Fall eines Blutschänders gehört (5, 1) und davon, daß Gemeindemitglieder in Korinth vor heidnischen Richtern prozessieren (6, 1).

Paulus hat Grund genug, in Ephesus erstmals zur Feder zu greifen bzw. hier erstmals einen Brief zu diktieren. Der erste Brief „an die Gemeinde Gottes, die in Korinth ist" (1, 2) dürfte nach den beiden Briefen, die Paulus aus Athen und Korinth nach Saloniki gerichtet hatte, der dritte Gemeindebrief des Apostels sein, der uns erhalten geblieben ist. Ob er, bevor er diesen dritten verfaßte, schon weitere geschrieben hatte, wissen wir nicht.

Gegen Ende des Briefes, in 1 Kor 5, 7–8, erinnert Paulus an den jüdischen Brauch, bis zum Mittag des Pascha-Rüsttages allen Sauerteig aus dem Haus zu schaffen, damit mit dem Pascha das Fest der ungesäuerten Brote beginnen kann: „Schafft den alten Sauerteig hinaus, damit ihr neuer Teig seid, wie ihr

Ungesäuerte seid. Denn unser Paschalamm wurde geschlachtet: Christus. Daher wollen wir das Fest feiern, nicht im alten Sauerteig der Schlechtigkeit und Bosheit, sondern mit Ungesäuertem der Aufrichtigkeit und Wahrheit." Liest man diese Passage, so legt sich die Vermutung nahe, daß Paulus sie und damit den ganzen „Vorbrief" in zeitlicher Nähe zum Osterfest schrieb. Da Paulus im Lauf des Sommers oder Herbstes des Jahres 52 n. Chr. in Ephesus eintraf, wird er den „Vorbrief" im Frühjahr 53 n. Chr. verfaßt haben. Im Februar/März wurde der Schiffsverkehr zwischen Korinth und Ephesus wieder eröffnet, und vermutlich sind damals „die Leute der Chloe" (1,11) nach Ephesus gekommen, vielleicht auch Sosthenes (1,1), sofern er nicht schon eher zu Paulus stieß. Im Jahr 53 n. Chr. fiel das Paschafest auf den 23. April; der Festtag war ein Mittwoch, nach jüdischer Zählung der vierte Wochentag. Man mag sich also gerne vorstellen, daß Paulus seinen ersten Brief „an die Gemeinde Gottes, die in Korinth ist" (1,2), Anfang April in Ephesus verfaßt hat, so daß er die Korinther, denen Timotheus das Schreiben überbringen sollte, noch vor dem Osterfest erreichen konnte. Als Paulus Anfang April des Jahres 53 n. Chr. nach Korinth schrieb, hatte er – da er Korinth im Herbst 51 n. Chr. verlassen hatte – seine Gemeinde über anderthalb Jahre nicht mehr gesehen. Nach ihm war, wie wir oben schon geschildert haben (vgl. S. 22–24), ein anderer bedeutender Missionar, Apollos, in Korinth gewesen. Durch ihn war die Gemeinde vermutlich beträchtlich gewachsen. Darüber hinaus muß auch Petrus – Paulus nennt ihn mit der gräzisierten Form seines aramäischen Ehrennamens: „Kefas" – in Korinth gewesen sein oder Missionare, die mit seiner Autorität auftreten durften, dorthin geschickt haben. Denn eine der Parteien in der Gemeinde von Korinth führte ja die Parole im Mund: „Ich gehöre zu Kefas!" (1,12).

Petrus, der nach dem Tode Jesu von 30–41 n. Chr., also zwölf Jahre lang, an der Spitze der Urgemeinde gestanden hatte, war um das Paschafest des Jahres 41 n. Chr. aus dem Kerker des Königs Agrippa I. in Jerusalem entkommen und – nach der Überlieferung der Alten Kirche – nach Antiochia und Rom gegangen. Beim Apostelkonzil um das Jahr 46 n. Chr. – König Agrippa I. war 44 n. Chr. gestorben – war Petrus wieder in Jerusalem; danach kam er, was Paulus in Gal 2,11 ff berichtet, nach Antiochia, wo es zum Konflikt der beiden Apostel kam. Danach verliert sich der Weg des Petrus bis zu seinem Tod in Rom (wohl im Jahr 67 n.Chr.) im Dunkel. Zur Schlichtung des antiochenischen Konflikts war Petrus um 48 n.Chr. wohl noch einmal in Jerusalem; wo er dann auf seinen Missionsreisen, von denen Paulus weiß (vgl. 1 Kor 9,5), hinkam, bleibt unbekannt. Ausschließen läßt sich jedenfalls nicht, daß Petrus neben oder nach Apollos vor dem April des Jahres 53 n.Chr. auch einen Besuch in Korinth gemacht hatte. Korinth war ja einer der bedeutendsten Verkehrsknotenpunkte der damaligen Welt.

Die Entwicklung in der korinthischen Gemeinde in den anderthalb Jahren, die Paulus nun schon von Korinth weg war, macht verständlich, daß der Apostel sich vornahm, bald einmal von Ephesus hinüber zu fahren: „Ich werde aber rasch zu euch kommen, wenn der Herr will" (4,19). Doch zunächst schickte er seinen Mitarbeiter Timotheus mit dem Brief, den wir den „Vorbrief" nennen und nun genauer kennenlernen wollen. Bis Paulus selbst nach Korinth kommen konnte, sollte noch einige Zeit vergehen.

1. Der Text

Präskript

1,1 Paulus, berufener Apostel Christi Jesu
     durch Gottes Willen
     und Sosthenes, der Bruder,

2   an die Gemeinde Gottes, die in Korinth ist,
     die Geheiligten in Christus Jesus
     die berufenen Heiligen,
     (zusammen mit allen,
     die den Namen unseres Herrn Jesus Christus anrufen
     an jedem Ort, bei ihnen und bei uns).

3   Gnade euch und Friede
     von Gott, unserem Vater,
     und dem Herrn Jesus Christus!

Danksagung

1,4 Ich danke meinem Gott allezeit euretwegen
für die Gnade Gottes,
die euch gegeben wurde durch Christus Jesus,

5 daß ihr in allem reichgemacht worden seid
durch ihn, in aller Rede und aller Erkenntnis,

6 so wie das Zeugnis von Christus
bei euch gefestigt wurde,

7 so daß ihr keinen Mangel habt
an irgendeiner Gnadengabe,
während ihr die Offenbarung
unseres Herrn Jesus Christus erwartet.

8 Er wird euch auch festigen bis ans Ende
als Schuldlose am Tag unseres Herrn Jesus Christus.

9 Treu ist Gott, durch den ihr berufen wurdet
zur Gemeinschaft mit seinem Sohn Jesus Christus,
unserem Herrn.

Eröffnung der Apologie (exordium)

10 Ich ermahne euch aber, Brüder,
im Namen unseres Herrn Jesus Christus,
daß ihr alle dasselbe meint
und keine Spaltungen unter euch seien,
ihr aber gerüstet seid
in demselben Denken und derselben Meinung.

11 Es wurde mir nämlich kundgetan über euch,
meine Brüder, von den Leuten der Chloe,
daß es Streitigkeiten unter euch gibt.

12 Ich meine aber dies,
daß jeder von euch (etwas anderes) sagt:
„*Ich* gehöre zu Paulus!",
„*Ich* gehöre zu Apollos!"
„*Ich* aber zu Kefas!"
„*Ich* aber zu Christus!"

13 Ist der Christus zerteilt?
Ist etwa Paulus für euch gekreuzigt worden?
Oder seid ihr auf den Namen Pauli getauft worden?

1,14 Ich bin dankbar,
     daß ich niemand von euch getauft habe –
     außer Krispus und Gajus –
  15 damit keiner sagen kann,
     ihr seid auf meinen Namen getauft worden.
  16 Ich habe aber auch das Haus des Stefanas getauft.
     Sonst weiß ich nicht,
     ob ich einen anderen getauft habe.
  17 Denn Christus hat mich nicht (so sehr) gesandt,
     zu taufen, sondern (vielmehr) zu frohbotschaften, –
     nicht in Weisheitsrede,
     damit das Kreuz des Christus
     nicht um seine Kraft gebracht wird.

     Bericht (narratio)

  18 Denn die Rede vom Kreuz ist für die,
     die verlorengehen, Torheit,
     für die aber,
     die gerettet werden, für uns, Kraft Gottes.
  19 Denn es steht geschrieben:
     „Ich lasse verlorengehen die Weisheit der Weisen
     und die Klugheit der Klugen
     lasse ich verschwinden."
  20 Wo ist ein Weiser?
     Wo ein Schriftgelehrter?
     Wo ein Debattierer dieses Äons?
     Hat nicht Gott die Weisheit der Welt töricht
     gemacht?
  21 Denn da ja angesichts der Weisheit Gottes
     die Welt durch die Weisheit Gott nicht erkannt hat,
     gefiel es Gott,
     durch die Torheit der Verkündigung
     die Glaubenden zu retten.
  22 Da ja auch die Juden Zeichen fordern
     und die Griechen Weisheit suchen,
  23 verkündigen wir aber Christus, einen Gekreuzigten,
     für die Juden ein Ärgernis,
     für die Heiden Torheit,

1,24 für die Berufenen selbst aber, Juden wie Griechen,
Christus, Gottes Kraft und Gottes Weisheit.

25 Denn das Törichte bei Gott
ist weiser als die Menschen,
und das Schwache bei Gott
ist stärker als die Menschen.

26 Seht doch eure Berufung, Brüder!
Da sind nicht viele Weise nach irdischem Maßstab,
nicht viele Mächtige, nicht viele Adlige!

27 Vielmehr das Törichte der Welt hat Gott erwählt,
um die Weisen zuschanden zu machen,
und das Schwache der Welt hat Gott erwählt,
um das Starke zuschanden zu machen,

28 und das Unadlige der Welt und das Verachtete
hat Gott erwählt, das nichts zählt,
um das, was zählt, zu vernichten,

29 damit sich kein Fleisch rühme vor Gott.

30 Von ihm her seid ihr aber in Christus Jesus,
der für uns zur Weisheit gemacht wurde von Gott,
zur Gerechtigkeit und Heiligung und Erlösung,

31 damit gelte, was geschrieben steht:
„Wer sich rühmt, rühme sich im Herrn!"

2,1 Auch ich, als ich zu euch kam, Brüder,
kam nicht mit der Pose außergewöhnlicher Rede
oder Weisheit,
um euch das Geheimnis Gottes zu vermelden.

2 Denn ich hatte mich entschlossen,
bei euch nichts zu wissen,
außer Jesus Christus
– und diesen als Gekreuzigten.

3 Und ich bin in Schwachheit und Furcht
und mit viel Zittern bei euch aufgetreten.

4 Und meine Rede und meine Verkündigung
bestand nicht in Überredung mit Weisheitsworten,
sondern im Erweis von Geist und Kraft,

5 damit euer Glaube sich nicht auf Weisheit
von Menschen, sondern auf Gottes Kraft gründe.

2,6 Weisheit aber reden wir unter den Vollkommenen,
nicht aber Weisheit dieses Äons,
auch nicht die der Oberen dieser Welt,
die vernichtet werden,

7 vielmehr reden wir Gottes Weisheit,
die im Geheimnis besteht,
die verborgen ist,
die Gott vor den Äonen zu unserer Verherrlichung
vorherbestimmt hat.

8 Sie hat keiner der Oberen dieses Äons erkannt;
denn hätten sie sie erkannt,
hätten sie den Herrn der Herrlichkeit nicht
gekreuzigt.

9 Vielmehr gilt, wie es geschrieben steht:
„Was kein Auge gesehen und kein Ohr gehört hat,
und was in keines Menschen Herz aufgestiegen ist,
das hat Gott denen bereitet, die ihn lieben."

10 Uns aber hat Gott es geoffenbart durch den Geist.
Denn der Geist offenbart alles,
auch die Tiefen Gottes.

11 Denn wer von den Menschen kennt,
was den Menschen ausmacht,
außer dem Geist des Menschen in ihm?
So hat auch das, was Gott ausmacht,
niemand erkannt außer dem Geist Gottes.

12 Wir aber haben nicht den Geist der Welt empfangen,
sondern den Geist, der aus Gott stammt,
damit wir erkennen,
was uns von Gott geschenkt worden ist.

13 Davon reden wir auch –
nicht in gelehrten Worten menschlicher Weisheit,
sondern in gelehrten (Worten) des Geistes,
indem wir den Geisterfüllten die Geistesgaben
deuten.

14 Der Mensch aber, der Psychiker ist,
nimmt das, was den Geist Gottes ausmacht,
nicht auf; denn für ihn ist das Torheit,
und er kann es nicht erkennen,
was nur auf diese Weise des Geistes beurteilt
werden kann.

2,15 Der Geisterfüllte aber beurteilt alles,
er selbst aber wird von niemandem beurteilt.

16 „Denn wer hat das Denken des Herrn erkannt,
wer kann ihn belehren?"
Wir aber haben das Denken Christi!

Beweisführung (probatio)

3,1 Auch ich, Brüder,
konnte zu euch nicht wie zu Geisterfüllten
reden,
sondern nur wie zu Fleischlichen,
wie zu Unmündigen in Christus.

2 Milch gab ich euch zu trinken,
nicht feste Speise;
ihr konntet sie noch nicht vertragen.

3 Ihr seid auch noch Fleischliche.
Denn solange unter euch Eifersucht und Streit
vorkommen, seid ihr da nicht Fleischliche
und wandelt ihr da nicht nach Menschenweise?

4 Denn wenn einer sagt:
„*Ich* gehöre zu Paulus",
ein anderer aber: „*Ich* zu Apollos!"
seid ihr da nicht Menschen?

5 Was bedeutet denn Apollos?
Was Paulus?
Diener sind sie,
durch die ihr zum Glauben gekommen seid!
Und jedem kommt die Bedeutung zu,
die ihm der Herr gegeben hat.

6 Ich habe gepflanzt,
Apollos hat begossen,
aber Gott hat wachsen lassen.

7 So bedeutet weder der etwas, der pflanzt,
noch der, der begießt,
sondern der wachsen läßt: Gott.

3,8 Der pflanzt und der begießt aber sind eins,
jeder aber wird seinen eigenen Lohn empfangen
gemäß seiner eigenen Mühe.
9 Denn wir sind Gottes Mitarbeiter.
Gottes Ackerfeld, Gottes Bauwerk seid ihr.

10 Gemäß der Gnade Gottes, die mir verliehen wurde,
habe ich wie ein weiser Architekt das Fundament
gelegt, ein anderer aber baut darauf weiter.
11 Denn ein anderes Fundament kann niemand legen
außer dem, das gelegt ist:
das ist Jesus Christus.
12 Ob aber einer auf dem Fundament weiterbaut,
mit Gold, Silber, kostbaren Steinen,
Hölzern, Heu oder Stroh,
13 ein jedes Werk wird offenbar werden;
denn der Tag wird es offenkundig machen.
Weil er durch Feuer offenbart wird,
wird auch das Feuer die Beschaffenheit des Werkes
    eines jeden prüfen.
14 Wenn jemandes Werk,
das er darauf gebaut hat, Bestand hat,
wird er Lohn erhalten.
15 Wenn jemandes Werk verbrennt,
muß er den Verlust tragen;
er selbst aber wird gerettet werden,
aber so wie durch Feuer.
16 Wißt ihr nicht, daß ihr Gottes Tempel seid
und der Geist Gottes in euch wohnt?
17 Wenn einer den Tempel Gottes verdirbt,
wird diesen Gott verderben.
Denn der Tempel Gottes ist heilig,
und der seid ihr.

3,18 Niemand täusche sich selbst!
Wenn einer unter euch weise zu sein meint
in diesem Äon,
werde er töricht, damit er weise wird.

19 Denn die Weisheit dieser Welt
ist Torheit bei Gott.
Denn es steht geschrieben:
„Er fängt die Weisen durch ihre List."

20 Und wiederum:
„Der Herr kennt die Erwägungen der Weisen,
daß sie nichtig sind."

21 Daher soll sich niemand rühmen
unter Berufung auf Menschen!
Denn alles ist euer,

22 sei es Paulus, sei es Apollos, sei es Kefas,
sei es Welt, sei es Leben, sei es Tod,
sei es Gegenwärtiges, sei es Zukünftiges, –
alles ist euer,

23 ihr aber seid Christi,
Christus aber Gottes.

Hinweis auf Konsequenzen (refutatio)

4,1 So soll man uns als Diener Christi betrachten
und als Verwalter der Geheimnisse Gottes.

2 Hier übrigens verlangt man von Verwaltern,
daß einer treu erfunden wird.

3 Für mich aber ist von geringster Bedeutung,
daß ich von euch beurteilt werde
oder von einem menschlichen Gerichtstag.
Ich beurteile mich auch nicht selbst.

4 Ich bin mir zwar keiner Schuld bewußt,
aber dadurch bin ich nicht gerechtfertigt;
der mich beurteilt, ist der Herr.

5 Richtet also nicht vor der Zeit über etwas,
bevor der Herr kommt,

der auch das im Dunkeln Verborgene durchleuchten
und die Beschlüsse der Herzen offenbar machen
 wird.
Und dann wird jedem das Lob von Gott zuteil werden.

4,6 Dies aber, Brüder, habe ich auf mich selbst
und auf Apollos gemünzt –
um euretwillen, damit ihr an uns lernt:
„Nicht über das hinaus, was geschrieben steht",
damit ihr euch nicht aufblast,
indem ihr für den einen
und gegen den anderen Stellung nehmt.

7 Denn wer gibt dir einen Vorzug?
Was aber hast du, das du nicht empfangen hättest?
Wenn du es aber empfängst, was rühmst du dich,
als hättest du es nicht empfangen.

8 Ihr seid schon gesättigt,
ihr seid schon reich geworden!
Ohne uns seid ihr zur Herrschaft gelangt!
Ja, wäret ihr doch nur zur Herrschaft gelangt,
damit wir zusammen mit euch herrschen könnten.

9 Denn ich glaube,
Gott hat uns Apostel als „Letzte" erwiesen,
wie Todgeweihte;
denn ein Schauspiel sind wir geworden
für die Welt und für Engel und Menschen.

10 Wir sind Toren um Christi willen,
ihr aber Verständige in Christus.
Wir sind Schwache, ihr aber Starke.
Ihr seid Angesehene, wir aber Ehrlose.

11 Bis zur jetzigen Stunde hungern und dürsten wir
und gehen in Lumpen und werden geschlagen
und sind heimatlos.

12 Und wir mühen uns ab,
indem wir mit den eigenen Händen arbeiten.
Beschimpft – segnen wir,
verfolgt – halten wir stand,

4,13 geschmäht – trösten wir.
Wie Abschaum der Welt sind wir geworden,
von allen verstoßen – bis jetzt.

Zweites Plädoyer (peroratio II)

14 Nicht um euch bloßzustellen, schreibe ich dies,
sondern um euch als meine geliebten Kinder
zurechtzuweisen.
15 Denn wenn ihr auch unzählige Erzieher in Christus
hättet, so doch nicht viele Väter;
denn in Jesus Christus habe ich euch
durch das Evangelium gezeugt.
16 Ich ermahne euch also: Werdet meine Nachahmer!

Sendung des Timotheus und Ankündigung des eigenen Besuchs

17 Deshalb habe ich euch Timotheus geschickt,
der mein geliebtes und treues Kind im Herrn ist.
Er wird euch an meine Wege erinnern,
die in Christus Jesus,
wie ich sie allerorten in jeder Gemeinde lehre.
18 Als ob ich aber nicht zu euch käme,
haben sich einige aufgeblasen.
19 Ich werde aber rasch zu euch kommen,
wenn der Herr will,
und ich werde nicht nur die Rede der Aufgeblasenen
prüfen, sondern auch ihre Kraft.

20 Denn nicht in der Rede erweist sich die Herrschaft
Gottes,
sondern in der Kraft.
21 Was wollt ihr?
Soll ich mit dem Stock zu euch kommen
oder mit Liebe und im Geist der Sanftmut?

5, 1 Übrigens hört man von Unzucht unter euch,
      und zwar solcher Unzucht,
      wie sie nicht einmal unter Heiden vorkommt:
      daß einer die Frau seines Vaters (als Frau) hat.
   2 Und ihr seid aufgeblasen,
      statt vielmehr zu trauern.
      Entfernt werden aus eurer Mitte soll der,
      der eine solche Tat getan hat.
   3 Denn ich, obwohl dem Leib nach abwesend,
      anwesend aber im Geist,
      habe schon entschieden,
      als ob ich anwesend wäre:
   4 Der so dies verübt hat,
      soll im Namen unseres Herrn Jesus,
      da ihr und mein Geist euch versammelt,
      zusammen mit der Kraft unseres Herrn Jesus Chri-
         stus,
      dem Satan ausgeliefert werden
   5 zum Verderben des Fleisches,
      damit der Geist gerettet werde am Tag des Herrn.
   6 Euer Ruhm ist nicht gut!
      Wißt ihr nicht, daß ein wenig Sauerteig
      den ganzen Teig durchsäuert?
   7 Schafft den alten Sauerteig hinaus,
      damit ihr neuer Teig seid,
      wie ihr Ungesäuerte seid.
      Denn unser Paschalamm wurde geschlachtet:
      Christus.
   8 Daher wollen wir das Fest feiern,
      nicht im alten Sauerteig,
      auch nicht mit Sauerteig der Schlechtigkeit
      und Bosheit,
      sondern mit Ungesäuertem der Aufrichtigkeit
      und Wahrheit.

6,1 Wagt es einer von euch,
   der mit einem anderen einen Rechtsstreit hat,
   sich bei den Ungerechten richten zu lassen
   statt bei den Heiligen?

2 Oder wißt ihr nicht,
   daß die Heiligen die Welt richten werden?
   Und wenn durch euch die Welt gerichtet wird,
   seid ihr unwürdig,
   geringere Rechtssachen (zu schlichten)?

3 Wißt ihr nicht,
   daß wir die Engel richten werden?
   Also doch erst recht alltägliche Angelegenheiten!

4 Wenn ihr nun alltägliche Rechtsfälle habt,
   wieso setzt ihr dann diejenigen (als Richter) ein,
   die in der Gemeindeversammlung nichts gelten?

5 Zu eurer Beschämung sage ich das!
   Gibt es unter euch wirklich niemanden,
   der weise wäre und unter seinen Brüdern
   schlichten könnte?

6 Jedoch, ein Bruder prozessiert mit dem anderen,
   und dies vor den Ungläubigen!

7 Ist es nicht überhaupt schon ein Versagen bei euch,
   daß ihr miteinander Rechtsauseinandersetzungen
   habt?
   Warum leidet ihr nicht lieber Unrecht?
   Warum laßt ihr euch nicht lieber berauben?

8 Jedoch, ihr tut Unrecht, und begeht Raub,
   und dies an Brüdern!

9 Oder wißt ihr nicht,
   daß Ungerechte das Reich Gottes nicht erben
   werden? Täuscht euch nicht!
   Weder Unzüchtige noch Götzendiener noch Ehebrecher noch Lustknaben noch Knabenschänder

10 noch Diebe noch Habgierige, –
   keine Trinker, keine Lästerer, keine Räuber
   werden das Reich Gottes erben.

6,11 Und davon gab es einige unter euch.
Aber ihr seid abgewaschen,
aber ihr seid geheiligt,
aber ihr seid gerechtgesprochen worden
durch den Namen des Herrn Jesus Christus
und durch den Geist unseres Gottes.

[Grüße?]

[Schlußsegenswunsch]

2. Bemerkungen zum Text und zum Aufbau des Briefes

Wir haben im Präskript in 1 Kor 1,2 zwei Zeilen in runde
Klammern gesetzt: (zusammen mit allen, die den Namen unseres Herrn Jesus Christus anrufen an jedem Ort, bei ihnen und
bei uns). Warum?

Wir wollten damit andeuten, daß die eingeklammerte Passage möglicherweise nicht zum ursprünglichen ersten Korintherbrief gehört. Denn daß Paulus mit seinem ersten Schreiben
an die Korinther zugleich alle Christen, „alle, die den Namen
unseres Herrn Jesus Christus anrufen an jedem Ort", erreichen
wollte, ist ganz unwahrscheinlich. Wahrscheinlich ist allerdings, daß die Herausgeber der Briefe des Apostels nach dessen Tod, die vier ursprünglichen Schreiben zu einer großen
Briefkomposition vereinigten, als Adressaten bereits alle Christen, die ganze Kirche „an jedem Ort, bei ihnen und bei uns",
ins Auge gefaßt hatten. Davon wird später noch zu handeln
sein (vgl. unten S. 252 f). Eine ähnliche Beobachtung läßt sich
ja auch bei der Briefkomposition des 1. Thessalonicherbriefs
machen, wo die Herausgeber und Redakteure der beiden
Briefe in 1,8 den Text des ersten Schreibens erweiterten; Paulus hatte geschrieben: „Denn von euch aus ist das Wort des
Herrn verbreitet worden", sie hatten hinzugefügt: „nicht nur in
Mazedonien und Achaia, sondern an jedem Ort ist euer
Glaube an Gott bekannt geworden". Das Stichwort *„an jedem
Ort"* scheint für die auf einen universalen Adressatenkreis
rechnenden Briefredaktionen charakteristisch zu sein.

Außer in 1,2 scheint in 1,1 – 5,8 das erste Schreiben, das

Paulus nach Korinth schickte, original erhalten zu sein. An 5, 8 schloß 6, 1–11 an, und es ist nicht erkennbar, daß die Briefredaktion, die 5, 9–13 aus dem „Zwischenbrief" einfügte, in 5, 1–8 oder 6, 1–11 redigierend eingegriffen hätte.

In 6, 11 lenkte Paulus mit einer trinitarischen Passage („durch den Namen des Herrn Jesus Christus und durch den Geist unseres Gottes") zum Schluß seines ersten Briefs „an die Gemeinde Gottes, die in Korinth ist", hin. Dieser Schlußpassage können – wie in anderen Paulusbriefen – noch Grüße gefolgt sein; jedenfalls wird Paulus mit einem Segenswunsch geschlossen haben. Im vierten Brief, dem „Antwortbrief", lautet dieser Segenswunsch: „Die Gnade des Herrn Jesus sei mit euch" (16, 23); im früheren zweiten Schreiben, das die Thessalonicher empfingen, am Schluß der Briefkomposition des 1. Thessalonicherbriefes, lautet der Schlußsegenswunsch: „Die Gnade unseres Herrn Jesus Christus sei mit euch" (5, 28). Mit der kürzeren oder längeren Segenswunschformel wird Paulus auch den ersten Brief nach Korinth abgeschlossen haben.

Gemäß dem Briefformular, an das sich der Apostel in der Regel hält, beginnt Paulus sein Schreiben nach dem *Präskript* (1, 1–3) mit einer *Danksagung* (1, 4–9). Eine Besonderheit unseres frühesten Korintherbriefs, des „Vorbriefs", besteht darin, daß Paulus nach der Danksagung in einem bis 4, 16 bzw. 4, 21 reichenden Zusammenhang eine lange *„Apologie"*, eine Rede im Stil einer Verteidigung vor Gericht vorträgt. Sie setzt in 1, 10–17 mit dem *exordium,* der Eröffnung der Rede ein, dann folgt in 1, 18 – 2, 16 die *narratio,* der Bericht vom Streitfall, danach eine erste Beweisführung, die *probatio* (3, 1–17) mit einem ersten Plädoyer, der *peroratio I* (3, 18–23); eigentlich könnte die Gerichtsrede hier schließen, doch folgt noch ein Hinweis auf Konsequenzen, eine *refutatio* (4, 1–13) mit einem zweiten Plädoyer, der *peroratio II* (4, 14–16), das in 4, 17–21 sogleich in die Erörterung der Sendung des Timotheus und der Reisepläne des Paulus übergeht, eine Erörterung, die freilich in 4, 20 f im Geist des Plädoyers schließt. Im zweiten Teil des Briefes, der bedeutend kürzer gehalten ist, behandelt Paulus dann noch zwei ethische Probleme, den „Fall des Blutschänders" (5, 1–8) und die Frage von „Rechtsstreitigkeiten vor heidnischen Richtern" (6, 1–11).

Der Aufbau des „Vorbriefs" ist also, wie bei der Textdarbietung schon gezeigt ist (vgl. 1), dieser:

Briefeingang:
    Präskript (1, 1–3)
    Danksagung (1, 4–9)

Hauptteil I: eine Apologie (1, 10 – 4, 21)
    exordium (1, 10–17)
    narratio (1, 18 – 2, 16)
    probatio (3, 1–17)
    peroratio I (3, 18–23)
    refutatio (4, 1–13)
    peroratio II (4, 14–21)
    (mit Sendung des Timotheus, Reisepläne)

Hauptteil II: zwei ethische Probleme
    Ein Fall von unerhörter Unzucht (5, 1–8)
    Rechtsstreitigkeiten unter Christen (6, 1–11)

Briefschluß:
    [Grüße]
    [Schlußsegenswunsch]

3. Das Präskript (1, 1–3)

Im Präskript eines antiken Briefes werden Absender, Adressaten und Grüße erwartet. Paulus folgt in der Struktur des Briefeingangs dem Formular des hellenistischen Briefes. Der Apostel nennt sich nicht allein als Absender; mit ihm verantwortet „Sosthenes, der Bruder" – wohl jener Synagogenvorsteher aus Korinth, der nach anfänglichem Widerstand zum Glauben an den Messias Jesus bekehrt worden war (vgl. oben S. 17–21) –, den ersten Brief, den Paulus an die Gemeinde in Korinth schreibt, die er vor rund anderthalb Jahren zuletzt gesehen hatte. Sosthenes wird für die Korinther besondere Autorität besessen haben, und Paulus hatte gewiß Anlaß, seine

Übereinstimmung mit dem Bruder aus der korinthischen Gemeinde, der wohl länger bei ihm in Ephesus zu bleiben gedachte, zu dokumentieren und das gemeinsame Gewicht angesichts der Spaltungen in der Gemeinde in die Waagschale zu werfen.

Unter den Parteien in Korinth war – wie wir bald aus der „Apologie" des Paulus erfahren – auch der Apostel selbst in seiner Autorität umstritten; deshalb nennt er sich jetzt gleich im Präskript (im Unterschied zu früheren Gelegenheiten wie in 1 Thess 1, 1, wo nur „Paulus" steht) „berufener Apostel Christi Jesu durch Gottes Willen". Paulus ist ein Apostel, ein Gesandter des Messias Jesus, der nach dem jüdisch-christlichen Sendungsrecht die Autorität des Sendenden selbst vertritt. Er hat sich nicht selbst ernannt, sondern ist berufen worden (vgl. 9, 1 f; 15, 8), – und zwar „durch Gottes Willen", dem alle gehorsamspflichtig sind. In allen Briefen, in denen Paulus seine apostolische Autorität verteidigen oder zur Geltung bringen muß, nennt er sich im Präskript betont: *Apostel;* in der Auseinandersetzung mit den Galatern hatte Paulus dazu besonderen Anlaß: „Paulus, Apostel nicht von Menschen, auch nicht durch einen Menschen, sondern durch Jesus, den Christus, und Gott, den Vater, der ihn von den Toten auferweckt hat" (Gal 1, 1). Paulus ist nach Gottes Willen, der ihn „vom Mutterschoß an ausgesondert und durch seine Gnade berufen hat" (Gal 1, 15), Apostel des auferstandenen Messias Jesus. Darin gründet seine Autorität gegenüber den Adressaten.

Die Adressaten, die Christen in Korinth, werden auch in ihrer theologischen Würde angesprochen; sie bilden „die Gemeinde Gottes, die in Korinth ist". Eine *ekklesia,* eine christliche Gemeinde, ist keine bloß menschliche Wirklichkeit; sie ist die Versammlung „der Geheiligten in Christus Jesus", derer, die durch den Messias Jesus bzw. durch dessen Apostel als das endzeitliche Aufgebot Gottes, das eschatologische Gottesvolk, gesammelt worden sind. Die Christen sind wie der Apostel selbst „Berufene", als durch den Messias Jesus Geheiligte überdies „Heilige", die von Gott und für Gott (in Bekehrung und Taufe) durch die Eingliederung in dessen „Gemeinde" gewonnen wurden.

Die Gemeinde Gottes, die in Korinth ist, ist ein Teil des endzeitlichen Gottesvolkes, der Stiftung Jesu, durch den die *Le-*

bensform der Kirche, das Zusammenleben von Menschen, die sich einander nicht ausgesucht hatten, aber zueinander geführt wurden, ins Leben gekommen ist. *Ekklesia* – Gemeinde – Kirche heißt im Neuen Testament, heißt bei Paulus der Vorschlag Gottes zur Lösung der Probleme der sozialen Evolution, die Form der Er-Lösung, die der Messias gebracht hat. Im Ringen mit der „Gemeinde Gottes, die in Korinth ist", ringt Paulus um diese Lebensform, deren Konturen in den vier ersten Briefen, die nach Korinth abgesandt werden, immer deutlicher nachgezeichnet werden.

Der Eingangssegen, mit dem der Apostel der Heilsgemeinde, dem Rettungsinstrument Gottes, die Gnade und den Frieden Gottes zuwünscht, hat Paulus mit seinem ältesten Brief (vgl. 1 Thess 1, 1), in dem schon die paulinisch-verchristlichende Fassung der geläufigen jüdischen Segensformel vorlag, weiter entwickelt; er hat jetzt die Fassung, die Paulus in allen weiteren Briefen beibehielt. Der Gemeinde wird die Gnade und der Friede von „Gott, unserem Vater" – der Absender schließt sich im „unser" mit ein – und „dem Herrn Jesus Christus", dessen „Knechte" Absender und Adressaten sind, zugedacht.

4. Die Danksagung (1, 4–9)

Die Danksagung dient im antiken Briefeingang dazu, nach Absender- und Adressatenangabe und dem Eingangsgruß, den ersten Kontakt mit dem oder den Adressaten herzustellen. Paulus betont gerne, daß er „allezeit" (vgl. 1 Thess 1, 2; Phlm 4) Gott für seine Gemeinden dankt; hier spricht der Apostel im alttestamentlichen Gebetsstil – Sosthenes als Mitabsender scheint schon vergessen – von „meinem Gott". Mit dem Gegenstand des Dankes, den er nennt – hier: „für die Gnade Gottes, die euch gegeben wurde durch Christus Jesus" –, kann Paulus alsbald auf die besondere Situation seiner Adressaten und besondere Schwerpunkte seines Briefes eingehen, den er zu schreiben bzw. zu diktieren beginnt.

Zunächst dankt Paulus feierlich für die Existenz der Gemeinde in Korinth selbst („euretwegen"): Daß es sie gibt und daß dadurch in Korinth „das Zeugnis von Christus" anschaubar geworden ist und die „Treue Gottes" zu seiner Schöpfung ihm zur Ehre gepriesen werden kann, ist Anlaß zum fortwährenden Dank; für Paulus besonders, da er die Gemeinde gegründet hat, wie er später im Bild sagt: „in Jesus Christus habe ich euch durch das Evangelium gezeugt" (4,15).

Paulus hebt hervor, daß die Gemeinde ein Geschenk Gottes ist; daß die Korinther zum Glauben gekommen sind, verdanken sie nicht in erster Linie Paulus, noch viel weniger ihrem eigenen Wünschen und Wollen. Paulus benutzt Verbformen im Passiv, die Gottes Handeln umschreiben: Gott hat den Korinthern seine Gnade gegeben, er hat sie in allem reich gemacht, er hat das Christuszeugnis bei ihnen gefestigt, er hat sie berufen zur Gemeinschaft mit seinem Sohn Jesus Christus. Gottes Handeln sieht der Apostel zunächst „durch Christus Jesus", der Gottes Mund und Hand war, vermittelt – und dann durch sich selbst, den Gesandten des Messias Jesus.

Die besondere Situation der Gemeinde in Korinth und der besondere Briefanlaß des Paulus schimmern in der Danksagung durch. Die korinthische Gemeinde kann sich eines besonderen Reichtums an Charismen rühmen, von denen in Korinth besonders *Logos* und *Gnosis,* Redegabe und mystische Erkenntnis, geschätzt werden, Vorzüge, die wohl Apollos besonders ausgezeichnet haben (vgl. oben S. 22–24) und die dieser zweite Missionar nach Paulus besonders gepflegt zu haben scheint. Setzt man voraus, daß manche Korinther meinten, *Logos* und *Gnosis* seien erst durch Apollos in der Gemeinde heimisch geworden, so wird deutlicher, daß Paulus betont, daß alle Gnadengaben von Gott geschenkt werden und daß sie schon allen in der Gemeinde mit der Erstverkündigung des Apostels, mit seinem anderthalbjährigen Wirken in Korinth zukamen, als „das Zeugnis von Christus bei euch gefestigt wurde, so daß ihr keinen Mangel habt an irgendeiner Gnadengabe" (1,6f).

Paulus blickt zurück (1,4–6), in die Gegenwart (1,7) und in die Zukunft: Die Gemeinde erwartet, beschenkt mit allen Gaben, die Parusie, „die Offenbarung unseres Herrn Jesus Christus", dessen „Tag" (1,8), auf den hin Gott sie weiter „festigen wird bis ans Ende als Schuldlose". Gottes Treue besteht darin, daß er die Gemeinde und die einzelnen Christen in ihr durchgängig behütet – wie seinen Augapfel. Die Frage, auf die Paulus in der Danksagung (die er ehrlich ausspricht, nicht taktisch formuliert) hinzielt, ist freilich die: Entspricht die Gemeinde in ihrer Lebensform, in ihrer Geschichte dieser Treue Gottes?

Entspricht die Gemeinde ihrer Berufung? Gott hat die Christen „zur Gemeinschaft mit seinem Sohn Jesus Christus, unserem Herrn" berufen (1,9). Die Gemeinschaft mit dem „Sohn", dem Messias Jesus, ermöglicht neue Gemeinschaft mit dem „Vater", mit Gott selbst. Die Gemeinde ist der Ort, an dem das Gottesvolk lebt, wo der Einzelne an der Geschichte Gottes mit seinem Volk (und darin mit der Welt) beteiligt wird und dadurch ein Verhältnis zu Gott gewinnt. Die Lebensform der Gemeinde ist die Form der Gemeinschaft mit Gott, dem Vater, durch seinen Sohn, den Messias Jesus. Diese Lebensform ist selbst „Gemeinschaft", und mit ihrer Realität steht die Realität des Heils und der Heilsgeschichte auf dem Spiel. Wenn die Gemeinschaft der Gemeinde in „Spaltungen" auseinanderbricht, ist die Gemeinde selbst bedroht, das Werk des Apostels in Gefahr, zunichte zu werden.

Da es in Korinth aber „Spaltungen" (1,10) gibt, sieht sich Paulus gezwungen, die Einheit der Gemeinde zu verteidigen, sein Werk zu verteidigen, seine apostolische Arbeit zu verteidigen. Er eröffnet den Hauptteil seines Briefes mit einer Verteidigungsrede, die im *exordium* mahnend beginnt „im Namen unseres Herrn", der in 1,3–9 bereits dreimal genannt war als der Herr, dem die Gemeinde wie der Apostel den Glaubensgehorsam schuldet.

5. Die Eröffnung der Apologie: exordium (1,10–17)

Die antiken Lehrer der Rhetorik empfehlen dem Redner, der vor Gericht eine Verteidigungsrede halten muß, bzw. dem Redner, der auf das Urteil seiner Hörer angewiesen ist, eine möglichst sorgfältige Disposition seiner Gedanken. Paulus scheint die Disposition seiner Ausführungen in 1 Kor 1,10 bis 4,21, wo er sich mit den Spaltungen in der korinthischen Gemeinde auseinandersetzt, auf die Gemeindemitglieder in Korinth hin entworfen zu haben, denen *Logos* und *Gnosis* (1,5) besonders viel bedeuten, die sich auch durch die rhetorische Disposition eines Briefes beeindrucken, durch die Form der Darlegung des Paulus überzeugen lassen.

Das *exordium* beginnt Paulus mit einer Ermahnung „im Namen unseres Herrn Jesus Christus", die positiv formuliert ist und mit der Paulus zunächst auf das Einverständnis seiner Leser treffen wird: Sie alle möchten, dem einen Herrn Jesus verpflichtet, „dasselbe meinen", „keine Spaltungen" in der Gemeinde aufkommen lassen, als die Vorhut Gottes in der Welt „gerüstet sein in demselben Denken und derselben Meinung" (1, 10). Paulus bedient sich der *insinuatio*; er nennt den Streitgegenstand, die *causa*, noch nicht, deutet ihn aber an, bevor er in 1, 11 f das Thema exponiert: Er ist von den Leuten der Chloe darüber unterrichtet worden, „daß es Streitigkeiten unter euch gibt", er hat von Spaltungen gehört, und zwar solchen, die durch die Berufung der Korinther auf Paulus, Apollos und Kefas entstanden sind. Durch die vierte Parole „Ich aber zu Christus", die Paulus hinzuerfindet, macht er wie ein geschickter Redner, der sich der affektiven *amplificatio* bedient, sogleich klar, daß die Streitigkeiten in der Gemeinde eigentlich „unmöglich" sind. Sie sind vom Wesen der Gemeinde als Gemeinschaft (1, 9) her so widersinnig, wie die absurden Konsequenzen, die Paulus seinen Lesern affektgeladen vorstellt: „Ist der Christus zerteilt? Ist etwa Paulus für euch gekreuzigt worden? Oder seid ihr auf den Namen Pauli getauft worden?" (1, 13). Paulus rückt sich selbst in den Vordergrund, er appelliert an die Emotionen seiner Leser und deutet schon an, daß er auf keinen Fall Anlaß zur Uneinigkeit in der Gemeinde gegeben hat oder geben will.

Offenbar hat für die „Spaltungen" eine Rolle gespielt, wer von wem getauft worden war. Paulus spielt seine Rolle als Täufer bewußt herunter und stellt eine Berufung auf sich als Täufer geradezu als absurd dar. Er kann sich kaum erinnern, wen er getauft hat, und nennt mit Mühe drei Namen: Krispus und Gajus und das Haus des Stefanas. Die drei Genannten haben wahrscheinlich die Autorität des Paulus in der von ihm gegründeten Gemeinde hochgehalten; Paulus stellt sie jedoch nicht heraus, gerade weil er kein Gegeneinander, sondern ein Miteinander der Gemeindemitglieder bewirken möchte, besonders auch derer, die Verantwortung für die ganze Gemeinde zu tragen in der Lage wären. Vielleicht haben sich die Anhänger des Paulus auch gar nicht in derselben Weise mit Paulus gebrüstet, wie diejenigen, die sich auf Apollos oder Kefas beriefen; Paulus stellt sie aber – um der Einheit der Gemeinde willen, für die er seinen Vertrauten mehr zumuten muß – den Führern der anderen Gruppen gleich.

Das *exordium* (1, 10–17) läßt deutlich erkennen, daß die Leute der Chloe dem Apostel berichtet haben: In der korinthischen Gemeinde sind bei Mitgliedern der oberen sozialen Schicht Sonderungstendenzen, „Spaltungen", deutlich geworden, weil sich verschiedene Leute auf unterschiedliche Autoritäten berufen, von denen sie getauft wurden oder denen sie ihre Bekehrung verdanken. Paulus hat die schwierige Aufgabe, einerseits neue spaltende Gruppenbildungen solcher Art abzuwehren, andererseits aber an seiner besonderen Autorität gegenüber der ganzen, nicht in Gruppen rivalisierenden Gemeinde festzuhalten; er kann nicht zulassen, daß sich Gemeindemitglieder gegen ihn auf Apollos oder Kefas berufen, und gleichzeitg muß er die Einmütigkeit mit Apollos und Kefas anstreben – auch wenn er an ihnen Kritik üben muß.

Am Schluß der Redeeröffnung (1, 17), wo nach den Regeln der Rhetorik ein *transitus*, eine Überleitung zur *narratio*, zum Bericht zur Sache, ihren Platz hat, nennt Paulus zum ersten Mal den Gegenstand seiner „Apologie": seinen Apostolat. Als *Apostel* hat ihn Christus (wie die sogenannte „dialektische Negation" zu übersetzen ist:) „nicht (so sehr) *gesandt* zu taufen, sondern (vielmehr) zu frohbotschaften". Dem Apostel ist zuerst das *Evangelium* anvertraut, das Evangelium ist er allen Menschen schuldig; durch die Verkündigung des Evangeliums ist die Gemeinde in Korinth ins Leben gekommen. Das Evangelium, so führt Paulus schließlich aus, wobei er den Hauptgegensatz nennt, mit dem er sich dann befassen muß, bringt die Kraft des Kreuzes des Messias zur Sprache: die Erlösung durch seinen Tod. Ob das Evangelium von seinem Verkünder „in Weisheitsrede" formuliert wird, ist demgegenüber zweitrangig; und nicht nur das: Paulus deutet an, daß die „Weisheitsrede" „das Kreuz des Christus um seine Kraft bringen" kann.

Paulus spricht von sich, er greift nicht etwa Apollos als Weisheitslehrer an; seine Sendung, die von Christus ausgeht (vgl. 1, 1), ist jedenfalls nicht an „Weisheitsrede" gebunden. Die „Weisheitsrede" meint wohl nicht nur die Inhalte besonderer Erkenntnis, sondern auch die Redeform, den rhetorisch brillanten, mitreißenden Vortrag. Paulus demonstriert nun gerade in seinem Brief, der hervorragende rhetorische Schulung verrät, daß auch *er* sich auf die Weisheitsrede versteht und deshalb nicht etwa hinter Apollos hintangesetzt werden kann. Die Form der Gerichtsrede, derer sich der Apostel bedient, ist selbst ein Argument in der Verteidigung des Apostels, zu der er sich herausgefordert sieht.

6. Der Bericht zur Sache: narratio (1,18 – 2,16)

Nach den Regeln der antiken Rhetorik soll die Verteidigungsrede nach ihrer Eröffnung mit einem Bericht zur Sache, der *narratio*, fortfahren; in diesem Bericht sollen die Hörer – natürlich aus der Sicht des Redners – über die strittige Sache belehrt und aufgeklärt werden.

Die strittige Sache, das sind nach den Aussagen des *exordiums* nicht nur die „Spaltungen" in der Gemeinde, sondern – so sieht es jedenfalls Paulus – die Autorität des Paulus als *des* Apostels der Korinther und die Rolle der „Weisheitsrede", durch die sich Apollos und nun seine Partei in Korinth (und wahrscheinlich nur diese) gegen Paulus profilierten.

Für Paulus birgt die „Weisheitsrede" die Gefahr, daß „das Kreuz des Christus um seine Kraft gebracht wird" (1,17); weil der Apostel, dem das Evangelium anvertraut ist, durch die frohe Botschaft aber gerade das Kreuz als „Kraft Gottes" (1,18) proklamiert, steht seine Autorität mit auf dem Spiel – und mit ihr schließlich die Einheit der Gemeinde. Die strittige Sache, über die Paulus zu berichten hat, ist aber komplex; und entsprechend kompliziert kann nur – trotz der von den Rhetoriklehrern empfohlenen Kürze, Klarheit und Wahrscheinlichkeit der Darlegung – die *narratio* des Paulus ausfallen.

Paulus beginnt mit einer These, deren Stichhaltigkeit er dann in drei Anläufen darlegt (1,19–25; 1,26–31; 2,1–5), bevor er auf den Kernpunkt des Streites, der zwischen ihm und Gegnern in der korithischen Gemeinde schwebt, eingeht (2,6–16). Die These (1,18) lautet: „Denn die Rede vom Kreuz ist für die, die verlorengehen, Torheit, für die aber, die gerettet werden, für uns, Kraft Gottes."

Die Rede vom Kreuz – das ist das Evangelium; so wird Paulus später in Korinth im Eingang seines großen Briefes nach Rom formulieren, „eine Kraft Gottes, die jeden rettet, der glaubt" (Röm 1, 16).

Das Evangelium spricht ja mit der „Rede vom Kreuz" vom eschatologisch-erlösenden Handeln Gottes, der von sich aus den Fluch der Sünde aufgehoben und den Sündern, seinen Feinden, die Versöhnung angeboten hat. Diejenigen, die die Nachricht vom gekreuzigten Messias, vom Kreuz als dem Ort der Offenbarung der Feindesliebe Gottes nicht annehmen, abweisen, belächeln oder verspotten, ist die Rede vom Kreuz freilich „Torheit" , leeres, hohles Gerede.

Paulus verdeutlicht: Die eigentliche Unterscheidung, die in die Welt gekommen ist, ist die Rede vom Kreuz; sie müßte als das Evangelium diejenigen, die ihm trauen, zu unverbrüchlicher Gemeinschaft sammeln und zusammenschließen, während es diejenigen, die es ablehnen, trotz deren „Weisheitsrede" als Toren entlarvt.

Paulus beruft sich auf seine Bibel (Jes 29, 14; Ps 33, 10) dafür, daß der angebliche Sachverstand dieser Welt, die Weisheit ihrer Weisen und die Klugheit ihrer Klugen, die von Gottes Handeln keine Ahnung haben, durch das Evangelium als Torheit entlarvt wird. Angesichts des Neuen, das Gott gemacht hat, der Offenbarung seiner rettenden Liebe im Kreuz des Messias und der Stiftung seiner eschatologischen Heilsgemeinde, der durch den Messias geeinten Gemeinschaft aus Juden und Heiden, versagen alle herkömmlichen Vorstellungen und Begriffe: „Hat nicht Gott die Weisheit der Welt töricht gemacht?" (1, 20).

Die Kürze, deren sich der Redner Paulus in seiner *narratio* befleißigen muß, wird besonders in 1, 21 sichtbar; was der Apostel in Röm 1, 18 – 3, 21 breit ausführt, faßt er hier in einem Satz zusammen: die Welt hätte als die von der Weiheit Gottes geordnete und gelenkte Schöpfung die Weisheit des Schöpfers erkennen können, sie hat aber in ihrer undankbaren Verkehrung diese Chance nicht genutzt, die Menschen haben „die Wahrheit durch Ungerechtigkeit niedergehalten" (Röm 1, 18); Gott hat deshalb durch seinen Messias Jesus und nun durch seine *ekklesia* einen neuen Weg zur Rettung des Menschen eingeschlagen, den Weg des Glaubens trotz und angesichts der scheinbaren „Torheit" der Verkündigung, von der Juden und Griechen gleicherweise überrascht sind.

Die Juden haben mit einem gekreuzigten Messias nicht gerechnet und die Griechen nicht als Offenbarung der Weisheit Gottes die skandalöse Rede vom Kreuz erwartet. Einen gepfählten Sophisten können nur Toren als Gott verehren – so spottet der griechische Schriftsteller Lukian; für die Juden ist mit Dtn 21, 22 f über einen Gekreuzigten der Fluch Gottes ausgesprochen. Das *Evangelium* als Rede vom Kreuz ist keine menschliche Möglichkeit, es redet vom „Messias, Gottes Kraft und Gottes Weisheit" (1, 24); und seine Kraft und Weisheit erweist sich darin, daß er Juden und Griechen in der „Gemeinschaft Gottes" (1, 2) zu einer „Gemeinschaft" (1, 9), in der alle „in demselben Denken und derselben Meinung" (1, 10) geeint sind, zusammenfügen kann.

Die Weisheit der Menschen, die Gesellschafts- und Staatsutopien entwerfen, hat es nicht vermocht, ebensowenig die Stärke der Menschen, die Zwangssysteme schufen. Was den Menschen als töricht und schwach gilt, das Evangelium, erweist sich in der „Gemeinde Gottes", dem *tertium genus Christianorum* aus Juden und Heiden, zuvor Verfeindeten, als Wirkung der Weisheit und Stärke Gottes (1, 25). Paulus nimmt als der Apostel, dem die Rede vom Kreuz anvertraut ist, Weisheit und Stärke dafür in Anspruch; doch läßt er sie nicht gelten, wo die menschliche „Weisheitsrede" als „stark" empfunden, gepflegt und bevorzugt wird und wo sie – dem „Kreuz" entfremdet – spaltende Wirkung zeitigt, die Gemeinde in Gebildete und Ungebildete sondert, die Gesellschaft in Kluge und Toren, die Völker in Juden und Griechen bzw. Griechen und Barbaren.

Paulus hat in seiner *narratio* also zunächst (1, 18–25) dargelegt, daß das Evangelium, das dem Apostel anvertraut ist und das nicht mit „Weisheitsrede" verwechselt oder vertauscht werden darf, einend-rettende Kraft besitzt, die Kraft Gottes, die trotz der Schwäche des Menschen zum Zuge kommt – bei denen, die ihr vertrauen.

Im zweiten Abschnitt (1, 26–31) seines Berichts zur Sache führt Paulus als Beleg für seine These das Beispiel der korinthischen Gemeinde und ihrer sozialen Zusammensetzung selbst an. Die Gemeinde besteht nicht aus lauter Gebildeten, politisch Mächtigen oder in adligen Familien Geborenen. Sie und jeder einzelne in ihr verdankt sich vielmehr der paradoxen

Wahl Gottes, welche die stille, unblutige, aber höchst wirksame Revolution in die Welt gebracht hat. Wenige Weise, Mächtige, Adlige sind in der Gemeinde mit vielen Toren, Schwachen und Unadligen zusammengespannt, und keiner hat das Recht, sich über den anderen zu erheben, zu unterscheiden, „was zählt" und „was nicht zählt" (1,28); denn solches Unterscheiden würde gegen die Wahl und den Willen Gottes die Gemeinde spalten. Jeder, der sich in der Gemeinde seiner Vorzüge rühmt, trägt einen Spalt in sie hinein. In der Gemeinde des Messias zählen keine religiösen oder intellektuellen Leistungen, sondern allein der Glaube an ihn, den „Gott für uns zur Weisheit, zur Gerechtigkeit und Heiligung und Erlösung gemacht hat" (1,30). Jesus, der gekreuzigte Messias, hat als die Existenzgrundlage der glaubend Geretteten die Feindesliebe Gottes offenbar gemacht und als ihren Daseinsraum die Kirche gestiftet, in der eine gerechte Gesellschaft entsteht, die Gott gehört und dessen Heilsplan als die Erlösung der Welt verwirklicht. Wie Paulus den ersten Abschnitt seiner *narratio* mit einem alttestamentlichen Zitat begonnen hatte, so schließt er den zweiten nun auch mit einem Jesaja-Zitat (Jes 9,22f in 1,31).

Im dritten Abschnitt (2,1–5) stellt Paulus dem Beispiel der Gemeinde das Beispiel des Apostels zur Seite; damit kommt er zum Kernpunkt der Kontroverse. Diejenigen in Korinth, die sich auf Apollos berufen und die „Weisheitsrede" besonders hochschätzen, hatten offenbar Paulus kritisiert: Er habe es nicht vermocht, der Gemeinde mit „außergewöhnlicher Rede oder Weisheit das Geheimnis Gottes zu vermelden" (2,1). Angesichts seiner apostolischen Sendung, das Evangelium „nicht in Weisheitsrede" zu verkünden, „damit das Kreuz des Christus nicht um seine Kraft gebracht wird" (1,17), kann solche Kritik am Apostel nur ins Leere treffen. Vielmehr war es konsequent, wie Paulus am Beginn seiner Mission in Korinth, auf den er nun zurückblickt, aufgetreten ist: „Auch ich, als ich zu euch kam, Brüder, kam nicht mit der Pose außergewöhnlicher Rede oder Weisheit, um euch das Geheimnis Gottes zu vermelden" (2,1). Seine Entscheidung, „bei euch nichts zu wissen, außer Jesus Christus – und diesen als Gekreuzigten" (2,2), entsprach seiner Berufung als Apostel. Paulus hat auf glanzvolle Rhetorik, die sein prophetisches Zeugnis verstellen könnte, verzichtet; er hat keine mysteriösen Orakel vorzuweisen – sondern die Geschichte von Jesus Christus, das Evangelium von seinem Tod und seiner Auferstehung und der dadurch gestifteten eschatologischen Gemeinde, der neuen Gesellschaft Gottes.

Paulus, der Apostel, ist in Korinth „in Schwachheit und Furcht und mit viel Zittern" (2, 3) aufgetreten; damit gibt Paulus keine äußerlich phänomenologische oder psychologische Beschreibung. Denn „Furcht und Zittern" (vgl. Mk 16, 8) sind die angemessenen Reaktionen dessen, dem Gott seine Offenbarung anvertraut hat, den er sich zum Boten gewählt, den er zum Apostel berufen hat.

Paulus nimmt für sich als Prediger auch nicht die Vorzüge eines Rhetors, „Überredung mit Weisheisworten" (2, 4), in Anspruch, wohl aber den „Erweis von Geist und Kraft"; der Glaube gründet sich nicht auf die Plausibilität zwingender und rhetorisch geschickter Beweisführung, „nicht auf Weisheit von Menschen" (2, 5), sondern auf „Gottes Kraft", die sich in Charismen, Machttaten, vor allem aber in der Existenz der Gemeinde selbst, dieser menschlichen „Unmöglichkeit", der Sammlung lauter verschiedener, von sich aus nicht zusammenstrebender Zeitgenossen, als „Erweis von Geist und Kraft" anzeigt.

In seiner *narratio* hat Paulus bislang dargelegt, wieso es kein Makel des Apostels ist, daß er den Korinthern nicht mit „Weisheitsrede" imponiert hat, wieso vielmehr gerade die „Weisheitsrede" die Gefahr der Spaltung in die Gemeinde hineinträgt. *Im letzten Abschnitt* seines Berichts zur Sache (2, 6–16) geht Paulus nun auf die Position derer ein, die in Korinth die „Weisheit" besonders hochschätzen, also auf die Position einer der Parteien, nämlich der Apollosanhänger. Der Apostel macht deutlich, daß auch er, wenn die grundlegende Missionspredigt erfolgt, das Evangelium bekannt gemacht und durch die Rede vom Kreuz dessen Kraft zur Geltung gebracht ist, „Weisheit reden" kann, und zwar „unter den Vollkommenen" (2, 6). Während sich die Apollos-Anhänger vermutlich als „die Vollkommenen" von den Ungebildeten in der Gemeinde abzusondern geneigt waren, meint Paulus mit „den Vollkommenen" – er nimmt den Begriff ironisch-polemisch auf – die im Glauben gefestigte Gemeinde. Paulus trägt nun eine die „Weisheit" betreffende Unterscheidungslehre vor, die aus der Unterscheidungsfunktion der Rede vom Kreuz erwächst. Von der „Weisheit dieses Äons", dieser verdreht und sündigen, deshalb unerleuchteten Welt, ist „Gottes Weisheit, die im Geheimnis besteht, die verborgen ist", die dem frechen Zugriff menschlichen Denkens sich entzieht, zu unterscheiden. Als Offenbarungsweisheit hat Gott sie „vor den Äonen zu unserer Verherrlichung vorherbestimmt" (2, 7). Es ist also die Weisheit der Heilspläne Gottes, welche die Regierenden dieser Welt, Juden und Römer, nicht erkannt haben, als sie Jesus ans Kreuz schlagen ließen. Wie Gott durch Jesus von Nazareth – Paulus nennt ihn „den Herrn der Herrlichkeit" (2, 8) – seine Geschichte mit seinem Volk zum Ziel geführt hat, das war in keiner Vision vorweg schaubar, in keiner Audition vorweg hörbar, das war kein menschlicher Gedanke, niemandes Herzenserwägung; denen, die Gott lieben, hat er diese Vollendung seines ewigen Heilsplans durch die Kirche zugedacht. Den Mitgliedern der „Gemeinde Gottes" hat er „es geoffenbart durch den Geist" (2, 10).

Paulus greift den antiken Lehrsatz auf, daß „Gleiches durch Gleiches" erkennbar wird; wie der Geist des Menschen erkennt, so der Geist Gottes Gott auch „die Tiefen Gottes". Der Empfang des Geistes Gottes, der die Glaubenden auszeichnet, eröffnet ihnen auch die Offenbarungseinsicht in die Heilspläne Gottes. Und davon – von dieser „Weisheit Gottes" – spricht auch Paulus, allerdings „nicht in gelehrten Worten menschlicher Weisheit", nicht mit den Mitteln der Rhetorik oder der Wissenschaft, sondern in Worten, die der göttliche Geist lehrt, in der beseelten Erfahrungssprache des Glaubens. Für Paulus sind nicht nur wenige in der Gemeinde, sondern alle „Geisterfüllte", denen er die „Geistesgaben" deuten kann (2, 13).

Für Paulus ist die Unterscheidung von geistbegabten „Pneumatikern" und geistlosen „Psychikern" keine Unterscheidung innerhalb der Gemeinde, sondern die Unterscheidung zwischen den Glaubenden, die „Geisterfüllte" sind, und den Nicht-Glaubenden, für die die Sprache des göttlichen Geistes – wie die Rede vom Kreuz – „Torheit" ist. Das eigentliche Verstehensproblem ist nicht – wie die Apollosanhänger in Korinth vielleicht meinen und auch heute viele halbaufgeklärte Christen meinen – intellektueller Art, sondern die Frage nach dem Verstehen, das der Geist, das der Glaube, das das Vertrauen schenkt. Wer den Geist Gottes nicht empfangen will, hat kein Urteil. „Der Geisterfüllte aber beurteilt alles, er selbst aber wird von niemandem beurteilt" (2, 15). Paulus entzieht mit diesem indirekten Appell an die Solidarität aller in der Gemeinde seinen Kritikern den Boden ihrer Kritik. Unter Berufung auf ein Wort aus dem Buch der Weisheit (9, 13) weist Paulus das Ansinnen ab, als müßten sich die Mitglieder in der Gemeinde wechselseitig aus Besserwisserei belehren. Für sich selbst beansprucht Paulus – und im „Wir" schließt er auch alle Christen ein – „das Denken Christi" (2, 16); damit meint er wahrscheinlich die Prophetie, welche Gottes Gedanken aussprechen darf, weil sie vom Geist Gottes inspiriert ist. Zur prophetischen Rede ist jedoch in der „Gemeinde Gottes" jeder begabt, und deshalb erlaubt „das Denken Christi" kein rivalisierendes, spaltendes Gegeneinander; vielmehr ermöglicht es allen „dasselbe Denken und dieselbe Meinung" (1, 10) in der wahren Freiheit des Geistes.

Die Lebensform der Gemeinde ist die eigentliche Lebensform der Freiheit, die wahrhaft eint. Mit den Spaltungen in Korinth ist sie gefährdet. Paulus hat in seinem Bericht zur Sache dargelegt, daß diese Gefährdung durch die Besinnung auf die Rede vom Kreuz und die Weisheit Gottes überwunden werden kann. Er kann in seiner Rede nun zur Beweisführung weiterschreiten.

7. Die Beweisführung: probatio (3, 1–17)

Das Beweisziel der Rede des Paulus ist, so erinnern wir uns, darzutun, daß die Spaltungen in der Gemeinde absurd sind und daß er als Apostel daran keinen Anteil hat. Zunächst (3, 1–4) weist Paulus nach, daß Apollos nicht gegen ihn ausgespielt werden kann, weil dieser die „Weisheitsrede" nach Korinth brachte, Paulus aber bei seiner Predigt „nicht mit der Pose außergewöhnlicher Rede oder Weisheit" (2, 1) aufgetreten war. Die Korinther waren, so stellt Paulus nun hart klar, noch gar nicht reif, noch nicht (im Glauben) erwachsen genug, als daß er zu ihnen „wie zu Geisterfüllten", welche die Geheimnisse der Weisheit Gottes verstehen können, hätte reden können. Eifersucht und Streit, insbesondere aber die Rivalität zwischen Paulus- und Apollosanhängern dokumentieren diesen Zustand der Gemeinde bis zur Stunde. Indirekt gibt Paulus zu verstehen, daß Apollos die Gemeinde überfordert hat.

Paulus hat zunächst – und zwar anhand des aktuellen Streits in der Gemeinde: schlagend – bewiesen, daß die Gemeinde selbst keinen Anlaß hat, sich in Parteien zu sondern. Nun fügt er hinzu (3, 5–9), daß auch ihre Missionare, Apollos und Paulus selbst, dazu keinen Anlaß bieten können und dürfen; beide sind „Diener, durch die ihr zum Glauben gekommen seid"; ihre „Bedeutung" haben sie nicht aus sich selbst, auch nicht von der Gemeinde, sondern vom „Herrn", der sie in Dienst genommen hat.

Paulus und Apollos haben nacheinander in Korinth gewirkt, der eine hat gepflanzt, der andere hat die Pflanzung begossen. Das Wachstum der Gemeinde verdankt sich aber Gott. Und weil „der pflanzt und der begießt *eins* sind" (3, 8), kann keiner von ihnen den Anlaß zu einer Spaltung der Gemeinde bieten. Alle sind an den einen Gott gebunden, Paulus und Apollos als „Gottes Mitarbeiter", die Gemeinde als „Gottes Ackerfeld und Gottes Bauwerk" (3, 9).

Das Bild vom Bauwerk erlaubt Paulus das Fortschreiten zum nächsten Abschnitt (3, 10–15) seiner Beweisführung, in dem er nun auf diejenigen indirekt anspielt, die sich in Korinth auf „Kefas", auf Simon Petrus, berufen, dessen kirchliche Autorität ja ins Bild vom Felsenfundament des Bauwerks der *ekklesia* gefaßt worden war (vgl. Mt 16, 16–18). Paulus beansprucht für sich selbst – „gemäß der Gnade Gottes, die mir verliehen wurde" (3, 10; vgl. 15, 10; Röm 15, 15) – als Apostel, mit der Erstmission das Fundament gelegt zu haben: „das ist Jesus Christus" (3, 11). Alle, die nach ihm missionieren, können sich nicht über ihn erheben und die Gemeinde oder Gruppen in ihr gegen ihren Apostel ausspielen; Wert oder Unwert jeglicher Missionsarbeit wird am Gerichtstag offenkundig werden, wenn Gott sein Urteil spricht. Und daraufhin vorlaufend wird anhand des Beispiels der Gemeinde (die sich durch Eifersucht und Streit selbst umbringt) und anhand ihres Wachstums schon vorentschieden, ob der Missionar „Lohn erhalten" wird.

Paulus gebraucht ein Bild: Das Werk des Missionars, das Bauwerk der Gemeinde, wird einer Feuerprobe ausgesetzt

(3, 13–15). Hält es diese Probe – die vorgreifend z. B. schon in Verfolgungen geschieht – stand, so hat der Missionar schon seinen Lohn in der Gemeinschaft mit seiner Gemeinde, die am Tag der Parusie – wie Paulus den Philippern schreibt – sein Ehrenkranz ist. „Wenn jemandes Werk verbrennt, muß er den Verlust tragen; er selbst wird gerettet werden, aber so wie durch Feuer" (3, 15). Der Missionar, der nicht für den Bestand der Gemeinde sorgen konnte, kann sich aus dem verbrennenden Bauwerk nur mit einem letzten Sprung retten. Die Kirche hat das paulinische Gleichnis später für ihre Fegefeuerlehre herangezogen.

Paulus läßt seine Beweisführung in ein *argumentum ad hominem* affekt- und effektvoll münden: Die Gemeinde ist der Tempel Gottes, die Werkstätte seines Geistes. „Wißt ihr nicht, daß...?" Der Tempel Gottes ist heilig, die Gemeinde ist unantastbar. Mit einem Bedingungssatz, der Gottesrecht formuliert, warnt Paulus davor, durch die Zersetzung der Einmütigkeit die Gemeinde zu zerstören: „Wenn einer den Tempel Gottes verdirbt, wird diesen Gott verderben" (3, 17). In diesem Fall geht es nicht um eine Feuerprobe, die den Wert einer missionarischen Arbeit prüft, nicht um eine Prüfung, aus der der Geprüfte entkommen kann. Wer die Einheit der Gemeinde antastet, tastet Gott selbst an; wer das Bauwerk der Gemeinde, den Tempel Gottes zerstört, begräbt sich unter ihren Trümmern. Die Strafe, die Paulus androht („Gott wird verderben"), ist die Konsequenz, die Folge der Tat, die sich der Täter zuzieht. Nach biblischem Denken garantiert Gott, der Schöpfer, den Tat-Folge-Zusammenhang als einen Teil seiner Weltordnung.

Versuchen wir kurz für uns zu übersetzen, was Paulus meint: Wenn die Gemeinde mit ihrer von Gott gewollten und durch die Geschichte seines Messias Jesus ermöglichten Lebensform der Einmütigkeit und Einheit von Menschen aller Klassen und Rassen, wenn die Gemeinde als das Instrument Gottes zur Erlösung der Welt, wenn die Kirche als das *sacramentum mundi* verdorben wird, dann fehlt der Welt das ihr von Gott zugedachte Heil – und ihr Verderber ist allemal ins Unheil der Welt, das er befördert, verwickelt. Als Verderber des „Tempels Gottes" verstrickt er sich selbst in die Entzweiung – zumeist, wie viele Beispiele aus der Geschichte der Kirche zeigen – bis hin zur Schizophrenie, zur Spaltung seiner Existenz.

Weil die „Gemeinde Gottes" als sein Tempel der Ort seiner

heilenden Nähe in der Welt ist, ist ihre Einheit und Einmütigkeit ein so hohes Gut, das vor jeglichem Eigensinn geschützt
werden muß.

8. Das erste Plädoyer: peroratio I (3, 18–23)

Paulus war schon am Schluß seiner Beweisführung zu einem
Plädoyer übergegangen: Jetzt faßt er zusammen: „Niemand
täusche sich selbst" (3, 18 a); die Gefahr der Selbsttäuschung
betrifft die beiden Themen, die Paulus beanstandet hat: die
Weisheit und die Parteiungen – und deren Zusammenhang im
Blick auf die Einheit der Gemeinde und ihre untrennbare Verbundenheit mit ihrem Apostel.

Paulus rekapituliert: Weisheit und Torheit finden in den
Augen der Welt und in den Augen Gottes eine unterschiedliche Bewertung; wenn in der Gemeinde jemand „weise zu
sein meint in diesem Äon", d. h. auf die Weisheit der Welt
setzt – was sich an deren zersetzendem Charakter zeigt –, soll
er umkehren, „töricht werden". Und niemand soll sich auf
Gruppenoberhäupter berufen und so die Gemeinde uneins
machen. Paulus dreht die Parolen der Gruppen in Korinth
(„Ich gehöre zu …") um: „Alles ist unser", alle Apostel und
Missionare sind für die Gemeinde – als Gärtner in der Pflanzung Gottes und als Architekten und Bauleute des Tempels
Gottes – da. Darüber hinaus bringt er den Korinthern ihren
umfassenden Reichtum zum Bewußtsein, von der er schon in
der „Danksagung" gesprochen hatte (vgl. 1, 5.7): Die ganze
Welt gehört ihnen, alle zeitlichen und räumlichen Bereiche,
alle existentiellen Situationen. Und dies ist so, weil sie Christus gehören, dem Gott alles unter die Füße gelegt hat (vgl.
15, 25–28).

Paulus hat in einer rhetorischen Steigerung alle Register gezogen, um die Korinther davon zu überzeugen, daß sie, mehr
als ihnen zugeeignet ist, weder durch die besondere Suche
nach „Weisheit" noch durch die Bevorzugung besonderer Autoritäten gewinnen können. Mit dem herrlichen Schlußsatz
„ihr aber seid Christi, Christus aber Gottes" (3, 23) hätte der
Apostel seine „Apologie" abschließen können. Doch fügt er,
notgedrungen, noch einen Hinweis auf Konsequenzen an, die

seine eigene Person betreffen, die Stellung des Apostels in und gegenüber der Gemeinde.

9. Der Hinweis auf Konsequenzen: refutatio (4, 1–13)

Die erste Konsequenz, die Paulus aus seinen bisherigen Darlegungen zieht, betrifft alle Missionare, vorab aber Paulus selbst: „So soll man uns als Diener Christi betrachten und als Verwalter der Geheimnisse Gottes" (4, 1). Über die Treue von Verwaltern urteilt deren Herr, und deshalb gesteht der Apostel der Gemeinde, genauer seinen Kritikern in ihr, nicht zu, daß sie ihn beurteilen, so wenig er sich selbst – angesichts der Gefahr von Selbsttäuschungen – beurteilt. Paulus weiß, daß wechselseitiges Beurteilen in der Gemeinde nur zu deren Spaltung führt; das Gericht steht allein Gott zu, der „auch das im Dunkeln Verborgene durchleuchten" (4, 5) kann.

Die erste Konsequenz, die Paulus zieht, deutet darauf hin, daß die Kritiker des Apostels in der Gemeinde in Korinth ihm Hintergedanken unterstellt haben; Paulus behauptet ja kaum zufällig: „Ich bin mir keiner Schuld bewußt" (4, 4), und er mahnt kaum zufällig: „Richtet nicht vor der Zeit." Weder Verurteilung noch Lob von Menschen zählen für Paulus; er vertritt die Position einer Gott allein pflichtigen Freiheit, die sich freilich ganz dem Volk Gottes dienstbar gemacht hat – als treuer Verwalter.

Paulus weist auf eine zweite Konsequenz hin, indem er nun deutlich sagt, er habe seine ersten Ausführungen „auf sich selbst und Apollos gemünzt"(4, 6). Wer „für den einen und gegen den anderen Stellung nimmt", etwa indem Apollos die überlegenere Schriftauslegung und Weisheitsrede zugute gehalten wird, der „bläst sich selbst auf", indem er sich ein Urteil über die Verwalter Gottes anmaßt, das nur ihrem Herrn zusteht.

Paulus geht in 4, 7 zu einem fiktiven Dialog über, in dem er sich selbst oder Apollos anredet: Dessen, was die Verwalter empfangen haben, können sie sich nicht rühmen; folglich kann sich aber auch niemand rühmen, der sich auf ihre Vorzüge beruft. In 4, 8 greift Paulus dann seine Kritiker mit schneidender Ironie an, er geißelt ihre Überheblichkeit.

Demgegenüber erscheinen die Apostel als „Letzte" (4,9), die ein erbärmliches Leben führen; sie erscheinen im Vergleich mit ihren hochnäsigen Kritikern „wie Abschaum der Welt" (4,13). Paulus zählt in 4,11 f die gefahrvollen Situationen auf, die er als Apostel durchzustehen hatte (Peristasenkatalog); dabei erwähnt er, was im Streit mit den Korinthern bis zum Schluß ein Thema bleiben wird, daß er sich seinen Unterhalt selbst verdient: „Und wir mühen uns ab, indem wir mit den eigenen Händen arbeiten" (4,12) .

Wer nicht arbeiten muß und sich in einem religiösen Bildungsbetrieb ergehen möchte, dem kann das erbärmliche Leben der Apostel nicht imponieren, die „ein Schauspiel geworden sind für die Welt und für Engel und Menschen" (4,9): Toren um Christi willen, die als schwach und ehrlos gelten, die hungern und dürsten müssen, in Lumpen gehen, geschlagen werden und heimatlose Vertriebene sind, beschimpft, verfolgt, geschmäht, verstoßen. Doch die „Toren um Christi willen" segnen und trösten selbst ihre Verfolger – in der Nachfolge ihres Herrn. Deutlich erinnert Paulus an die Worte Jesu, wie sie in der matthäischen Bergpredigt aufgezeichnet sind.

Die aufgeblasenen Kritiker des Apostels halten sich hingegen für „Kluge in Christus" (4,10), die „schon viel geworden" und „zur Herrschaft (über die Welt) gelangt" (4,8) sind. Sie gelten unter ihresgleichen als „Starke" und „Angesehene", sie gehören also zur oberen sozialen Schicht in Korinth und in der Gemeinde. Paulus wünscht, sie wären „doch nur zur Herrschaft gelangt", zur Herrschaft über ihre Eitelkeit, dann könnten sie mit dem Apostel zusammen herrschen (4,8) – mit ihm zusammen dem Aufbau *und* der Einheit der Gemeinde dienen, in deren Lebensform Herrschaft Dienst ist und Dienst Herrschaft.

10. Das zweite Plädoyer: peroratio II (4,14–16)

Das zweite Plädoyer ist anderer Art als das erste, in dem Paulus rekapitulierte und abschließend auf die Themen seiner Apologie einging. Jetzt konzentriert er sich ganz auf seine Stellung in und gegenüber der Gemeinde, die unsicher geworden ist. Zunächst versichert er seinen Lesern, daß er sie – er war ja polemisch geworden – nicht bloßstellen oder beschämen wollte. Indem er sagt, er habe sie „als seine geliebten Kinder zurechtweisen" wollen, nimmt er freilich die Rolle eines Vaters der Gemeinde in Anspruch, während er anderen nur die Rolle von „Erziehern" zubilligt, womit damals Aufseher, meist Sklaven, die Kindern nur äußerliche Manieren beibringen konnten, gemeint waren. Paulus ist durch die Gemeindegründung „Vater" der Christen in Korinth geworden; wie er denkt, erläutert ein rabbinischer Satz: „Wer den Sohn seines Nachbarn die Tora lehrt, dem rechnet man es an, als habe er ihn gezeugt." Paulus hat die Korinther als Apostel durch die Verkündigung des Evangeliums – nicht etwa durch die Taufe (vgl. 1.17!) – gezeugt.

Als Vater der Gemeinde kann der Apostel schließlich die Gemeinde mahnend auf sich selbst verpflichten: „Werdet meine Nachahmer" (4,16)! In 1 Kor 11,1 wird er hinzufügen: „wie auch ich Nachahmer Christi bin". Es geht dabei nicht um eine äußerliche Imitation eines Vorbilds, sondern um die Übernahme der im Leben des Apostels ablesbaren christlichen Lebensform. Die Korinther als Kinder im Glauben sind darauf angewiesen, vom Apostel als ihrem Vater zu lernen. Paulus empfiehlt sich nicht selbst, wie seine Gegner ihm später vorwerfen werden; er klärt seine Gemeinde darüber auf, was ihr nottut.

11. Die Sendung des Timotheus und die Ankündigung eines eigenen Besuches (4,17–21)

Der Abschnitt 4,17–21 gehört noch zum abschließenden Plädoyer des Apostels; weil Paulus möchte, daß die Korinther von ihm lernen, hat er seinen Mitarbeiter Timotheus, der mit dem Apostel in Korinth war (vgl. oben S. 15 f), nach Korinth geschickt – und zwar als Überbringer des Briefes, den Paulus gerade zu Ende diktiert. Wie wir in unseren Berichten über „Die Entdeckung des ältesten Paulusbriefes" (Herderbücherei Nr. 1167) und über „Paulus und seine Lieblingsgemeinde" (Herderbücherei Nr. 1208) ausführlich gezeigt haben, bedient sich Paulus eines epistolaren Formulars für die Ankündigung von Boten. Die Formel „ich habe geschickt" (epistolarer Aorist) bedeutet: „ich schicke". Paulus schickt jetzt mit dem Brief, den er diktiert, den Timotheus. Der zweite Bestandteil des Formulars ist die Empfehlung des Boten: „der mein geliebtes und treues Kind im Herrn ist". Als „geliebtes Kind" steht Timotheus mit den Christen in Korinth in derselben Beziehung zu Paulus (vgl. 4, 14); auch er ist von Paulus als seinem Vater für den Glauben gewonnen worden. Timotheus gilt darüber hinaus als „treues" Kind, das vom Vater gelernt hat und deshalb andere lehren kann: „Er wird euch an meine Wege erinnern, die in Christus Jesus, wie ich sie allerorten in jeder Gemeinde lehre" (4, 17). Damit ist – mit dem dritten Bestandteil des Botensendungsformulars – der Auftrag des Timotheus bezeichnet. Die „Wege" des Apostels sind seine Lebensführung, seine Weisungen für die Lebensform der Gemeinde. Sie gründen „in Christus Jesus", der die Gemeinde gestiftet, und ihrer neuen, revolutionären Lebensform, die von Grund auf – wie von Kindern, die zuerst Milch, erst später feste Speise bekommen – gelernt sein will.

Der Apostel ist nicht nur auf die Einheit der Gemeinde in Korinth bedacht, sondern auch auf die Einheit des Verbundes der von ihm gegründeten Gemeinden, der Gemeinde-Kirche. Er lehrt „allerorten" dasselbe, nicht hier so, dort so. Die Lebensform der Kirche ist – bei aller geschichtlich-kulturellen Differenzierung – eine einheitlich verbindliche. Am konkreten Material von Fragen ihrer Lebensform, die Paulus in späteren Briefen bespricht, wird dies noch deutlicher.

Da Paulus lange, nun schon anderthalb Jahre nicht mehr in Korinth war, „haben sich einige aufgeblasen", als habe Paulus Angst, erneut nach Korinth zu kommen. Die Apollosanhänger haben ihm vermutlich unterstellt, er wisse, daß er den Vergleich mit Apollos als Redner und Weisheitslehrer nicht aushalte, und bleibe deshalb in Ephesus, von wo aus man Korinth doch rasch erreichen konnte. Paulus kündigt deshalb, damit niemand meint, der verstecke sich hinter Timotheus, seinen baldigen Besuch an, freilich unter dem Vorbehalt: „wenn der Herr will" (4, 19). Der fromme Vorbehalt hat bei Paulus konkreten Sinn: Er bestimmt nicht selbst über seine Zeit, seine Reisen und Unternehmungen; was er tut, wird ihm vom apostolischen Auftrag, das Evangelium zu verkünden, Gemeinden zu gründen, und von der Not seiner Gemeinden diktiert.

Wenn Paulus nach Korinth kommt, wird er nicht ängstlich auftreten, sondern mit apostolischer Vollmacht: „ich werde nicht nur die Rede der Aufgeblasenen prüfen, sondern auch ihre Kraft" (4,19). Paulus ist zuversichtlich, daß sich in seiner Anwesenheit in Korinth zeigen wird, was hinter den großen Worten seiner Kritiker steckt: „Denn nicht in der Rede erweist sich die Herrschaft Gottes, sondern in der Kraft" (4,20), der Kraft, welche die Gemeinde eint und sie mit ihrem Apostel eint.

Wenn Paulus nur ein „Pädagoge" (vgl. 4,15) wäre, müßte er mit dem Stock zu den Korinthern kommen; doch als Vater der Gemeinde wird er es „mit Liebe und im Geist der Sanftmut" tun.

Paulus hat längst die Rolle des Verteidigungsredners verlassen und ist in seiner Rolle des Vaters, des Apostels der Gemeinde, hervorgetreten. Wie er die Einheit der Gemeinde, die im einen Gott und dem einen Herrn Jesus gründet, nicht begründet, sondern voraussetzt, so auch sein Apostolat, zu dem er von Gott berufen ist.

12. Ein Fall von unerhörter Unzucht (5, 1–8)

Mit dem Schluß der kunstvoll disponierten Verteidigungsrede hatte Paulus, wie die Ankündigung des Timotheus, des Briefboten, und seines eigenen Besuches verrät, den Schluß seines ersten Schreibens an die Gemeinde in Korinth angesteuert. Doch pflegt der Apostel im zweiten Teil seiner Briefe, gegen Schluß, Mahnungen anzubringen, sei es Exhorten allgemeiner Natur, wenn er keine konkreten Nachrichten über Mißstände in den Gemeinden bekam, sei es die Erörterung konkreter Fälle, von denen er gehört hat.

Nun hat Paulus „von Unzucht" in der Gemeinde gehört, „und zwar solcher Unzucht, wie sie nicht einmal unter Heiden vorkommt"; er kann also seinen Brief nicht abschließen, ohne auf den Fall einzugehen, daß in der Gemeinde, „einer die Frau seines Vaters (als Frau) hat" (5,1). Ein Mann in der Gemeinde hat seine geschiedene oder verwitwete Stiefmutter, die selbst wohl keine Christin war, in ein eheähnliches Verhältnis zu sich genommen. Das alttestamentliche Recht fordert für einen solchen Blutschänder die Todesstrafe, das römische Recht bestimmte als Strafe für ihn die Deportation; deshalb kann Paulus sagen, daß solche Unzucht „nicht einmal unter Heiden vorkommt" (5,1).

Schlimmer als das Verhalten des Blutschänders ist in den Augen des Apostels allerdings das Verhalten der Gemeinde bzw. der Aufgeblasenen in ihr, die ihn in ihrer Mitte „liberal" tolerieren. Die Gemeinde müßte trauern, weil ihre Reinheit und Heiligkeit (vgl. 3, 16 f) verletzt ist, weil ihre missionarische Kraft geschwächt, ihre Einheit zersetzt wird. Paulus verlangt mit Entschiedenheit, daß die Gemeinde den exkommuniziert, „der eine solche Tat getan hat" (5,2). Zersetzendes Gift muß von den Organismen der Gemeinde entfernt werden; wer dem Willen Gottes ausdrücklich widerspricht, ist mit dem Willen der Glaubenden in der Gemeinde nicht mehr eins.

Paulus trifft mit seinem Brief – „obwohl dem Leib nach abwesend" – durch den er nach der antiken Brieftheorie, nach welcher der Brief den Schreiber bei den Lesern vertritt, „im Geist anwesend" ist, seine Entscheidung so und so gültig, als ob er letztlich anwesend wäre (5,3). Wenn der Brief in Korinth in der Gemeindeversammlung vorgelesen wird, sind Paulus – vertreten durch seinen Brief – und die Gemeinde „versammelt mit der Kraft unseres Herrn Jesus Christus"; sie können „im Namen unseres Herrn Jesus Christus", der ihnen die Binde- und Lösekraft verliehen hat, denjenigen aus der Gemeinde ausschließen, der sich schon selbst aus ihrer Lebensgemeinschaft ausschloß, als er sich dem Willen Gottes entzog, der in der Gemeinde seinen Herrschaftsbereich gefunden hat. Außerhalb der Gemeinde hat – vorläufig – Satan seinen Herrschaftsbereich; ihm wird der Exkommunizierte ausgeliefert „zum Verderben des Fleisches" – vielleicht denkt Paulus an Krankheit und vorzeitigen Tod? Diese Auslieferung ins Züchtigungsleiden führt, so hofft Paulus, zur Rettung des Geistes „am Tag des Herrn", zur Rettung der Person, die in der Taufe das Angeld des Geistes empfangen hatte und Gottes Eigentum geworden war.

Daß die Korinther sich einer falschen Liberalität rühmen, ist nicht gut (5,6). Der in der Mitte der Gemeinde geduldete und gedeckte Widerstand gegen den Willen Gottes wirkt anstekkend wie ein „Sauerteig", der der Antike als Metapher für Fäulnis und Zersetzung, für Ansteckungsgefahr galt. Im Zusammenhang des Paschafestes, des „Festes der ungesäuerten Brote", in dessen Nähe Paulus vermutlich schrieb, denkt der Apostel auch an die jüdische Tradition, wonach der alte Sauerteig die junge Ernte bedroht, metaphorisch: das Gift der „alten Welt" das „neue Leben" der Gemeinde als des Leibes Christi.

Zum Paschafest mußte aller Sauerteig aus den jüdischen Häusern geschafft werden, so soll sich nun auch die Gemeinde in Korinth auf Ostern hin rüsten, damit sie das Fest „mit Ungesäuertem der Aufrichtigkeit und Wahrheit" (5,8) feiern kann. *Aufrichtigkeit*, die Klarheit, in der Ja „Ja" und Nein „Nein" heißt, und *Wahrheit*, die Zuverlässigkeit unter denen, die um Christi, des geschlachteten Paschalamms willen, einander vertrauen, sind in der Gemeinde das neue, ungesäuerte Brot, von dem sie lebt. „Schlechtigkeit und Bosheit" dürfen deshalb nicht geduldet werden, weil sie sich wie ein „Sauerteig" ausbreiten, den Lebensraum der Gemeinde einengen. Die Weitung des Lebensraums geschieht nicht durch „Ansteckung", sondern durch Wachstum.

Für das Leben der Menschen spielt die Sexualität eine fundamentale Rolle; der Geschlechtstrieb, die Reproduktionskraft des Menschen, kann ihm leicht zum „Götzen" werden, dem er sich versklavt – in vermeintlich aufgeblasener Freiheit. Paulus weiß darum, daß Kirche als neue Gemeinschaft von Menschen, in der Männer und Frauen nicht nach Klassen geordnet und über- und untergeordnet werden, nur ermöglicht wird, wenn die Sexualität geordnet und relativiert wird. Im „Antwortbrief" wird er ausführlich auf dieses Thema eingehen, aber auch schon im „Zwischenbrief" wird es den Apostel erneut beschäftigen.

13. Rechtsstreitigkeiten unter Christen" (6, 1–11)

Paulus muß, bevor er sein erstes Schreiben an die Gemeinde in Korinth abschließt, zu einem zweiten Fall Stellung nehmen – auf einem neben der Sexualität ebenso fundamentalen Feld der zwischenmenschlichen Sozialbeziehungen. Ein offenbar begüterter Christ – wohl auch aus der sozialen Oberschicht der „Aufgeblasenen" – hat es „gewagt", war so dreist, einen Mitchristen, der ihm etwas schuldig war (in einer Vermögens- oder Erbangelegenheit), vor ein ziviles, heidnisches Gericht zu zerren.

Die jüdische Synagoge, aus der Paulus stammte und die der Lebensform der Kirche wesentlich vorgearbeitet hatte, verbot den Juden, bei heidnischen Richtern gegen Juden Recht zu suchen; sie pflegte – anhand der Tora – eine eigene Gerichtsbarkeit. Paulus ist davon überzeugt, daß die Gemeinde als die Versammlung der „Heiligen", von Gott zu Wahrheit und Gerechtigkeit berufen, dies um so mehr könnte, als hier ehemals „Ungerechte" Einblick in die Verstrickungen ihrer Vergangenheit gewinnen können.

Paulus ruft einen jüdisch-christlichen Lehrsatz in Erinnerung, wonach die Heiligen, wonach das Gottesvolk die Welt und selbst die Engel richten wird. Wie sollte die Gemeinde dann nicht in der Lage sein, alltäglich-geringe Rechtssachen in ihrer Mitte zu schlichten (6,2f)?

Heidnische Richter gelten in der Gemeindeversammlung deshalb nichts, weil sie keinen Einblick in die Rechtsordnung Gottes als die Ordnung der Versöhnung haben (6,4). Paulus kann sich nicht denken – zumal bei der Vorliebe der Korinther für die „Weisheit" –, daß es unter ihnen niemanden gäbe, „der weise wäre und unter seinen Brüdern schlichten könnte" (6,5). Das wäre beschämend!

Daß Christen untereinander prozessieren, „und dies vor den Ungläubigen" (6,6), ist für Paulus skandalös; denn sie mißachten damit ja die Kraft der Gemeindeversammlung, in der sie allen Streit schlichten können. Paulus geht darüber hinaus im Sinne der Weisungen Jesu, wie sie in der matthäischen Bergpredigt überliefert wird, so weit zu erwarten, daß die Christen untereinander ohne Rechtsauseinandersetzungen auskommen müßten: „Warum leidet ihr nicht lieber Unrecht? Warum laßt ihr euch nicht lieber berauben?" (6,7).

Daß in der Gemeinde ein Bruder dem anderen Unrecht antut und ihn beraubt, ist – abgesehen von Prozessen vor heidnischen Richtern – schon skandalös genug. Freilich, wenn die Gemeinde in Parteien zerfällt, wie das in Korinth droht, läßt sich Denken und Handeln des „alten Äons" nicht überwinden und die neue Lebensform der Kirche nicht einüben, in der einer des andern Last trägt, alle miteinander um Bestand und Wachstum der Gemeinde Sorge tragen und so tiefer miteinander verbunden sind als Verwandte.

Das Stichwort „Unrecht" ruft Paulus einen Lasterkatalog in den Sinn, einen Katalog von Ungerechten, die das „Reich Gottes nicht erben werden" (6,9). Wie in 3,18 warnt Paulus die Korinther vor Selbsttäuschung. Der Katalog der „Ungerechten" nennt überwiegend solche, die mit den bisher behandelten Fällen und dem Thema Sexualität und Gemeinschaftstreue zu tun haben: Unzüchtige, Ehebrecher, Lustknaben und Knabenschänder, dazu die Götzendiener, die in jüdischer Tradition beständig neben den Unzüchtigen genannt werden, weil beide anderen Götzen dienen und weil die heidnischen Kulte meist mit Sexualriten verbunden waren; dann Diebe, Habgierige, Räuber, dann Trinker, die ihr Vermögen verschleudern, und Lästerer, die keine echte Beziehung zu ihren Brüdern aufbauen wollen und können.

Die Sozialbeziehung wird nicht nur durch unbewältigte Sexualität gestört, sondern ebenso durch einen unbewältigten Besitztrieb und eine ungerechte Wirtschaftsordnung. Die neue Lebensform der Gemeinde, in der Gottes Herrschaft vor allem gesucht wird, ermöglicht auch denen, die „Ungerechte" der verschiedenen Arten waren, ein neues Leben. Bei der Aufnahme in die Gemeinde sind durch die Taufe alle zu neuen Menschen geworden, die ihre Bedeutung von Gott her empfangen und für einander gleich wert sind, weil für Gott jeder den Tod des Messias, seines Sohnes, wert war. Sie alle sind „abgewaschen" vom Makel der Sünde, „geheiligt", in Dienst genommen für Gottes Volk, „gerecht gesprochen worden", in die Unschuld eines Neubeginns versetzt. Dies ist das Werk des dreifaltigen Gottes; denn in der Taufe wird „der Name des Herrn Jesus Christus" über dem Täufling angerufen, und er empfängt den Geist Gottes, zu dessen Tempel er nun gehört. Mit der unreflektiert trinitarischen Formel hat Paulus vermutlich zum Briefschluß hingelenkt. Die Gemeinde in Korinth, die seit Jahren im Wachsen ist, hat auch jetzt, so denkt Paulus, da sie der erste Brief ihres Apostels erreicht, die Chance eines neuen Anfangs.

Paulus wird Grüße – z. B. von Aquila und Priszilla – nach Korinth gesandt und vielleicht einige Personen dort besonders gegrüßt haben. Gewiß schloß er seinen Brief mit dem üblichen Segenswunsch.

V.
Der zweite Brief „an die Gemeinde Gottes, die in Korinth ist" – Der „Zwischenbrief"

Paulus hatte mit dem ersten Brief seinen Mitarbeiter Timotheus, der ja lange Zeit mit ihm zusammen in Korinth gewesen war, zur dortigen Gemeinde geschickt. Wie lange Timotheus, der wohl vor dem Paschafest abgereist und während des Festes in Korinth geblieben war, sich dort aufgehalten hat, wissen wir leider nicht.

Timotheus hatte von Paulus folgende Aufgabe zugewiesen bekommen: „Er wird euch an meine Wege erinnern, die in Christus Jesus, wie ich sie allerorten in jeder Gemeinde lehre" (4, 17). War Timotheus mit den „Aufgeblasenen" in der korinthischen Gemeinde zurechtgekommen? Wir haben allen Grund zur Annahme, daß dies nicht der Fall war. War Timotheus damals, als er das erste Mal von Paulus nach Ephesus aus nach Korinth geschickt wurde, nicht „furchtlos" bei den Korinthern? Gab es in Korinth Leute, die den Mitarbeiter des Apostels „verachteten"? Die Mahnung im vierten Schreiben, dem „Antwortbrief" (vgl. 16, 10 f), kann darauf schließen lassen.

Die Korinther hatten jedenfalls den Blutschänder, der die Frau seines Vaters zu seiner Frau gemacht hatte, nicht aus der Gemeinde ausgeschlossen, wie Paulus im „Vorbrief", den Timotheus nach Korinth überbracht hatte, nachdrücklich verlangt hat. Überdies gab es weitere Probleme in der Gemeinde: Nicht nur im sexuellen Berich, auch bei der Orientierung in der heidnischen Umwelt der Provinzmetropole gab es Schwierigkeiten durch liberal aufgeblasenes Verhalten von Gemeindemitgliedern. Und überdies ließ die Ordnung des Gottesdienstes zu wünschen übrig, ein Ausdruck sozialer Desintegration, wie Paulus bemerkt.

Ob der Apostel über alle diese Dinge durch Timotheus unterrichtet wurde, wissen wir nicht. Vielleicht sind auch weitere Informanten, besorgte Gemeindemitglieder, aus Korinth gekommen. Paulus muß jedenfalls nicht allzu lange nach der Sendung des „Vorbriefes" mit Timotheus nach Korinth erneut zur Feder gegriffen haben. Da uns Präskript und Postskript, Beginn und Schluß des Briefes, nicht erhalten geblieben sind – sie müssen der Briefredaktion zum Opfer gefallen sein –, erfahren wir leider nichts über den Briefüberbringer, der von Ephesus nach Korinth reiste. Timotheus dürft nicht schon wieder als Bote in Frage gekommen sein. Silas war in Ephesus nicht mehr – wie in Korinth – bei Paulus. Titus, jener Heidenchrist, den Paulus schon anläßlich des Apostelkonzils von Antiochia aus mit nach Jerusalem genommen hatte (vgl. Gal 2, 1.3), war nun sein zweiter wichtiger Mitarbeiter in Ephesus. Ob Titus diesmal nach Korinth reiste? Auch darüber läßt sich nichts Sicheres sagen. Wahrscheinlich ist es nicht, da Titus in Korinth noch nicht bekannt und deshalb für eine eher heikle Mission auch nicht geeignet war. Schließlich kommen als Briefboten auch noch die im Vorbrief erwähnten „Leute der Chloe" in Frage, die von Ephesus nach Korinth gereist sein könnten.

Wenn Timotheus mit dem „Vorbrief" um Ostern des Jahres 53. n. Chr. in Korinth war, so dürfte der „Zwischenbrief" noch im Sommer desselben Jahres dorthin gebracht worden sein.

1. Der Text

Präskript

[Paulus, (berufener) Apostel Christi Jesu durch Gottes Willen, an die Gemeinde Gottes, die in Korinth ist.
Gnade euch und Friede, von Gott unserem Vater, und dem Herrn Jesus Christus.]
[Briefeingang]

Die Korrektur des Mißverständnisses des Vorbriefs

5,9 Ich schrieb euch in dem Brief,
ihr solltet mit Unzüchtigen nichts zu schaffen
haben;

5,10 nicht schlechthin mit den Unzüchtigen dieser Welt
oder den Habgierigen und Räubern und Götzendienern –
denn dann müßtet ihr ja aus der Welt auswandern.

11 Nun aber schrieb ich euch,
ihr solltet nichts zu schaffen haben mit einem,
der sich Bruder nennt,
aber doch ein Unzüchtiger
oder Habgieriger oder Götzendiener oder Lästerer
oder Trinker oder Räuber ist;
mit einem solchen sollt ihr nicht einmal
zusammen essen!

12 Denn was ginge es mich an,
die draußen zu richten?
Ihr richtet doch auch die drinnen?

13 Die draußen aber wird Gott richten.
„Schafft den Übeltäter weg aus eurer Mitte!"

Warnung vor Unzucht

6,12 „Alles ist mir erlaubt!",
aber nicht alles nützt.
„Alles ist mir erlaubt!",
aber ich will von nichts überwältigt sein.

13 Die Speisen sind für den Bauch,
der Bauch ist für die Speisen –
Gott aber wird diesen und jene vernichten!
Der Leib aber ist nicht für die Unzucht da,
sondern für den Herrn,
und der Herr für den Leib.

14 Gott aber hat den Herrn auferweckt
und wird auch uns auferwecken durch seine Kraft.

15 Wißt ihr nicht,
daß eure Leiber Glieder Christi sind?
Soll ich nun die Glieder Christi nehmen
und sie zu Gliedern einer Dirne machen?
Keinesfalls!

16 Oder wißt ihr nicht:
Wer der Dirne anhängt,

ist ein Leib mit ihr!
Denn so heißt es:
„Die zwei werden ein Fleisch sein!"
6,17 Wer aber dem Herrn anhängt,
ist ein Geist mit ihm!
18 Flieht die Unzucht!
Jede (andere) Sünde, die ein Mensch tut,
ist außerhalb des Leibes.
Wer aber Unzucht treibt,
versündigt sich gegen den eigenen Leib.
19 Oder wißt ihr nicht,
daß euer Leib ein Tempel des heiligen Geistes
in euch ist, den ihr von Gott habt?
Und ihr gehört nicht euch selbst;
20 denn ihr seid um einen teuren Preis gekauft!
Verherrlicht also Gott durch euren Leib!

Warnung vor dem Götzendienst

10,1 Ich will euch aber nicht in Unkenntnis lassen,
Brüder,
daß unsere Väter alle unter der Wolke waren
und alle durch das Meer hindurchzogen
2 und alle auf Mose getauft wurden
in der Wolke und im Meer
3 und alle dieselbe geistige Speise aßen
4 und alle denselben geistigen Trank tranken.
Es tranken ja alle von dem geistigen Felsen,
der nachfolgte.
Der Fels aber war der Christus.
5 Doch hat an den meisten von ihnen Gott
kein Gefallen gefunden,
denn sie kamen in der Wüste um.
6 Diese aber sind Vorbilder für uns geworden,
damit wir nicht begierig nach Bösem sind,
wie auch jene begehrt haben.
7 Werdet auch keine Götzendiener,
wie einige von ihnen.
Wie geschrieben steht:

„Es setzte sich das Volk,
um zu essen und zu trinken,
und sie standen auf,
sich zu vergnügen."

10,8 Wir wollen auch nicht huren,
wie einige von ihnen gehurt haben;
und es fielen an einem Tag Dreiundzwanzigtausend.

9 Wir wollen auch den Herrn nicht versuchen,
wie einige von ihnen (ihn) versucht haben,
und sie wurden von den Schlangen umgebracht.

10 Murrt auch nicht,
wie einige von ihnen gemurrt haben,
und sie wurden vom Verderber umgebracht.

11 Dies aber ist jenen exemplarisch widerfahren,
aufgeschrieben aber wurde es zu unserer Ermahnung,
auf die das Ende der Zeiten gekommen ist.

12 Folglich:
Wer glaubt zu stehen,
sehe zu, daß er nicht falle.

13 Eine übermenschliche Versuchung
hat euch nicht erreicht.
Gott aber ist treu,
er wird nicht zulassen,
daß ihr versucht werdet über euer Vermögen hinaus,
vielmehr wird er mit der Versuchung
auch den Ausweg schaffen,
so daß ihr sie ertragen könnt.

14 Deshalb, meine Geliebten,
flieht vor dem Götzendienst!

15 Wie zu Verständigen rede ich.
Urteilt selbst über das, was ich sage!

16 Der Becher des Segens, den wir segnen,
ist er nicht Teilhabe am Blut des Christus?
Das Brot, das wir brechen,
ist es nicht Teilhabe am Leib des Christus?

17 Denn ein Brot ist es,
ein Leib sind wir vielen;
denn alle haben wir Anteil an dem einen Brot.

10,18 Schaut auf das Israel dem Fleische nach:
Sind diejenigen, die von dem Opfer essen,
nicht Teilhaber am Altar?

19 Was also sage ich?
Daß Götzenopferfleisch etwas ist?
Oder daß ein Götze etwas ist?

20 Aber, was sie opfern,
opfern sie den Dämonen und nicht Gott!
Ich will aber nicht,
daß ihr Teilhaber der Dämonen werdet.

21 Ihr könnt nicht den Becher des Herrn trinken
und den Becher der Dämonen!
Ihr könnt nicht am Tisch des Herrn Anteil haben
und am Tisch der Dämonen.

22 Oder wollen wir den Herrn eifersüchtig machen?
Sind wir etwa stärker als er?

Rücksicht beim Genuß von Götzenopferfleisch

23 „Alles ist erlaubt!",
aber nicht alles nützt.
„Alles ist erlaubt!",
aber nicht alles baut auf!

24 Niemand suche das Seine,
sondern das des Anderen.

25 Alles, was auf dem Fleischmarkt verkauft wird,
eßt, ohne Unterscheidungen zu treffen
um des Gewissens willen;

26 denn „des Herrn ist die Erde und ihre Fülle".

27 Wenn einer von den Ungläubigen euch einlädt
und ihr hingehen wollt,
eßt alles, was euch vorgesetzt wird,
ohne Unterscheidungen zu treffen
um des Gewissens willen.

28 Wenn aber einer euch sagt:
„Das ist Opferfleisch!",
dann eßt nicht um jenes willen,
der euch aufmerksam macht,
um des Gewissens willen –

10,29 ich meine nicht das eigene Gewissen,
sondern das des anderen.
Denn: Wozu soll meine Freiheit von einem
anderen Gewissen beurteilt werden?

30 Wenn ich mit Dank Anteil habe,
was werde ich geschmäht für das,
wofür ich danksage?

31 Ob ihr also eßt, ob ihr trinkt,
ob ihr sonst etwas tut,
tut alles zur Ehre Gottes!

32 Werdet weder den Juden noch den Griechen
noch der Gemeinde Gottes zum Anstoß,

33 wie auch ich in allem allen zu gefallen suche,
da ich nicht meinen Nutzen suche,
sondern den der Vielen,
damit sie gerettet werden.

11,1 Werdet meine Nachahmer,
wie auch ich des Christus.

Die Kopfbedeckung der Frauen im Gottesdienst

2 Ich lobe euch aber,
daß ihr in allem an mich denkt,
und an den Überlieferungen festhaltet,
wie ich sie euch überliefert habe.

3 Ich möchte aber, daß ihr wißt:
Jedes Mannes Haupt ist der Christus,
Haupt aber einer Frau der Mann,
Haupt aber des Christus Gott.

4 Jeder Mann, der betet oder prophetisch redet,
während er sein Haupt bedeckt hat,
entehrt sein Haupt.

5 Jede Frau aber, die betet oder prophetisch redet,
während sie ihr Haupt entblößt hat,
entehrt ihr Haupt.
Ein und dasselbe ist sie
nämlich mit einer Geschorenen.

6 Wenn eine Frau sich nicht bedeckt,
soll sie sich gleich scheren lassen!

Wenn es aber für eine Frau schändlich ist,
sich scheren zu lassen oder kahl zu sein,
soll sie sich bedecken!

11,7 Ein Mann allerdings darf sein Haupt nicht bedecken,
weil er als Abbild und Abglanz Gottes existiert.
Die Frau aber ist Abglanz des Mannes.

8 Denn der Mann stammt ja nicht von der Frau,
sondern die Frau vom Mann.

9 Denn der Mann ist auch nicht um der Frau willen
geschaffen, sondern die Frau um des Mannes willen.

10 Deshalb muß die Frau ein Vollmachtszeichen
auf ihrem Haupt haben wegen der Engel.

11 Ansonsten: Weder gilt die Frau etwas
unabhängig vom Mann
noch der Mann unabhängig von der Frau im Herrn.

12 Denn wie die Frau von dem Mann stammt,
so existiert auch der Mann durch die Frau.
Alles aber stammt von Gott!

13 Urteilt selber:
Ziemt es sich,
daß eine Frau unbedeckt zu Gott betet?

14 Lehrt euch nicht die Natur selber,
daß der Mann, wenn er langes Haar trägt,
es eine Schande für ihn ist,

15 die Frau aber, wenn sie langes Haar trägt,
es eine Ehre für sie ist?
Denn das lange Haar ist ihr
anstelle eines Schleiers gegeben.

16 Wenn aber einer meint, er solle darüber streiten, –
wir haben einen solchen Brauch nicht
und auch die Gemeinden Gottes nicht.

Die geordnete Feier des Herrenmahls

17 Da ich dies anordne, –
nicht lobe ich euch,
daß ihr nicht zum Besten,
sondern zum Schlechtesten zusammenkommt.

11,18 Als erstes höre ich nämlich,
daß bei euch,
wenn ihr in der Gemeinde zusammenkommt,
Spaltungen existieren;
und zum Teil glaube ich das auch.
19 Denn es muß auch Parteiungen unter euch geben,
damit die Bewährten unter euch offenkundig werden.
20 Wenn ihr nun an einem Ort zusammenkommt,
ist das kein „Herrenmahl essen";
21 denn jeder nimmt beim Essen
sein eigenes Mahl voraus, und der eine hungert,
der andere hingegen ist betrunken.
22 Habt ihr denn keine Häuser zum Essen und Trinken?
Oder verachtet ihr die Gemeinde Gottes?
Und demütigt ihr die, die nichts haben?
Was soll ich euch sagen?
Soll ich euch loben?
In diesem Fall lobe ich euch nicht!
23 Ich nämlich habe vom Herrn übernommen,
was ich auch euch überliefert habe:
Der Herr Jesus nahm in der Nacht,
in der er ausgeliefert wurde, Brot
24 und brach es nach dem Dankgebet und sprach:
„Dies ist mein Leib für euch.
Tut dies zu meinem Gedächtnis!"
25 Ebenso auch den Becher nach dem Mahl
mit den Worten.
„Dieser Becher ist der neue Bund in meinem Blut.
Tut dies, sooft ihr trinkt, zu meinem Gedächtnis."
26 Denn sooft ihr dieses Brot eßt
und den Becher trinkt,
verkündigt ihr den Tod des Herrn,
bis er kommt.
27 Deshalb: Wer unwürdig das Brot ißt
und den Becher des Herrn trinkt,
ist schuldig am Leib und am Blut des Herrn.
28 Der Mensch aber soll sich selbst prüfen,
und dann soll er von dem Brot essen
und aus dem Becher trinken.

11,29 Denn wer ißt und trinkt,
　　　 ißt und trinkt sich das Gericht,
　　　 wenn er den Leib nicht unterscheidet.
　 30 Deshalb gibt es unter euch viele Schwache
　　　 und Kranke und einige sind entschlafen.
　 31 Wenn wir mit uns selbst ins Gericht gingen,
　　　 würden wir nicht gerichtet werden.
　 32 Wenn wir aber vom Herrn gerichtet werden,
　　　 werden wir erzogen,
　　　 damit wir nicht mit der Welt verurteilt werden.
　 33 Deshalb, meine Brüder:
　　　 Wenn ihr zum Essen zusammenkommt,
　　　 wartet aufeinander!
　 35 Wenn einer Hunger hat, soll er zu Hause essen,
　　　 damit ihr nicht zum Gericht zusammenkommt.
　　　 Das übrige aber werde ich anordnen,
　　　 wenn ich komme.

　　 [Grüße]
　　 [Schlußsegenswunsch]

2. Bemerkungen zum Text und zum Aufbau des Briefes

Der zweite Brief des Paulus „an die Gemeinde Gottes, die in Korinth ist", ist nur unvollständig erhalten. Es fehlen das Präskript, ein Briefeingang, Schlußgrüße und der bei Paulus übliche Schlußsegenswunsch.

Wie das *Präskript* ausgesehen hat, kann man sich vorstellen, wenn man 1 Kor 1,1–3 und 2 Kor 1,1–2 mit einander vergleicht, also die Präskripte eines früheren und eines späteren Briefes nach Korinth. Die übereinstimmenden Teile darf man auch für das *Präskript des „Zwischenbriefes"*, das der Briefredaktion zum Opfer fiel, voraussetzen; in einem der beiden Präskripte überschießende Teile, die auch im Präskript des „Zwischenbriefes" möglich sind, setzen wir in runde Klammern:

„Paulus, (berufener) Apostel Christi Jesu durch Gottes
Willen,
an die Gemeinde Gottes, die in Korinth ist.
Gnade euch und Friede von Gott, unserem Vater,
und dem Herrn Jesus Christus."

In 1 Kor 1, 1 und 2 Kor 1, 1 gibt es jedoch noch einen Mitabsender: „und Sosthenes, der Bruder", bzw. „und Timotheus, der
Bruder". Ob einer dieser Mitabsender oder ein anderer im Präskript des Zwischenbriefes genannt war, wissen wir nicht. Wir
wissen nicht, ob Sosthenes noch in Ephesus war, auch nicht sicher, ob Timotheus aus Korinth schon zurückgekehrt war oder
andere Boten aus Korinth nach Ephesus geschickt hatte. Wir
haben das Präskript in der Wiedergabe des Textes oben probe-
weise ohne einen Absender eingesetzt.

Größere Schwierigkeiten bereitet uns die Frage nach dem
ursprünglichen *Briefeingang des Zwischenbriefes*. Bei der Rekonstruktion der drei Schreiben, die Paulus an seine Lieblingsgemeinde in Philippi schickte, haben wir zeigen können (vgl.
Herderbücherei Nr. 1208), daß es sinnvoll und möglich ist,
sich über verlorengegangene Briefeingänge Gedanken zu machen. Da Paulus mit 1 Kor 5, 9–13 alsbald das Mißverständnis
des Vorbriefs korrigieren, dabei aber auch gegen eine Wider-
sätzlichkeit der Korinther angehen muß, können wir nicht
ohne weiteres als sicher annehmen, daß der Apostel nach dem
Präskript mit der üblichen *Danksagung* fortfuhr. Vielleicht
kam er auch wie im Galaterbrief und wie im Kampfschreiben
an die „Heiligen in Philippi", dem letzten der drei Philipper-
briefe, alsbald zur Sache, die zwischen ihm und seinen Adressaten kontrovers war. Der Hauptteil unseres Zwischenbriefs
setzt mit „Ich schrieb euch in dem Brief" jedenfalls ähnlich ein
wie der Hauptteil des Kampfschreibens an die Philipper:
„Euch dasselbe nochmals zu schreiben…" (Phil 3, 1). Und
beide Male ist *eher* anzunehmen, daß Paulus keinen besonderen Grund zum Dank gegeben sah, eher Grund, schon im
Briefeingang seiner Sorge um die Gemeinde Ausdruck zu ver-
leihen.

Am *Schluß* des „*Zwischenbriefs*" wird Paulus wohl *Grüße*
ausgerichtet und – wie im „Vorbrief" (vgl. S. 142) – einen
Schlußsegenswunsch angehängt haben.

Der Aufbau des zweiten Briefs, den Paulus nach Korinth schrieb, war, wie bei der Textdarstellung schon gezeigt ist (vgl. 1.), der folgende:

> [Präskript]
> [Briefeingang]
> Die Korrektur des Mißverständnisses des Vorbriefs (5,9–13)
> Warnung vor der Unzucht (6,12–20)
> Warnung vor dem Götzendienst (10,1–22)
> Rücksicht beim Genuß von Götzenopferfleisch (10,23–11,1)
> Die Kopfbedeckung der Frauen im Gottesdienst (11,2–16)
> Die geordnete Feier des Herrenmahls (11,17–34)
>
> [Grüße]
> [Schlußsegenswunsch]

3. Die Korrektur des Mißverständnisses des „Vorbriefs" (5,9–13)

Was Paulus den Konrinthern gegen Schluß seines ersten Briefs, des „Vorbriefs", zum unerhörten Fall von Unzucht, zum Fall des Blutschänders geschrieben hatte, war in der dortigen Gemeinde nicht auf zureichendes Verständnis gestoßen; offenbar hatte die Gemeinde auch nicht die Anweisung des Apostels befolgt: „Entfernt werden aus eurer Mitte soll der, der eine solche Tat getan hat" (5,2b)

Aufgeblasene Gemeindemitglieder hatten wohl, wie Paulus zu Ohren gekommen war, reagiert: Wenn man den rigorosen Weisungen des Paulus folgen wolle, müsse man am besten gleich „aus der Welt auswandern" (5,10) in ein utopisches Land, in dem es keine Unzüchtigen, Habgierigen, Räuber oder Götzendiener gäbe. Paulus hatte in einem kleinen Katalog in 6,9f solche aufgezählt, die das Reich Gottes nicht erben. Daran erinnert er sich jetzt, da ihm kaum eine Abschrift seines „Vorbriefs" vorliegt. Jetzt stellt er richtig, daß die Gemeinde keine Sondergesellschaft, sondern – wie er schon in 6,11 im

„Vorbrief" ausgeführt hatte – eine neue Gesellschaft inmitten der alten ist. Sie darf sich nicht wie die alte korrumpieren lassen.

Paulus korrigiert nun das Mißverständnis: „Nun aber schrieb ich euch, ihr solltet nichts zu schaffen haben mit einem, *der sich Bruder nennt,* aber doch ein Unzüchtiger oder Habgieriger oder Götzendiener oder Lästerer oder Trinker oder Räuber ist; mit einem solchen sollt ihr nicht einmal zusammen essen!" (5, 11).

Das „Zusammen-Essen" ist die realsymbolische Verdichtung des Zusammenlebens unter Menschen, gerade auch in der jüdisch-christlichen Tradition. Paulus verlangt also, daß die Gemeindemitglieder mit solchen Brüdern, die den Willen Gottes für ihr Leben nicht übernehmen wollen, sich dazu in der Gemeinde nicht instandsetzen lassen wollen, den gesellschaftlichen Verkehr abbrechen, mit ihnen weder in der Gemeinde bei deren gemeinsamen Mahlzeiten noch privat Tischgemeinschaft halten, die verlogen wäre.

Paulus hatte schon im Vorbrief die Exkommunikation des Blutschänders verlangt; jetzt betont er, daß die Gemeinde die Binde- und Lösegewalt für ihre Mitglieder, „die drinnen" (6, 12), hat. „Die draußen", die Nicht-Glaubenden, werden von Gott gerichtet, dessen Gericht niemand vorgreifen darf. Aber in der Mitte der Gemeinde muß der Wille Gottes jetzt geltend gemacht werden. Hatte Paulus im Vorbrief den Ausschluß des Blutschänders aus der Gemeinde „im Namen unseres Herrn Jesus" (5, 4) verlangt, so beruft er sich nun steigernd auf ein alttestamentliches Gotteswort, eine sakralrechtliche Formel aus dem Buch Deuteronomium, die zeigt, wie eifersüchtig Gott über die Reinheit, die Integrität und Identität seines Volkes wacht. Wie ein roter Faden zieht sich durch die Kapitel 17–24 des Deuteronomiums die Formel (Dtn 17, 7; 19, 19; 22, 21–24; 24, 7), mit der das Böse, das sich im „Übeltäter" verkörpert, als eine ansteckende Seuche, die das Volk krank macht, gebrandmarkt wird. In der Gemeinde Gottes kann sich, so urteilt Paulus, niemand ernsthaft – ohne Irreführung der Außenstehenden oder der Neuen in der Gemeinde – „Bruder nennen", der die anderen ausnutzt durch seine Laster, die er sich nicht beschneiden, durch seine Schwächen, die er durch die anderen nicht mittragen läßt.

4. Warnung vor der Unzucht (6, 12–20)

Wir haben schon im „Vorbrief" gesehen, daß das Thema „Unzucht" bzw. das Thema „Sexualität" ein nicht nur allgemein menschlich dominantes Thema ist, sondern auch ein zentraler Komplex der neuen Lebensform der Kirche.

Die Korinther waren Paulus mit seiner Forderung nach der Exkommunikation des Blutschänders nicht gefolgt; vielleicht hatten die „Aufgeblasenen" unter ihnen mit der liberalen Parole reagiert: „Alles ist mir (dem Christen) erlaubt!" (6, 12; vgl. 10, 23). Den Abschnitt 6, 12–14 liest man am besten als Dialog, in dem Paulus auf korinthische Parolen seine Antwort gibt. Paulus hatte im „Vorbrief" zweimal die Parole „alles ist unser" ausgegeben (vgl. 3, 21 f), und vielleicht haben einige Korinther daraus die brisante Folgerung christlicher Freiheit gezogen: „Alles ist mir erlaubt!" Paulus bestreitet den Wahrheitskern dieser Parole nicht, aber er definiert das rechte Verständnis, und zwar durch zwei wesentliche Grenzziehungen: „Aber nicht alles nützt", dem Einzelnen und der Gesellschaft und insbesondere dem Aufbau der Gemeinde, und: „aber ich will von nichts überwältigt sein", d. h. mich nicht von einer Liberalität über meine Versklavung täuschen lassen.

Eine andere Parole der Korinther, die neben der Sexualität ein anderes Vitalinteresse des Menschen betrifft, lautete offenbar: „Die Speisen sind für den Bauch, der Bauch ist für die Speisen" (6, 13). Sie wollten nicht mehr mit jüdischer Tradition reine und unreine Speisen unterscheiden, und dafür konnten sie sich auf ein Wort Jesu berufen (Mk 7, 15.19), das ihnen ursprünglich Paulus selbst überliefert hatte, wenn nicht Kefas oder die ihm pflichtigen Missionare. Der jüngste Kommentator des 1. Korintherbriefes hat dazu bemerkt: „Der Satz ist nicht so harmlos, wie er zunächst klingt. Er wurde nämlich dazu benutzt, sexuelle Freizügigkeit zu legitimieren. Man gibt dem Körper einfach, was er braucht" *(H. -J. Klauck)*. Weil die liberale These „Alles ist erlaubt" also einschloß, man müsse den vitalen Bedürfnissen des Leibes nachkommen, erscheint im Kontext der Warnung vor der Unzucht auch eine Parole zu Essen und Trinken. Die scheinbar frommen Korinther haben noch die Vergänglichkeit des Körpers betont, den Gott ohnehin vernichten werde, so daß man bis dahin die vitalen Interessen durchaus befriedigen könne.

Paulus spricht bewußt nicht vom „Bauch", sondern vom „Leib", der kommunikationsfähigen Personalität des Menschen. Sie ist nicht auf die Unzucht bezogen, sondern für den „Herrn" da. Der ganze Mensch gehört dem Herrn, so wie der Herr Jesus sich in seinem Leben und Sterben für den ganzen, unteilbaren Menschen eingesetzt hat.

Man kann sich fragen, ob Paulus mit den Aussagen über den Blutschänder, dessen „Fleisch" dem Satan ausgeliefert werden solle, damit sein „Geist" gerettet würde, im „Vorbrief" (5,5) den Korinthern Vorschub zu einer dualistischen Anthropologie geleistet habe, einer Aufteilung des Menschen in Leib und Seele/Geist, die sich libertinistisch ausnutzen ließ. Jedenfalls setzt er jetzt gegen die These, daß Gott die Speisen und den Bauch ohnehin vernichten werde, das Glaubensbekenntnis an die leibhaftige Auferweckung des Herrn und das Hoffnungsbekenntnis, daß „Gott auch uns auferwecken wird durch seine Kraft" (6,14). Gott hat den Christen *ganz* in Dienst genommen, und zwar schon *jetzt*. Paulus läßt keine Teilung zu. Wen Gott für seine Geschichte mit seinem Volk in Dienst nahm, der ist von Gott her ganz und für immer gewählt und gerettet. Die Getauften sind „dem Leib Christi" inkorporiert worden und dessen „Glieder" geworden als Mit-Glieder der Gemeinde. Deshalb schändet derjenige, der zur Dirne geht, mit dem eigenen Leib den Leib Christi. Paulus erinnert zur Erläuterung seines kühnen Bildes an das Alte Testament, wo in Gen 2,24 gesagt ist, daß Mann und Frau ein Fleisch, eine neue Familie, verwandt, werden: „Wer der Dirne anhängt, ist ein Leib mit ihr" (6,16). Wie aus dem „Antwortbrief" später ersichtlich wird, konnten die Korinther Paulus erneut mißverstehen: Schließen sich nicht auch Einswerden mit dem Leib Christi und mit der Ehefrau aus? An eine solche Konsequenz denkt Paulus jetzt gar nicht; er erläutert die Gemeinschaft mit Christus – im Unterschied zur „fleischlichen" mit der Dirne – als die im „einen Geist", als geistgewirkt und geistbestimmt. Was die Glieder des Leibes Christi zusammenführt und bindet, ist der in der Agape wohnende Geist Gottes, der auch Gottes Auferstehungsmacht ist.

Paulus weiß um die Stärke und Herrschsucht des Sexualtriebes; deshalb faßt er seine Mahnung in einem Aufruf zur Flucht vor der Unzucht (6,18) zusammen. Dann zitiert der

Apostel wahrscheinlich erneut eine in Korinth umlaufende Parole: „Jede Sünde, die ein Mensch tut, ist außerhalb des Leibes." Damit ist vermutlich gemeint, die Sünde habe mit dem Innern des Menschen zu tun, wofür sich die Korinther erneut auf Jesusworte wie Mk 7, 15 berufen mochten. Was sollte also die Sünde, die doch im Herzen wurzelt, mit dem Leib zu tun haben?

Jesus hatte inkarnatorisch gedacht, und Paulus denkt inkarnatorisch: Alles Innere verleiblicht sich, und die Leiblichkeit des Menschen ist Ausdruck seiner Person, seines Inneren. Paulus antwortet schlicht und massiv, wobei er voraussetzt, daß Unzucht Sünde ist (weil die Tora daran keinen Zweifel läßt): „Wer aber Unzucht treibt, versündigt sich gegen den eigenen Leib." Die Parole, welche die Korinther zur Legitimierung von Unzucht anführten, wird durch die Unzucht als leibhaftiger Sünde widerlegt.

Paulus schließt seine Warnung vor der Unzucht mit der Erinnerung an die Würde der Christen als „Tempel des heiligen Geistes", den sie in der Taufe empfangen haben. Im „Vorbrief" (3, 16) hatte Paulus das Tempelbild ekklesiologisch benutzt, jetzt nimmt er es für eine theologische Anthropologie in Dienst.

Am Ende des Verses 6, 19 schimmert durch, daß die Korinther die Parole des Paulus aus dem Vorbrief „alles ist euer", in „alles ist erlaubt" umgemünzt haben könnten; denn jetzt erinnert Paulus daran, daß er hinzugefügt hatte: „ihr aber seid Christi": „Und ihr gehört nicht euch selbst!" Gott hat jeden um einen teuren Preis gekauft, durch den Tod Jesu. Gott muß von den Christen die Ehre gegeben werden: durch die ganze, leibhaftige Existenz, das ganze leibhaftige Leben. Paulus läßt weder eine Abwertung des Leibes noch einen bedenkenlosen Umgang mit den Trieben des Leibes zu. Die Lebensform der Gemeinde, des Leibes Christi, bestimmt sich ja aus dem gemeinsamen, leibhaftigen Leben aller ihrer Mitglieder, seiner Glieder.

Im Lasterkatalog des „Vorbriefs" (6,9) hatte Paulus schon „Unzüchtige" und „Götzendiener" – jüdischer Tradition entsprechend – nebeneinander genannt; in 1 Kor 5,11, im „Zwischenbrief" war neben den „Unzüchtigen" in Erinnerung an die Ausführungen 1 Kor 6,1–11 im „Vorbrief" der „Habgierige" getreten, bevor der „Götzendiener" genannt wurde. Jetzt warnt Paulus auch vor dem Götzendienst; dem „Fliehet die Unzucht!" (6,18) rückt er das „Flieht vor dem Götzendienst" (10,14) zur Seite.

Mit der Formel „Ich möchte euch aber nicht in Unkenntnis lassen, Brüder" (vgl. Röm. 1,13; 11,25; 1 Kor 12,1; 2 Kor 1,8), die uns ähnlich auch in anderen Briefen antiker Zeit begegnet („Ich möchte, daß du weißt"; „ich will dich wissen lassen"), führt Paulus ein wichtiges Thema ein. Die „Gemeinde Gottes" in Korinth, die Kirche, steht in der Kontinuität der Geschichte Gottes mit Israel; sie kann und soll aus dieser ihr eigenen Geschichte, der Geschichte „unserer Väter" (10,1), lernen.

In 1 Kor 10,1–5 bietet Paulus Vätergeschichten in einem Midrasch zur Exoduserzählung, einer Nacherzählung von Episoden der Wüstenzeit Israels in knapper Konzentration, deshalb an, weil die Väter „Vorbilder für uns geworden sind" (10,6). Für den knappen Überblick über die frühe Epoche Israels konnte sich Paulus an vergleichbaren Zusammenfassungen orientieren, etwa an Ps 78 oder Ps 106, auch an Neh 9,9–20 oder Weish 11–19. Paulus benutzt die alten Erzählungen (und deren Auslegung in der jüdischen Synagoge seiner Zeit), um eine falsche Heilssicherheit der Korinther zu erschüttern, die aus ihrer Parole „Alles ist erlaubt" (6,12) schon erkennbar geworden war. Auch die Väter waren „alle" – Paulus wiederholt das *alle* fünfmal – getauft, mit geistlicher Speise und geistigem Trank genährt und getränkt, wie die Gemeindemitglieder durch Taufe und Eucharistie in ein neues Leben gekommen, – „doch hat an den meisten von ihnen Gott kein Gefallen gefunden, denn sie kamen in der Wüste um" (10,5).

Paulus deutet von der Erfahrung der neutestamtlichen Gemeinde und ihrer Sakramente – der Taufe „auf den Namen Jesu" und der Eucharistie mit der geistigen Speise des Brotes und dem geistigen Trank des Weines – her die Rettung und

Ausrüstung Israels in der Wüstenzeit: Die Väter waren „in der Wolke", die dem Wüstenzug voran den Weg wies, und im Roten Meer, das sie durchzogen, „auf Mose getauft" worden als ihrem Befreier; sie hatten das Manna als „geistige Speise" und das Wasser aus dem Felsen als „geistigen Trank" erhalten. Die jüdische Überlieferung hatte aus einer Kombination von Num 20, 1–13 und Num 21, 16–18 die Legende vom wandernden, wasserspendenden Felsen geschaffen; Paulus formuliert eine allegorische Gleichung: „Der Fels aber war der Christus" (10, 4). Er sieht den präexistenten Messias schon bei der Erhaltung des Gottesvolkes in der Wüste am Werk; er hat schon damals dem Volk das „Pneuma", den Geist Gottes, dessen Lebenskraft, gespendet.

Die allegorische Gleichung hilft Paulus, seine Gemeinde zu warnen: Das Heil, das ihnen zukommt, wirkt nicht magisch, die Sakramente bieten keine automatische Heilsgarantie. Wo sie nicht realsymbolische Verdichtung der dem Gottesvolk von Gott geschenkten und durch den Messias Jesus ermöglichten Lebensform sind, täuschen sie über den geschichtlich-kontingenten Charakter der Gemeinde als eines gebrechlichen Lebensraumes hinweg.

Paulus weiß mit dem Erfahrungswissen Israels, des Gottesvolkes, daß der Mensch durch die „Begierde" bestimmt und bedroht ist; er ist „begierig nach Bösem" (10, 6). Die *Begierde* ist das tiefe Verlangen, das brennende Interesse des Menschen an der Sicherung und Erfüllung seines Lebens – negativ in der Form der (mißtrauischen) Selbstsicherung und der „autonomen" Lebensplanung. Die Sakramente des Gottesvolkes verdichten realsymbolisch die Erfahrung des Gottesvolkes, daß es – und die Einzelnen in ihm – von der freien Güte Gottes lebt, die das ganze Vertrauen verdient, und daß sich das Leben jedes Menschen darin erfüllen kann, daß es sich an der Geschichte Gottes mit seinem Volk (und darin mit der Welt) beteiligen und dafür „ernähren" läßt.

Paulus stellt den Korinthern in 1 Kor 10, 6–11 fünf negative Beispiele vor Augen, die zeigen, wie die Väter auf dem Weg des Unglaubens und der Überheblichkeit abgeglitten sind: als Götzendiener, die nicht die Speise Jahwes suchten und sich nicht an seinem Willen vergnügten, sondern am „Goldenen Kalb"; als Hurer, als Versucher Jahwes und Murrer gegen seine Führung. Paulus, der erneut betont, daß den Vätern „dies exemplarisch widerfahren" ist, sieht die Gemeinde in Korinth, die zur messianischen Generation derer gehört, „auf die das Ende der Zeiten gekommen ist" (10, 11), von ähnlichen Gefahren bedroht: Die heidnischen Opfermähler mit den zugehörigen Gelagen und sexuellen Ausschweifungen in der Folge locken wie das „Goldene Kalb", und der Zweifel an Gottes Güte, die in der Gemeinde jedes Mitglied konkret erreicht, kann sich im „Murren" gegen den Apostel oder seine Vertrauten, die Verantwortlichen in der korinthischen Gemeinde, artikulieren.

Paulus weiß: Die vitalen Triebe des Menschen, die der Erhaltung und Fortpflanzung seines Lebens dienen, verkehren sich – werden sie nicht geordnet nach dem Maß des Schöpfungsgemäßen – zu lebensfeindlichen, die Gemeinschaft zersetzenden Begierden. Überheblichkeit, als könne man davon nicht angefochten werden, hält Paulus für Leichtsinn: „Wer glaubt zu stehen, sehe zu, daß er nicht falle" (10, 12). Paulus stimmt der Auffassung nicht zu, die Sakramente böten Schutz genug gegen die Versuchungen heidnischen Götzendienstes. Daß sich Gemeindemitglieder solchen Versuchungen ausgesetzt und sich noch nicht zugrunde gerichtet haben, bucht Paulus auf das Konto der Treue Gottes, der sie durch die Gemeinde bislang gehalten hat. Zum „Ende der Zeiten" (10, 11) gehören nach der Vorstellung der frühjüdischen Apokalyptik auch „übermenschliche Versuchungen"; Gottes Treue erfahren die Christen darin, daß er sie ihnen erspart: „Er wird nicht zulassen, daß ihr versucht werdet über euer Vermögen hinaus" (10, 13). Er schafft einen Ausweg – konkret durch die briefliche Mahnung des Apostels, der endlich – nach langer Vorbereitung – zum Kern seiner Sorge vorstößt: „Deshalb, meine Geliebten, flieht vor dem Götzendienst" (10, 14).

Paulus appelliert an die Einsicht und Urteilsfähigkeit der Gemeindemitglieder in Korinth; sie wissen aus der Eucharistiekatechese, daß der Genuß der eucharistischen Gaben, des Bechers und des Brotes, „Teilhabe" am Leib und Blut des Messias, personale „Gemeinschaft" mit ihm in seinem neuen „Leib", der Gemeinde, vermittelt. Auch die Opfer in Israel machten die Teilnehmer am Opfermahl zu „Teilhabern am Altar" (10, 18). Wenn in der Gemeinde die „vielen" „ein Leib" geworden sind, können sie sich nicht ungestraft, ohne Gefahr der Zersetzung ihrer Gemeinschaft und ohne Widerspruch zu deren verbindlich-freier Lebensform, an dem „Tisch der Dämonen" zerstreuen. Die Teilhabe am Herrenmahl in der Gemeinde und an den heidnischen Opfermahlzeiten ist für Paulus nicht deshalb unvereinbar, weil er „Götzenopferfleisch" eine besondere Qualität zuerkennen oder „Götzen" eine wirkliche Existenz zubilligen würde, wo sie doch „Nichtse" sind. Die Heiden opfern aber „den Dämonen", also widergöttlichen Mächten, deren Existenz für Paulus evident ist durch die Versklavung von Menschen an die Dämonen. Paulus sieht diejenigen, die mit den Heiden an Götzenopfermahlzeiten teilnehmen, in Gefahr, mit den Dämonen Gemeinschaft einzugehen, „Teilhaber der Dämonen" zu werden (10, 20). Der *Libations*becher im heidnischen Kult, „der Becher der Dämonen", und der Mahltisch der Götzenopfermahlzeiten, „der Tisch der Dämonen", hat für das Denken der Heiden die Qualität, daß er Gemeinschaft mit ihren Gottheiten vermittelt; der Christ, der durch den „Becher des Herrn" und den „Tisch des Herrn" Gemeinschaft mit dem wahren Gott und seinem Christus in der neuen Gemeinschaft der Kirche erhält, kann nicht gleichzeitig Gemeinschaft mit Personen, Institutionen und religiösen Kräften eingehen, welche der im Gottesvolk gestifteten Gemeinschaft widersprechen und sie gefährden. Der Hinweis auf die „Eifersucht" Gottes, die doch stärker ist als die Menschen, erinnert an den Beginn der Ausführungen: Gott läßt nicht mit sich spielen, er wacht eifersüchtig über seinem Volk, das er sich nicht zerstören lassen wird.

Die Lebensform der Kirche, so sieht es Paulus, bedarf der Entschiedenheit aller Gemeindemitglieder, welche die ihnen geschenkte Unterscheidung zwischen Gott und den Göttern, dem messianischen Herrn und den Dämonen, dem Sakrament und einem magischen Ritus, befreiender Gemeinschaft und sklavischer Hörigkeit, der Sicherheit des Vertrauens und mißtrauischer Selbstsicherung, mit ihrer erleuchteten Einsicht und Urteilskraft auch praktisch durchtragen. Wer „am Tisch der Dämonen", der in jeder Zeit neu aufgestellt wird, sitzt, kann nicht „am Tisch des Herrn" dem Aufbau und der Sammlung seines Volkes dienen; indem er „sich zerstreut", zerstreut er, statt zu sammeln. Die Lebensform der Gemeinde ist sammelnde Lebensform, befreiende Lebensform.

6. Rücksicht beim Genuß von Götzenopferfleisch
(10, 23 – 11, 1)

Wie beim Thema „Unzucht" greift Paulus beim Thema „Götzendienst" – auch wegen der engen Verknüpfung der beiden Themen – die Parole der Korinther auf: „Alles ist erlaubt"; über die erste Korrektur, daß „nicht alles nützt", hinaus korrigiert Paulus jetzt: „aber nicht alles baut (die Gemeinde) auf!" (10, 23). Den Aufbau der Gemeinde und ihrer befreienden Lebensform bewirkt nur die Agape, die Bruderliebe, die nicht bis zu den äußersten Grenzen des womöglich Erlaubten „das Seine zu suchen" anleitet, sondern „das des Anderen (10, 24).

Bei der Schlichtung des Antiochenischen Streits (vgl. Gal 2, 11 ff) durch die Jakobsklauseln in Jerusalem war der Genuß von Götzenopferfleisch untersagt worden (Apg 15, 29). Ob Paulus, der nach dem Streit mit Petrus und Barnabas von Antiochien aus zu seiner selbständigen Mission aufgebrochen war, in seinen Gemeinden das „Aposteldekret" durchführte, ist ungewiß, eher unwahrscheinlich; es war ja an die Gemeinde Antiochien und die Gemeinden in Syrien und Zilizien gerichtet. Der Sachfrage, ob Christen Fleisch, das zuvor in den Tempeln den Göttern geopfert und dann auf dem Markt verkauft worden war, essen dürften – den Juden war dies verboten – mußte sich Paulus aber deshalb stellen, weil in seinen Gemeinden ehemalige Juden und ehemalige Heiden zusammen lebten. Sollten die Judenchristen gegen ihr Gewissen zu einer neuen Praxis übergehen? Und sollten die Heidenchristen, die bislang bedenkenlos auf dem Markt Fleisch gekauft hatten, anfangen nachzuforschen, ob das Fleisch aus den Tempeln in Korinth stammte?

Paulus steuert in der Frage des Genusses von Götzenopferfleisch, die eine Gemeinde spalten konnte, eine praktikable, aufgeklärte und zugleich von der Agape diktierte Lösung an: Skrupulöses Nachfragen beim Fleischkauf auf dem Markt wie bei Einladungen in Häusern von Heiden ist überflüssig und unangebracht. Paulus behauptet *nicht*, daß Götzenopferfleisch „etwas ist" (10, 9). Paulus zitiert Ps 24, 1 zum Beweis dafür, daß die Fülle der Erde, von welcher die Menschen leben, Gott (und nicht den Götzen) gehört, der sie seiner Kreatur zum Leben geschenkt hat.

Paulus kennt aber auch zwei Situationen, in denen der Verzicht auf den Genuß von „Götzenopferfleisch" geboten sein kann: Wenn bei der Einladung in das Haus eines Ungläubigen der heidnische Gastgeber oder ein heidnischer Gast den Christen aufmerksam macht: „Das ist Opferfleisch", dann ist es richtig, die Unterscheidung zu üben – und zwar um der Heiden willen, die keinen Zweifel daran haben sollen, daß die Christen eine unterscheidende Lebensform haben, die aus der Versklavung an die Götter, denen sie nicht opfern, herausführt. Auch wenn das Gewissen eines Bruders aus der Gemeinde verletzt wird, der den Genuß von Götzenopferfleisch für verboten hält und weiß, daß das zum Verzehr angebotene Fleisch Opferfleisch ist, soll man auf den Genuß verzichten.

Paulus weiß freilich, daß die „Schwachen" mit ihrer Berufung auf ihr Gewissen die „Starken" in der Gemeinde auch skrupulös tyrannisieren können. Er räumt anderen nicht das Gewissensurteil über die eigene Freiheit ein. Überdies meint er, auch der Gewissensschwächere könne einsehen, daß mit dem Dankgebet bei Tisch alle Gaben geheiligt seien.

Paulus schließt das Gesamtthema ab, indem er auf generelle Richtlinien für die Lebensform der Christen eingeht. Das letzte Kriterium für ihr Tun und Lassen lautet: „Tut alles zur Ehre Gottes" (10,31). Weder die Verletzung eines schwachen noch die Einengung eines starken Gewissens dient der Ehre Gottes, der den Menschen die Vernunft gegeben *und* sie in der Gemeinde liebesfähig gemacht hat. Weil Gott sich in der Gemeinde auf die Menschen verschiedenster Herkunft eingelassen hat, braucht niemand einem anderen zum Anstoß zu werden, der Jude nicht dem Juden oder dem Griechen, der Heidenchrist nicht dem Heidenchristen oder dem Judenchristen. Solche „Skandale", solche Stolpersteine würden das Wachstum der Gemeinde hindern und darüber hinaus auch der universalen „Gemeinde Gottes" ein Anstoß sein. Wie die einzelnen Gemeindemitglieder in ihrer Gemeinde, möchte Paulus ebenso alle Gemeinden miteinander verbunden wissen – in derselben, von der Agape, der Zuneigung zum Bruder, bestimmten Lebensform.

Paulus, der Apostel, kann auf sich selbst verweisen, daß er „in allem allen zu gefallen sucht" (10,33); im vierten Brief (9,19–23) wird er diesen Hinweis genauer ausfalten. Der Apo-

stel sucht nicht seinen Nutzen, er fragt stets, was den „vielen",
die in der Gemeinde „ein Leib" (10,17) werden sollen, nützt,
den „Vielen", für die der Messias Jesus gestorben ist. Der Apostel, der das Evangelium, das jeden Glaubensbruder rettet, verkündigt, darf nichts tun, was den Hörern den Blick auf den Ort
ihrer Rettung verstellt. Darin ist er ein „Nachahmer" des Christus, und er erwartet, daß die Christen in Korinth seine „Nachahmer" werden (11,1). Er knüpft an eine Mahnung seines
ersten Briefes, des „Vorbriefes" an (vgl. 4,16).

7. Die Kopfbedeckung der Frauen im Gottesdienst (11,2–16)

Paulus hat während der anderthalb Jahre, die er in Korinth gewirkt hat, der entstehenden Gemeinde für ihre Lebensform
„Überlieferungen überliefert"; er hat erfahren, daß die Gemeinde an diesen Überlieferungen festhält und so „in allem"
an ihren Apostel denkt. Die formelle *captatio benevolentiae* in
11,2 dient Paulus dazu, ein offenbar ungelöstes Problem anzu-
sprechen, über das sich die Gemeinde in Korinth nicht einig ist
und über das sie vom Apostel keine „Tradition" empfangen
hatte. Wie sollen die Frauen – im Unterschied zu den Männern
– im Gottesdienst ihr Haar tragen?
  Es entspricht jüdischer Tradition, daß die Lebensform der
Gemeinde bis in Einzelheiten hinein geregelt wird; nichts ist
nebensächlich, nichts unwichtig, zumal nicht, wenn es um das
Aussehen von Männern und Frauen und um ihre Beziehung
geht. Da Paulus sich mit Andeutungen begnügt und in der Antike die Sitten betreffs Haartracht und Kopfbedeckung sehr
unterschiedlich waren, können wir nicht mehr eindeutig re-
konstruieren, worum es damals in Korinth ging. Deutlich
scheint nur zu sein: Es geht um Frauen, die beim Gebet oder
der prophetischen Rede in der Versammlung ihr Haupt entblößt haben. Paulus möchte – wie er es meistens tut – die praktischen Fragen von theologischen Grundsätzen her lösen;
deshalb teilt er zunächst eine Ordnung mit, nach der die Frau
den Mann zum „Haupt" hat (11,3). Paulus erläutert diese Ordnung später mit Anspielungen auf den Schöpfungsbericht Gen
1–2: Der Mann „existiert als Abbild und Abglanz Gottes, die
Frau aber ist Abglanz des Mannes" (11,7). Eva stammte ja

nach Gen 2 von Adam, aus dessen Rippe – entgegen der sonstigen Naturordnung, in der jeder Mensch eine Mutter hat; und Eva war Adam „zur Hilfe" (Gen 2, 18) „um des Mannes willen" geschaffen worden (11, 8 f).

Paulus bedient sich jüdisch-patriarchalischer Theologie, um zu begründen, daß die Männer in der Versammlung ihr Haupt nicht bedecken, die Frauen aber ihr Haar bedecken sollen. Darüber hinaus bedient er sich einer Reihe von Hilfsargumenten: Gelöstes, offenes Haar tragen Dirnen; Kahlgeschorensein gilt als Schande. Vielleicht setzt Paulus auch voraus, daß zu langes Haupthaar beim Mann den Verdacht auf Homosexualität nahelegte. Das „Vollmachtszeichen" (11, 10) auf dem Haupt der Frau ist ein Schleier oder ihre geordnete Haartracht selbst; gemeint ist vielleicht: Das ehrbare Auftreten der Frau schützt sie vor dämonischen Mächten; „wegen der Engel" ist vielleicht eine Anspielung auf den Engelfall, wie er in Gen 6 beschrieben ist.

Während Paulus diese Passage des „Zwischenbriefes" diktierte, merkte er wohl, daß seine theologische Begründung einer Sitte nicht nur schwach, sondern auch gefährlich mißverständlich war. Deshalb korrigiert er: „Ansonsten: Weder gilt die Frau etwas unabhängig vom Mann, noch der Mann unabhängig von der Frau im Herrn" (11, 11). Paulus möchte nicht, daß aus der schöpfungstheologischen Nachordnung der Frau falsche Konsequenzen gezogen werden, vor allem nicht in Richtung einer Aufhebung der Gleichstellung von Mann und Frau „im Herrn", d. h. in der Gemeinde. Paulus stellt nun neben Adam, von dem Eva stammt, jeden Mann, der „durch die Frau existiert", und relativiert jeden Vorzug des Geschlechts: „alles aber stammt von Gott!" (11, 12).

Paulus geht schließlich zu einer untheologischen Begründung dafür über, „daß der Mann, wenn er lange Haare trägt, es eine Schande für ihn ist, die Frau aber, wenn sie lange Haare trägt, es eine Ehre für sie ist": „Urteilt selber!... Lehrt euch nicht die Natur selber?" (11, 13–15). Und am Ende möchte er jede Diskussion autoritativ beenden: „Wir haben einen solchen Brauch nicht und auch die Gemeinden Gottes nicht" (11, 16). Die Frage „der richtigen Haartracht wird aus apostolischer Vollmacht und aus dem *consensus ecclesiae* heraus entschieden" *(H. -J. Klauck)*. Für Paulus ist das Problem wichtig genug, daß er auf die Übereinstimmung der Gemeinden in diesem Detail ihrer Lebensform achtet. Warum? Wahrscheinlich haben Gemeindemitglieder in Korinth gemeint, die Gleichstellung von Mann und Frau in der Gemeinde (vgl. Gal 3,28) erlaube die Verwischung des Unterschieds von Mann und Frau in ihrer äußeren Erscheinung: Der Mann dürfe langes Haar wie die Frau tragen, die Frau offenes Haar. Die Korinther liefen Gefahr, die Befreiung in der Gemeinde mit der Emanzipation von überkommenen Traditionen, hergebrachter Sitte zu verwechseln. Geschlechtsspezifisches Brauchtum in der Kleidung und Haartracht von Mann und Frau gilt Paulus aber nicht als etwas Belangloses, sondern für die Ordnung der Gemeinde und ihres Gottesdienstes Wichtiges. Freilich tut der Apostel sich schwer – und das entspricht dem Sachproblem –, die Identität einer bestimmten Form von Kleidung oder Haartracht zu begründen. Aber daß er sich überhaupt auf solche Fragen eingelassen hat, spricht nicht gegen ihn, sondern für ihn.

8. Die geordnete Feier des Herrenmahls (11,17–34)

Da Paulus schon Anordnungen für die gottesdienstliche Lebensform der Gemeinde gibt, kommt er nun auch auf einen krassen Mißstand zu sprechen, von dem er gehört hat und den er natürlich nicht loben kann. Es geht um das „Zusammenkommen" (11,17f) in der Gemeindeversammlung, das „Zusammenkommen an einem Ort" zur Feier des „Herrenmahls" (11,20). Paulus hat gehört, daß es bei diesen Feiern, bei denen die Einheit der Vielen real zur Darstellung kommen müßte, „Spaltungen" und „Parteiungen" existieren. Diese sind anderer Art als die im „Vorbrief" gerügten, und Paulus räumt nun auch ein, es müsse sie geben, „damit die Bewährten unter euch offenkundig werden" (11,19), diejenigen, die sich mit solcher Schändung der Gemeinde nicht abfinden und Abhilfe schaffen. Paulus denkt die Situation vom vorgreifenden Gericht Gottes her; die soziale Desintegration richtet in der Gemeinde auch einzelne zugrunde: „Deshalb gibt es unter euch viele Schwache und Kranke, und einige sind entschlafen" (11,30).
    Die Feier des Herrenmahls war in Korinth zweifellos noch

mit einer Sättigungsmahlzeit verbunden, an deren Ende die sakramentale Doppelhandlung stattfand. Die Gemeinde versammelte sich am Sonntagabend (vgl. 16,2), wohl in den Häusern der wohlhabenden Gemeindemitglieder, die größere Räume zur Verfügung stellen konnten. Die Wohlhabenden, die zeitiger kommen können und auch die Mahlvorräte mitbringen, sind offenbar dazu übergegangen, ihr eigenes Mahl schon vorauszunehmen – auch auf die Gefahr hin, daß die später Kommenden hungern mußten: „der eine hungert, der andere hingegen ist betrunken" (11,21). Sklaven und Lohnarbeiter – der Sonntag war ja noch kein Feiertag – konnten erst später kommen, und mitunter waren diejenigen, die schon zu essen und zu trinken begonnen hatten, bereits „betrunken". Paulus brandmarkt solches Verhalten als Skandal, als „Verachtung der Gemeinde Gottes" und „Demütigung von Habenichtsen" (11,22). Eine solche Veranstaltung, bei der Klassengegensätze aufbrechen, statt überwunden zu werden, nennt Paulus nicht mehr „Herrenmahl essen" (11,20). Man kann nicht die Ärmeren, die arbeiten müssen, mit den eucharistischen Gaben „abspeisen", wenn doch die „Gemeinde Gottes" als der „Leib Christi" ein sozialer Organismus ist und wenn doch gemäß der Überlieferung die Herrenmahlfeier Verkündigung des Todes des Herrn sein soll, der die Vielen zur einen Gemeinde eint.

Paulus zitiert, um die Korinther an den ursprünglichen Sinn der Herrenmahlfeier zu erinnern, den von ihm schon aus der Tradition der Urgemeinde übernommenen Einsetzungsbericht in dessen kultätiologisch-liturgischer Form*. Die Kultätiologie – die Erzählungen vom letzten Mahl Jesu in den Evangelien unterscheiden sich davon – begründet und normiert den liturgischen Vollzug. Paulus erwartet wohl, daß die eucharistischen Handlungen, der Brot- und Becherritus, das Sättigungsmahl rahmen; dann ist davon niemand mehr ausgeschlossen, wie niemand, der würdig ist, vom Herrenmahl ausgeschlossen ist. Paulus erwartet, daß alle in der Gemeinde, wenn sie zum Essen zusammenkommen, aufeinander warten (11,33). Wer Hunger hat, soll lieber zuvor zu Hause schon essen und trinken (11,22.34). Wenn die Gemeindemitglieder nicht aufeinander

---

* Vgl. R. *Pesch*, Das Abendmahl und Jesu Todesverständnis (Quaestiones disputatae 80) (Freiburg i. Br. 1978).

warten und das Sättigungsmahl nicht vom Herrenmahl mit seinen eucharistisch-symbolischen Gaben unterscheiden, essen und trinken sie „unwürdig", den Gaben, die Jesu Heilsgabe präsent halten, unangemessen; schuldig macht sich jeder, der das „für euch" der Heilstat Christi nicht übernimmt und in der Gemeinde konkret übersetzt, jeder, der das Herren- und Gemeindemahl zum „eigenen Mahl" („für sich") pervertiert. Wer die Mitfeiernden aus dem Blick verliert, die Brüder, für die der Herr in der Nacht, in der er ausgeliefert wurde, in den Tod gegangen ist, hat sich nicht selbst geprüft und als einen Bruder unter Brüdern verstanden. Wer „sein eigenes Mahl" hält, „unterscheidet den Leib nicht" (11,23) – weder die eucharistischen Gaben noch den Leib der Gemeinde! Und dieser Verlust der Unterscheidung zieht infolge der sozialen Desintegration Krankheit und Tod nach sich. Paulus erwartet, daß die Gemeinde diese Folgen als Erziehungsmittel Gottes begreift: Zur Umkehr, „damit wir nicht mit der Welt verurteilt werden" (11,32).

Das Ringen des Apostels um die Lebensform der Kirche erweist sich gerade im Abschnitt, der von der Herrenmahlfeier handelt, als ein Ringen um die Gemeinde als eine wahre, neue Gemeinschaft, eine sozial integrierte Gesellschaft, einen gesellschaftlichen Organismus, von dessen Gesundheit auch die leibliche Gesundheit oder Krankheit von Gemeindemitgliedern, ja deren Leben und Tod abhängen. Weit entfernt davon, einer Sakramentsmagie zuzuneigen oder einen falschen Zusammenhang von Schuld und Krankheit zu konstruieren, spricht Paulus die Erfahrung aus, daß der Heilsraum des Gottesvolkes unteilbar ist; jede Teilung (spirituell – materiell) oder Klassenbildung (arm – reich) wirkt sich verhängnisvoll aus und könnte gerade von der Herrenmahlfeier her, der Proexistenz des Messias her, die in der Agape unter den Brüdern übernommen wird, real überwunden werden.

Paulus, der schon im „Vorbrief" seinen Besuch in Korinth in Aussicht gestellt hatte, geht weiter davon aus, daß er in absehbarer Zeit kommen wird. Deshalb beschließt er seinen Brief mit der Ankündigung: „Das Übrige werde ich anordnen, wenn ich komme" (11,34). Vermutlich hat er noch Grüße nach Korinth übermittelt und dann den „Zwischenbrief" mit einem Segenswunsch abgeschlossen.

VI.
Der dritte Brief „an die Gemeinde Gottes, die in Korinth ist" – Der „Auferstehungsbrief"

Im „Zwischenbrief" hatte Paulus seine Mahnungen gegen die Unzucht u. a. damit begründet, daß er den Korinthern klarzumachen versuchte, der Leib des Menschen sei nichts Nebensächliches, er gehöre wesentlich zum Menschsein. Der Mensch in seiner leibhaftigen Personalität gehöre als Christ „dem Herrn"; und Jesus Christus, dieser von Gott der Gemeinde gegebene „Herr", steht auch „für den Leib" ein, weil die Erlösung ein leibhaftiges Geschehen ist. Paulus steigerte schließlich: „Gott aber hat den Herrn auferweckt und wird auch uns auferwecken durch seine Kraft" (6,14).

Mit diesem Satz scheint Paulus bei einigen – am ehesten neuen, erst nach dem Weggang des Paulus von Korinth bekehrten – Gemeindemitgliedern auf skeptische Ablehnung gestoßen zu sein. Paulus fragt in 1 Kor 15,12: „Wieso sagen einige unter euch: ‚Eine Auferstehung der Toten gibt es nicht'?" Paulus sieht durch eine solche Ablehnung seiner Verkündigung nicht nur seine Missionsbemühung, sondern auch den Glaubensstand der Gemeinde bedroht.

Überdies scheint sich die Leugnung der Auferstehungshoffnung in Korinth mit einem Zweifel am Apostolat des Paulus verbunden zu haben, jener „Mißgeburt" (15,8), wie man wohl schimpfte, die „die Gemeinde Gottes verfolgt" (15,9)hatte. War Paulus überhaupt „würdig, Apostel gerufen zu werden" (15,9)? Konnte man sich auf sein Evangelium verlassen?

Wir wissen nicht, wer die entsprechenden Nachrichten nach Ephesus brachte; Paulus war jedenfalls – ähnlich wie durch die Nachrichten aus den galatischen Gemeinden, wie der Galaterbrief zeigt, sehr beunruhigt, ja alarmiert. Als Apostel sieht er sich zu einer *Apologie,* einer Verteidigung seines Apostolats und seines Evangeliums gezwungen. Und er tut es, indem er –

wie schon einmal im „Vorbrief", als er sich mit den Parteiungen in der korinthischen Gemeinde auseinandersetzen mußte – zur rhetorischen Form einer apologetischen Rede greift.

Wie wir nicht wissen, von wem Paulus über die Auferstehungsleugner und die Kritiker seines Apostolats unterrichtet wurde, so wenig wissen wir, wen der Apostel als Briefboten nach Korinth gesandt hat.

Falls Titus schon, bevor Paulus den „Antwortbrief" schrieb, in Korinth war, um die Kollekte für die Jerusalemer in Gang zu setzen, könnte er bei seiner ersten Reise nach Korinth den „Auferstehungsbrief" mitgenommen haben. Ob er noch im Herbst des Jahres 53 n. Chr. nach Korinth gelangte, wissen wir nicht, doch ist dieses Datum, blickt man auf den weiteren Verlauf des Ringens des Paulus mit der Gemeinde in Korinth, das wahrscheinlichste.

1. Der Text

[Präskript]
[Briefeingang]

Eröffnung der Apologie (exordium)

15, 1 Ich erinnere euch aber, Brüder, an das Evangelium,
   das ich euch gefrohbotschaftet habe,
   das ihr auch angenommen habt,
   in dem ihr auch feststeht,
  2 durch das ihr auch gerettet werdet,
   wenn ihr es festhaltet in dem Wortlaut,
   in dem ich es euch gefrohbotschaftet habe –
   es sei denn, ihr wäret vergeblich zum Glauben
   gekommen.

Bericht (narratio)

  3 Ich habe euch nämlich vor allem überliefert,
   was auch ich übernommen habe:
   „Christus ist gestorben für unsere Sünden
     gemäß den Schriften,

15,4 und ist begraben worden;
und er ist auferstanden am dritten Tag
gemäß den Schriften,

5 und ist erschienen
dem Kefas, dann den Zwölfen."

6 Darauf erschien er mehr als fünfhundert Brüdern auf
einmal, von denen die meisten bis jetzt (am Leben)
blieben, einige aber entschlafen sind.

7 Darauf erschien er dem Jakobus,
dann allen Aposteln.

8 Als letzten aber von allen, wie einer Mißgeburt,
erschien er auch mir.

9 Denn ich bin der geringste der Apostel,
der ich nicht würdig bin,
Apostel gerufen zu werden,
weil ich die Gemeinde Gottes verfolgt habe.

10 Durch die Gnade Gottes aber bin ich, was ich bin,
und seine Gnade für mich ist nicht umsonst gewesen,
sondern mehr als sie alle habe ich mich abgemüht,
nicht ich, sondern die Gnade Gottes in mir.

11 Ob nun ich oder ob nun jene –
so verkündigen wir
und so seid ihr alle zum Glauben gekommen.

Beweisführung (probatio)

12 Wenn aber verkündigt wird,
daß der Christus von den Toten auferstanden ist,
wieso sagen dann einige unter euch:
„Eine Auferstehung der Toten gibt es nicht"?

13 Wenn es keine Auferstehung der Toten gibt,
ist auch Christus nicht auferstanden.

14 Wenn aber Christus nicht auferstanden ist,
ist unsere Verkündigung nichtig,
nichtig ist auch euer Glaube.

15 Wir würden aber auch als Falschzeugen Gottes
erfunden werden, weil wir gegen Gott bezeugt hätten,
er habe den Christus auferweckt,
den er nicht auferweckte,
da ja die Toten nicht auferstehen!

15,16 Denn wenn die Toten nicht auferstehen,
wurde auch Christus nicht auferweckt.

17 Wenn aber Christus nicht auferweckt wurde,
ist euer Glaube fadenscheinig,
ihr seid noch in euren Sünden.

18 Folglich sind auch die in Christus Entschlafenen
verloren.

19 Wenn wir in diesem Leben allein auf Christus
unsere Hoffnung setzten,
wären wir erbärmlicher daran als alle Menschen.

20 Jetzt aber ist Christus von den Toten
auferweckt worden, als Erstling der Entschlafenen.

21 Da nämlich durch einen Menschen der Tod (kam),
(kam) auch durch einen Menschen
die Auferstehung der Toten.

22 Denn wie in Adam alle sterben, so werden
auch in Christus alle lebendig gemacht werden.

23 Jeder aber gemäß der ihm eigenen Reihenfolge:
Als Erstling Christus,
darauf die zu Christus Gehörigen
bei seiner Parusie.

24 Dann das Ende,
wenn er die Herrschaft Gott, dem Vater, übergibt,
wenn er vernichtet hat jede Macht
und jede Gewalt und Kraft.

25 Denn er muß herrschen,
bis er alle Feinde unter seine Füße gelegt hat.

26 Als letzter Feind wird der Tod vernichtet.

27 Denn alles hat er unter seine Füße unterworfen.
Wenn es aber heißt,
daß ihm alles unterworfen ist,
ist klar, daß der ausgenommen ist,
der ihm alles unterwirft.

28 Wenn ihm aber alles unterworfen ist,
dann wird auch der Sohn selbst
sich dem unterwerfen, der ihm alles unterworfen hat,
damit Gott alles in allem sei.

15,29 Ansonsten,
      wozu lassen sich einige für die Toten taufen?
      Wenn doch Tote überhaupt nicht auferweckt werden,
      wozu lassen sie sich für sie taufen?
  30 Warum setzen auch wir uns stündlich Gefahren aus?
  31 Täglich sehe ich dem Tod ins Auge,
      so wahr ihr, Brüder, mein Ruhm seid,
      den ich in Christus Jesus, unserem Herrn, habe.
  32 Wenn ich – wie man so sagt – mit wilden Tieren
      gekämpft habe in Ephesus,
      was habe ich für einen Nutzen davon?
      Wenn Tote nicht auferweckt werden:
      „Laßt uns essen und trinken,
      denn morgen werden wir sterben!"
  33 Laßt euch nicht irreführen!
      Schlechter Umgang verdirbt gute Sitten!
  34 Werdet nüchtern auf rechte Weise
      und sündigt nicht!
      Denn einige leiden an Unkenntnis Gottes!
      Zur Beschämung sage ich euch das.

Hinweis auf Konsequenzen (refutatio)

  35 Doch wird einer sagen:
      „Wie werden die Toten auferweckt?
      Mit welchem Leib kommen sie?"
  36 Du Tor,
      was du säst,
      wird nicht lebendig gemacht,
      wenn es nicht stirbt!
  37 Und was du säst,
      es ist nicht der künftige Leib, den du säst,
      sondern ein nacktes Samenkorn,
      etwa ein Weizenkorn oder ein anderes.
  38 Gott aber gibt ihm einen Leib, wie er wollte,
      und einem jeden der Samen einen eigenen Leib.

15,39 Nicht jeder Körper ist derselbe Körper,
vielmehr ein anderer ist der von Menschen,
ein anderer der Körper der Landtiere,
ein anderer der Körper der Vögel,
ein anderer der der Fische.
40 Es gibt himmlische Leiber
und irdische Leiber.
Doch ist der Glanz der himmlischen ein anderer,
ein anderer auch der der irdischen.
41 Anders ist der Glanz der Sonne,
und anders der Glanz des Mondes,
und anders der Glanz der Sterne.
Denn ein Stern unterscheidet sich vom anderen
durch den Glanz.

42 So ist es auch mit der Auferstehung der Toten.
Gesät wird in Vergänglichkeit,
auferweckt wird in Unvergänglichkeit.
43 Gesät wird in Unehre,
auferweckt wird in Herrlichkeit.
Gesät wird in Schwachheit,
auferweckt wird in Kraft.
44 Gesät wird ein beseelter Leib,
auferweckt wird ein pneumatischer Leib.
Wenn es einen beseelten Leib gibt,
gibt es auch einen pneumatischen.
45 So steht auch geschrieben:
„Es ward der erste Mensch, Adam,
zu einem lebendigen Wesen."
Der letzte Adam zu lebendigmachendem Geist.
46 Doch ist nicht zuerst das Pneumatische,
sondern das Seelische,
danach das Pneumatische.
47 Der erste Mensch stammt als erdgebundener
von der Erde, der zweite Mensch vom Himmel.
48 Wie der Erdgebundene, sind auch die Erdgebundenen,
und wie der Himmlische, so auch die Himmlischen.

15,49 Und wie wir das Bild des Erdgebundenen getragen
       haben, werden wir auch das Bild des Himmlischen
       tragen.

       Zweites Plädoyer (peroratio II)

   50 Dies aber sage ich, Brüder:
       Fleisch und Blut
       können das Reich Gottes nicht erben!
       Auch wird die Vergänglichkeit
       nicht die Unvergänglichkeit erben!
   51 Siehe, ich sage euch ein Geheimnis.
       Alle werden wir nicht entschlafen,
       alle aber werden wir verwandelt werden,
   52 in einem Nu, in einem Augenblick,
       bei der letzten Posaune.
       Denn sie wird posaunen,
       und die Toten werden als Unvergängliche auferste-
       hen, und wir werden verwandelt werden.
   53 Denn dieses Vergängliche
       muß Unvergänglichkeit anziehen,
       und dieses Sterbliche
       (muß) Unsterblichkeit anziehen.
   54 Wenn aber dieses Vergängliche
       Unvergänglichkeit angezogen
       und dieses Sterbliche
       Unsterblichkeit angezogen hat,
       dann geschieht das Wort, das geschrieben steht:
       „Verschlungen wurde der Tod vom Sieg.
   55 Wo, Tod, ist dein Sieg?
       Wo, Tod, ist dein Stachel?"
   56 Der Stachel des Todes aber ist die Sünde,
       die Kraft der Sünde aber das Gesetz.
   57 Gott aber sei Dank,
       der uns den Sieg gibt
       durch unseren Herrn Jesus Christus.

15,58 Daher, meine geliebten Brüder,
       werdet standhaft und unerschütterlich,
       hervorragend im Werk des Herrn allezeit,
       wissend,
       daß eure Mühe im Herrn nicht vergeblich ist.

2. Bemerkungen zum Text und zum Aufbau des Briefes

Vom Text des dritten Briefes, den Paulus nach Korinth schickte, ist uns nur der Hauptteil erhalten. Wie der Briefeingang ausgesehen haben könnte, kann man sich am ehesten anhand des Eingangs des Galaterbriefs vorstellen, wo Paulus das Präskript erweitert und an die Stelle der Danksagung eine polemische Passage treten läßt: „Paulus, Apostel, nicht von Menschen, auch nicht durch einen Menschen, sondern durch Jesus Christus und Gott, den Vater, der ihn von den Toten auferweckt hat..." (Gal 1,1). Vielleicht hat Paulus auch im nach Korinth gerichteten „Auferstehungsbrief" schon im Briefeingang ein Bekenntnis zur Auferweckung Jesu Christi benutzt. Genausogut kann man sich vorstellen, daß er – wie im Eingang des Galaterbriefs – dann sein Erstaunen darüber zum Ausdruck brachte, daß Auferstehungsleugner in Korinth ein anderes Evangelium verkündigten. In Gal 1,6–10 heißt es: „Ich bin erstaunt, daß ihr euch so schnell von dem abwendet, der euch durch die Gnade Christi berufen hat, und daß ihr euch einem anderen Evangelium zuwendet. Doch es gibt kein anderes Evangelium, es gibt nur einige Leute, die euch verwirren und die das Evangelium Jesu Christi verfälschen wollen. Wer euch aber ein anderes Evangelium verkündigt, als wir euch verkündigt haben, der sei verflucht, auch wenn wir selbst es wären oder ein Engel vom Himmel. Was ich gesagt habe, das sage ich noch einmal: Wer euch ein anderes Evangelium verkündigt, als ihr angenommen habt, der sei verflucht. Geht es mir denn um die Zustimmung der Menschen, oder geht es mir um Gott? Suche ich etwa Menschen zu gefallen? Wollte ich noch den Menschen gefallen, dann wäre ich kein Knecht Christi." Danach fährt Paulus in Gal 1,11 ähnlich fort wie in 1 Kor 15,1: „Ich erinnere euch aber, Brüder, an das Evangelium, das ich euch gefrohbotschaftet habe..."

Vermutlich war der Eingang des Auferstehungsbriefes nicht so heftig polemisch gehalten wie der des Galaterbriefes. Doch wird man sich einen Schuß Polemik vorstellen dürfen, zumal Paulus ja insgesamt eine apologetische Rede einleitet, deren Struktur nun den Aufbau des erhaltenen Textes bestimmt. Die Form der Verteidigungsrede vor Gericht haben wir schon im ersten Brief, dem „Vorbrief", kennengelernt (vgl. oben S. 121–136). Die *Apologie* in 1 Kor 15, 1–58 umfaßt folgende Teile (zwischen Eingang und Briefschluß):

[Präskript]
[Briefeingang]

Apologie:
      exordium (15, 1–2)
      narratio (15, 3–11)
      probatio (15, 12–28)
      peroratio I (15, 29–34)
      refutatio (15, 35–49)
      peroratio II (15, 50–58)

[Grüße]
[Schlußsegen]

3. Die Eröffnung der Apologie: exordium (15, 1–2)

Paulus muß in seiner Apologie gegen eine Leugnung der Auferstehungshoffnung *und* eine Infragestellung seines Apostolats angehen. In der Eröffnung seiner Verteidigungsrede muß er – will er den rhetorischen Regeln genügen – darauf aus sein, seine Leser aufmerksam, wohlwollend und gespannt zu stimmen. Paulus tut das, indem er sich zur Realisierung des *exordiums* der *insinuatio,* der Andeutung, bedient: Was Paulus vorbringen wird, ist einmal eine Erinnerung an seine grundlegende Predigt des Evangeliums, das die Korinther, als sie zum Glauben kamen und sich der in Korinth entstehenden Gemeinde hinzufügen ließen, „auch angenommen" haben und in dem sie – wie der Apostel mit einer *captatio benevolentiae,* die zugleich seine Hoffnung ausdrückt, formuliert hat – „auch feststehen". Was Paulus vorbringen wird, ist allerdings zugleich von allerhöchstem Interesse und allergrößter Bedeutung für die Korinther; denn das Evangelium, das Paulus „gefrohbotschaftet" hat, ist dasjenige, „durch das wir auch gerettet werden", an dem das Heil der zum Glauben Gekommenen hängt!

Paulus deutet darüber hinaus an, daß er als Apostel der Gemeinde den Christen in Korinth das Evangelium sorgfältig überliefert hat, weil es auf dessen Wortlaut – und zwar um seines Inhalts willen – genau ankommt; Rettung gibt es, so deutet Paulus an (auch um das Interesse der Adressaten für das zu wecken, was er noch ausführen wird), nur dann, „wenn ihr das Evangelium festhaltet in dem Wortlaut, in dem ich es euch gefrohbotschaftet habe". Wenn das Evangelium, wenn ein Teil seines Inhalts, auch wenn der Apostel als sein Verkündiger abgelehnt würden, wären diejenigen, die den von Paulus verkündeten Wortlaut der frohen Botschaft nicht wahrhaben wollten, „vergeblich zum Glauben gekommen".

Paulus bedient sich bei der Eröffnung seiner Apologie also der geforderten rhetorischen Mittel: Er macht Andeutungen und sucht die Emotionen seiner Adressaten zu beeinflussen, sie auf die kommenden Ausführungen hin gespannt und geneigt zu machen. Wir dürfen nicht vergessen, daß Paulus erwartete, daß seine Briefe in den Gemeindeversammlungen vorgelesen würden; beim Vorlesen kam die rhetorische Gestaltung stärker zum Zug als für uns beim stillen Lesen.

Der eher zaghafte Beginn der Apologie – Paulus will nichts Neues vorbringen, nur an Bekanntes erinnern – zeigt, daß der Apostel sich der Zustimmung aller in der Gemeinde in Korinth nicht sicher war. Paulus muß kämpfen.

4. Der Bericht zur Sache: narratio (15, 3–11)

Bevor Paulus das Evangelium, dessen Wortlaut und Inhalt und sich selbst als dessen Verkündiger verteidigt, muß er als Verteidigungsredner zunächst einen Bericht zur Sache vorlegen. An die Redeeröffnung, das *exordium,* das er als Insinuation geformt hatte, schließt Paulus eine Begründung ein: „Ich habe euch *nämlich* vor allem überliefert, was auch ich übernommen habe." Damit schafft sich Paulus einen Übergang zur Zitation des Evangeliums und zugleich die Möglichkeit zu betonen, daß seine *Überlieferung*, das Evangelium, in dem Wortlaut seiner Verkündigung nicht eigensinnige Predigt, sondern als *Übernahme* der ältesten Tradition der Predigt aller Apostel entspricht. Das *Evangelium*, das Paulus übernommen und den Korinthern überliefert hat und das die Korinther angenommen haben, steht nicht im Belieben derer, die es übernehmen oder weitergeben; auch der Apostel – der gemäß den Anweisungen der Rhetorik für einen guten *transitus*, den Übergang vom *exordium* zur *narratio*, jede Arroganz meidet – steht mit seinen Adressaten unter dem Evangelium, das auch ihn rettet, wie er durch dessen Predigt seine Hörer retten möchte.

Der Bericht zur Sache, den Paulus vorlegt, entspricht zunächst seiner Ankündigung, daß er die Korinther nur an das Evangelium erinnern werde, das er bei seiner Mission in Korinth gefrohbotschaftet habe. Paulus zitiert – im Wortlaut, den er selbst wohl bei seiner Bekehrung in Damaskus oder etwas später in Jerusalem oder Antiochia schon kennengelernt hatte – das Evangelium vom sühnenden Tod und der Auferstehung des Messias. Der Wortlaut des Zitats reicht entweder von Vers 3 b („Christus ist gestorben…") bis Vers 5 („dann den Zwölfen") oder bis Vers 7 („dann allen Aposteln") ohne Vers 6, wo Paulus jedenfalls nicht mehr zitiert, sondern selbständig anführt, daß von den fünfhundert Brüdern „die meisten bis jetzt am Leben blieben, einige aber entschlafen sind".

Die von Paulus zitierte Glaubensformel enthält in geprägter Kürze, was in der alten Passionsüberlieferung ausführlich erzählt wurde; der Glaube der Christen gründet auf der Geschichte Jesu von Nazareth, des Messias, der den Verheißungen der alttestamentlichen Schriften gemäß „für unsere Sünden", d. h. stellvertretend-sühnend gestorben ist, und zwar einen wirklichen Tod, wie der Hinweis auf sein Begräbnis bestätigt; der christliche Glaube ist Vertrauen auf den Christus, der den biblischen Verheißungen gemäß „am dritten Tag", d. h. zu der Zeit, da Gott rettend an ihm handelte, auferstanden ist, wofür die Zeugen bürgen, denen er „erschienen" ist, die auch durch ihr Zeugnis, durch das Evangelium die Kirche in ihren Gemeinden ins Leben riefen.

Zu diesen Zeugen, den Bürgen des Evangeliums, zählt die

alte Tradition und mit ihr Paulus, zunächst Kefas (= Simon Petrus), dann die Zwölf, die Jesus zu seinen engsten Vertrauten gemacht hatte (aus deren Zahl freilich der Verräter Judas ausgeschieden war, für den vor Pfingsten Matthias nachgewählt wurde); dann fünfhundert Brüder (von denen wir nicht wissen, ob sie in Jerusalem oder Galiläa zu Hause waren), von denen die meisten noch befragt werden können; und schließlich der Herrenbruder Jakobus an der Spitze aller Apostel, aller, die Gesandte des auferstandenen Herrn geworden sind und in seinem Namen und Auftrag missionieren und Gemeinden leiten.

Paulus selbst reiht sich als letzter an diese Kette der Zeugen an; vielleicht greift er ein Schimpfwort auf, mit dem man ihn belegt, und nimmt Einwände gegen seine Person, seine Berufung und Beauftragung, sein Apostolat schon vorweg: Er gleicht „einer Mißgeburt", er ist den Umweg der Christenverfolgung gegangen und ist insofern „der geringste der Apostel". Paulus geht so weit zu sagen, daß er, von sich aus, „nicht würdig" ist, „Apostel gerufen zu werden". In den Bericht zur Sache fließen so schon deutlich apologetische Akzente ein; Paulus selbst weiß, was man ihm vorhalten kann, aber er zeigt, daß sein Apostolat, seine Betrauung mit dem Evangelium, gar nicht seine eigene oder gar eigenmächtige Sache ist, vielmehr: „Durch die Gnade Gottes bin ich, was ich bin" – nämlich Apostel; und an seinem Missionserfolg ist ablesbar, „daß seine Gnade für mich nicht umsonst gewesen" ist. Paulus weiß sich – trotz allem – den Aposteln vor ihm ebenbürtig, ja im Blick auf seine missionarischen Mühen sogar überlegen. Schließlich hält er fest, daß alle Apostel so wie er selbst verkündigen und daß die Korinther aufgrund desselben Evangeliums zum Glauben gekommen sind.

Damit hat sich Paulus die Basis geschaffen, die Auferstehungshoffnung wie sein eigenes Apostolat gegen Leugner und Kritiker in Korinth zu verteidigen. In seinem Bericht hat der Apostel zunächst sachlich referiert, ja zitiert, bis er auf sich selbst zu sprechen kam; von da an wechselte er – rednerisch geschickt – in affektgeladene Aussagen über. Paulus läßt zu, daß auf ihn selbst, auf seine Geschichte kritisch geblickt wird: als auf den Verfolger der „Gemeinde Gottes". Aber er läßt nicht zu, daß Gottes Handeln an ihm, daß seine Berufung zum Apostel diskreditiert wird – und er läßt eine Geringschätzung

seiner missionarischen Mühen, für deren Erfolg die korinthische Gemeinde selbst ein Erweis ist, nicht zu.

5. Die Beweisführung: probatio (15, 12–28)

Zu Beginn seiner Beweisführung rückt Paulus endlich mit dem
strittigen Gegenstand heraus; in Korinth sagen einige: „Eine
Auferstehung der Toten gibt es nicht!" Und Paulus fragt, wie
eine solche Rede auf der Basis des von allen Aposteln verkündigten Evangeliums, „daß der Christus von den Toten auferstanden ist", denn möglich sein kann. Wenn zum Wortlaut des
Evangeliums, wie Paulus es übernommen und überliefert hat
und die Korinther es annahmen und alle Apostel es predigen,
die Aussage gehört, daß der Christus am dritten Tage auferstanden ist, dann ist doch unverständlich, daß Leute, die sich
zur Gemeinde zählen („einige unter euch") eine Auferstehung
der Toten ableugnen.

Paulus führt nun argumentativ den Beweis, daß die Auferstehungsleugner nicht im Recht sein können: Sonst wäre auch
der Messias nicht auferstanden, dann wäre aber die Predigt,
die davon redet, „nichtig" – und folglich der Glaube derer, die
daraufhin glaubten. Die Verkündiger wären falsche Zeugen
und die „in Christus Entschlafenen", die verstorbenen Gemeindemitglieder in Korinth wie die aus der Zahl der 500 Brüder bereits Verstorbenen, wären „verloren". Paulus amplifi-
ziert affektgeladen seinen Beweis, seine Verteidigung des
Auferstehungsglaubens und der ihm entsprechenden Hoffnung: „Wenn wir in diesem Leben allein auf Christus unsere
Hoffnung setzen, wären wir erbärmlicher daran als alle Menschen" (15, 19).

Mit Vers 20 beginnt der positiv beweisende Teil der Apologie, nachdem bislang die Absurdität der Auferstehungsleug-
nung nachgewiesen war. Paulus bekräftigt mit dem Evangelium, wie es von allen Aposteln gepredigt und durch die
Existenz der Kirche insgesamt bezeugt wird: „Jetzt aber *ist*
Christus von den Toten auferweckt worden, als Erstling der
Entschlafenen" (15, 20). Paulus begründet die Wirklichkeit der
Auferstehung mit Hilfe eines Glaubenssatzes, den er dann aus-
legt. Der „Erstling" ist die Erstlingsgabe der Ernte, die im jüdi-

schen Kult am Tag nach dem Sabbat der Paschawoche geopfert wurde; dieser Tag war für die Christen der „dritte Tag" der
Auferstehung Jesu. Der Erstlingsgabe folgt im Frühjahr die
ganze Ernte – so wird dem ersten Auferstandenen die Auferstehung aller Toten, die im Glauben gelebt haben, folgen. Die
Adam-Christus-Parallele, die Paulus anzieht, geht davon aus,
daß das Geschick vieler von einzelnen geprägt wird: Adam hat
der ganzen Menscheit den Tod gebracht, Christus wird den
Glaubenden das Leben bringen.

Paulus zerlegt schließlich das Endgeschehen, das mit der
Auferstehung Jesu Christi begonnen hat, im Horizont apoka-
lyptischen Denkens in drei Etappen: Auferstehung Christi –
Auferstehung der Glaubenden bei der Parusie Christi – das
Ende. Die Zeit, in der die Christen leben, ist bereits Endzeit, in
der Gottes Herrschaft aufgerichtet und am Ende der Tod ent-
machtet wird. Paulus kommt es darauf an, den Auferstehungsleugnern in Korinth zu sagen: „Wer an die Totenauferstehung
rührt, gefährdet den universalen göttlichen Heilsplan und die
Durchsetzung seines Reichs" *(H. -J. Klauck)*.

Paulus schließt seine *peroratio* in 15,24–28 gewissermaßen
mit einem pathetischen Exkurs ab. Darin betont er die Ganz-
heit des umfassenden göttlichen Heilsplans und die Zukünftig-
keit der Totenauferstehung, auf welche sich die Hoffnung des
Glaubenden richtet: als Bindung an die Treue und Herrscher-
macht Gottes, die sich im Geschick Jesu erwiesen hat und sich
in der Existenz der Gemeinde erweist, in der die Glaubenden
den Ort der Sündenvergebung und neues Leben gefunden haben.

Die Beweisführung des Paulus ist, da sie sich im Blick auf
Adam, auf die Bibel, die Schriften des Alten Testaments, beruft, und im Blick auf das Ende auf Psalmen (110,1; 8,7) aus
der Bibel, nicht von der Glaubenstradition Israels und der Urkirche unabhängig. Wer nicht erfahren hat, was die Rede von
den „zu Christus Gehörigen" (15,23) meint und universal-kon-
kret bedeutet, wird die Beweisführung des Paulus nicht würdi-
gen können, auch wenn er seine Vorstellungswelt genau
rekonstruiert. Die *Apologie* ist eine Verteidigungsrede auf der
Basis des Evangeliums.

6. Das erste Plädoyer: peroratio I (15, 29–34)

Nach seinem Exkurs in 15, 24–28 schließt Paulus in seinem ersten Plädoyer an die Ausführungen in 15, 13–19 an: Die Leugnung der Totenauferstehung, so folgert er, erweist sich als absurd. „Wenn doch Tote überhaupt nicht auferweckt werden" – dann ist eine Übung in der korinthischen Gemeinde, nämlich sich stellvertretend für Tote taufen zu lassen, absurd. Die Taufe für die Toten ist später von einem Konzil verboten worden, nachdem sie durch Häretiker in Mißkredit gebracht worden war.

Paulus argumentiert auch im Blick auf seine eigene Person und sein eigenes Verhalten – in der Erwartung, daß die Christen in Korinth ähnlich ihre eigene Existenz ins Spiel bringen: Wozu sich sonst – um des Glaubens willen – „stündlich Gefahren aussetzen"? Der Apostel sieht „täglich dem Tod ins Auge"! Nur wenn er selbst mit Gottes Treue rechnet, mit Gottes Macht, aus dem Tod zu erretten, hat sein Einsatz für das Evangelium einen Sinn, sein Einsatz für die Gemeinde, die er nennt: „mein Ruhm, den ich in Christus Jesus, unserem Herrn, habe"; bei der Parusie kann er sich seines missionarischen Wirkens, das er der Gnade Gottes verdankt, rühmen. Paulus vergleicht seinen Einsatz für das Evangelium in Ephesus angesichts der Widerstände, denen er begegnet, als einen „Kampf mit wilden Tieren". Wenn er diesen Einsatz nicht im Dienst Gottes, seines Messias und des Gottesvolkes leistet und damit nicht im Glauben an die Auferstehung Jesu, daran: daß Gott Jesus von Nazareth ins Recht gesetzt hat, und in der Hoffnung auf die Auferstehung der Toten, darauf: daß Gottes Treue die stärkste Kraft in der Welt ist – dann ist alles sinn- und nutzlos.

Paulus räumt – in der rhetorischen Form der *permissio* – ein, dann sei es besser, wie ein bei Jes 22, 13 aufgezeichnetes Trinklied, das auch bei heidnischen Sängern bezeugt ist, es rät: „Laßt uns essen und trinken, denn morgen werden wir sterben." Paulus macht von der Ironie Gebrauch. Dann (15, 33) zitiert er ein geflügeltes Wort: „Schlechter Umgang verdirbt gute Sitten", das jeder, der in Korinth eine Schule besucht hat, aus einer Komödie des attischen Dichters Menander, der im 4. Jh. v. Chr. lebte, kennt. Paulus gibt zu erkennen, daß Leute, die auch ihm als Apostel nicht ganz trauen, die Gemeinde „irreführen" wollen; er deutet an, daß die Gemeinde den Umgang mit solchen Leuten meiden solle.

Der Schluß ist in der rhetorischen Form der *indignatio* gehalten: Den Korinthern wird unterstellt, daß sie ihre Nüchternheit, die ihnen anstünde, verloren haben; Leugnung der Totenauferstehung ist deshalb Sünde, weil sie mangelndes Vertrauen auf Gott erkennen läßt, der mit den Glaubenden nicht „spielt", sie nicht für seine Geschichte verbraucht und dann fallen läßt.

Auch Jesus hatte gegen die sadduzäischen Auferstehungsleugner argumentiert, daß sie Gott nicht kennen: Gott, der sich Abraham und Isaak und Jakob so zugeneigt hat, daß er sich durch die Väter definieren ließ als „Gott Abrahams...", ist kein Gott von Toten, sondern von Lebenden (vgl. Mk 12, 18–27). Paulus wirft den Auferstehungsleugnern in Korinth vor, daß sie „an Unkenntnis Gottes leiden" und die Gemeinde, der ihr Apostel dies vorhalten muß, beschämen.

Kenntnis Gottes ist in der jüdisch-christlichen Tradition immer Anerkenntnis seiner Macht und Treue, seines Erbarmens und seiner bedingungslosen Zuwendung. Wer die Totenauferstehung leugnet, gibt dem Tod gegen Gott Recht – und dessen Leben wird vom Tod bestimmt und nicht von der Herrschaft Gottes. Weil Gott niemand zwingt, sondern auf die freie Anerkenntnis durch die von ihm gerufenen Menschen setzt, läßt sich der Glaube und die Hoffnung nicht andemonstrieren. Überzeugend – das weiß auch der Redner Paulus, der alle rhetorischen Register zieht – ist nur das Leben der Gemeinde in Korrespondenz mit der Existenz des Apostels, der sie seinen „Ruhm" nennt. Paulus setzt ja darauf, daß dieser Ruhm nicht welkt, sondern bei der Parusie, im Gericht, also vor Gottes Augen Bestand hat.

7. *Der Hinweis auf Konsequenzen: refutatio (15, 35–49)*

Nach dem ersten Plädoyer setzt Paulus zu einem neuen Argumentationsgang an. Die Verteidigung der Auferstehungshoffnung muß auch die Konsequenzen dieser Hoffnung mit bedenken: die Frage nach der Leiblichkeit der Auferstandenen, dem „Wie" der Totenauferstehung: „Doch wird einer sagen: ‚Wie werden die Toten auferweckt? Mit welchem Leib kommen sie?'"

Der Einwand, den Paulus im lebhaften Dialog jemanden vorbringen läßt, scheint der Haupteinwand der Auferstehungsleugner in Korinth gewesen zu sein, die sich eine Totenauferstehung nicht vorstellen können, weil ihre Vorstellungen an die mit unseren Augen wahrnehmbare Leiblichkeit gebunden sind.

Paulus geht auf den Einwand so ein, daß er zeigt, daß die Fragesteller blinde „Toren" sind. Er bahnt einen Zugang zum Verständnis mit einem Gleichnis aus der Natur (gemäß dem Verständnis der antiken Botanik): Aussaat ist mit dem Tod des Samens in der Erde verbunden! Und der künftige Leib des Gewächses ist ein anderer als das nackte Samenkorn! Paulus kannte solche Gleichnisse aus jüdischer Tradition, wo es etwa heißt: „Wenn das Weizenkorn, das nackt in die Erde gelegt wird, in wer weiß wie vielen Umkleidungen wieder hervorwächst, um wieviel mehr gilt das dann von den Gerechten…" – bei der Auferstehung der Toten.

Paulus deutet die Vorgänge in der Natur schöpfungstheologisch: „Gott aber gibt ihm einen Leib" (15,38). Das Weizenkorn, das in der Erde gestorben und gleichsam ins Nichts gefallen ist, wird von Gott in ein neues, leibhaftiges Dasein gerufen; ja, „jedem der Samen (gibt Gott) einen eigenen Leib"! Der Apostel orientiert sich am ersten Schöpfungsbericht in Gen 1 und zeigt, daß „nicht jeder Körper derselbe Körper ist", sondern ein jeweils anderer bei Menschen, Landtieren, Vögeln und Fischen. Die Gestirne stellt Paulus als „himmlische Leiber" vor, die einen besonderen Glanz haben; dabei hat er wahrscheinlich schon die alttestamentliche Aussage der Auferstehungshoffnung im Blick, wie sie in Dan 12,3 formuliert ist! „Die Verständigen werden strahlen, wie der Himmel strahlt; und die Männer, die viele zum rechten Tun geführt haben, werden immer und ewig wie die Sterne leuchten."

Auch bei den Himmelskörpern hat der Schöpfer den Glanz von Sonne, Mond und Sternen differenziert; selbst „ein Stern unterscheidet sich vom anderen durch den Glanz" (15,41). Das Wort „Glanz" ermöglicht Paulus den Überschritt vom Gedanken an den Glanz des Auferstandenen, der Auferstehungsleiblichkeit. Zunächst aber legt er sein Gleichnis aus: „So ist es auch mit der Auferstehung der Toten" (15, 42 a). In fünf rhetorisch wirkungsvollen Antithesen legt Paulus den Vergleich zwischen Aussaat/Tod und Wachstum/Auferweckung aus: mit den Gegensätzen von Vergänglichkeit/Unvergänglichkeit, Unehre (des Nacktseins, der Nichtigkeit) und Herrlichkeit (des neuen Glanzes), Schwachheit/Kraft, erster und letzter Mensch. In den Tod gegeben wird der Mensch, der ein „beseelter Leib" ist, dem Gott die Seele eingehaucht hat. Auferweckt wird der neue Mensch, der ein „pneumatischer Leib" ist, der ganz von Gottes *pneuma,* seinem schöpferischen Geist bestimmt ist. Die „Seele" des Menschen gehört zu seiner irdischen Vergänglichkeit, Unvergänglichkeit verleiht dem neuen Leib der „Geist" Gottes.

Paulus will zeigen, daß man sich das „Wie" der Totenauferstehung analog durchaus „vorstellen" kann, wenn man die Welt als Schöpfung Gottes glaubt und versteht: „Wenn es einen beseelten Leib gibt, gibt es auch einen pneumatischen" (15, 44 b). Der Apostel sieht das bestätigt durch die Schöpfung Adams, des ersten Menschen, und die Neuschöpfung Christi, die Auferweckung des letzten Adam. Das „Pneumatische", Geistige ist – gemäß der dreistufigen Anthropologie, die Paulus benutzt: Leib-Seele-Geist – zwar das Höhere, aber nicht das Erste, sondern das Letzte. Der Messias Jesus, der zum „lebendigmachenden Geist" geworden ist, weil sein pneumatischer Leib mit der ganzen Schöpferkraft Gottes vereinigt ist, wird, wenn er bei seiner Parusie von Himmel kommt, alle sein „Bild" tragen lassen – allen seinen „Glanz" mitteilen.

Paulus hat seine *refutatio* mit Hilfe der zeitgenössischen Naturphilosophie und der biblischen Schöpfungstheologie und darüber hinaus rhetorisch glänzend vorgetragen. Wer die lebenspendende Wirkung des auferstandenen Messias und seines Geistes in der Gemeinde in seinem neuen Leben erfährt, kommt durchaus in die Lage, die Analogien des Apostels zu verstehen. Wir haben Adams Bild, sein Kleid, die Gestalt des „beseelten Leibes" getragen – und wir werden „das Bild des Himmlischen tragen", den pneumatischen Leib der Neuschöpfung.

Paulus hat also auf folgende Konsequenzen hingewiesen: Wer mit der apostolischen Botschaft, dem Evangelium, glaubt, daß Gott den Messias Jesus von den Toten auferweckt hat, der kann auch im Glauben an den Schöpfer der Welt, der die Dinge und die Menschen aus dem Nichts in Dasein gerufen hat, verstehen, „wie" Totenauferweckung geschieht: als Neuschöpfung – wie sie mit der Auferstehung des Messias und der Stiftung seiner Gemeinde begonnen hat. Im zweiten Korintherbrief wird Paulus formulieren: „Wenn einer in Christus (= in der Gemeinde) ist, ist er ein neues Geschöpf. Das Alte ist vergangen, siehe: Neues ist geworden" (2 Kor 5,17).

8. Das zweite Plädoyer: peroratio II (15, 50–58)

Das Schlußplädoyer der Verteidigungsrede des Paulus gegen die Auferstehungsleugner und die Kritiker seines Apostolats in Korinth wendet sich betont an diejenigen in der Gemeinde – und nach der Absicht und Hoffnung des Apostels sind das alle –, die sich von ihm überzeugen ließen, am gemeinsamen Glauben und der gemeinsamen Hoffnung festzuhalten.

Mit der neuen Anrede „Dies aber sage ich, Brüder" markiert Paulus den neuen Abschnitt. Er formuliert in traditioneller urkirchlicher, von Jesus geprägter Sprache eine Bedingung für den Einlaß ins Gottesreich. Der Mensch als solcher, „Fleisch und Blut", der Sünder ist, ist nicht dessen Erbe; in hellenistischer Terminologie sagt Paulus dasselbe vom sterblich-vergänglichen Menschen, der als solcher – ohne den Tod! – nicht „Unvergänglichkeit" erben kann. Den „Tod" stirbt der Glaubende aber schon – wie Paulus im Römerbrief breit ausführen wird – in der Taufe, in der ihm auch das neue Leben angeldhaft schon geschenkt wird.

Paulus rekapituliert nicht mehr, wie es die Rhetorik am Ende einer Apologie für angezeigt hielt; er teilt seiner Gemeinde eher etwas Neues mit, „ein Geheimnis", das ihre Hoffnung bestärken und die Form des Lebens in der Gegenwart prägen soll. Ähnlich wie in 1 Thess 4,13–18 gibt Paulus eine kleine apokalyptische Schilderung der Ereignisse bei der Parusie: war im früheren Brief, der noch in Korinth geschrieben war und der deshalb spiegeln dürfte, was Paulus selbst in Korinth gelehrt hat, die „Auferstehung" der Toten noch als ein untergeordneter, die gemeinsame „Entrückung" von noch Lebenden und Auferstandenen vorbereitender Akt vorgestellt, so hat Paulus inzwischen, da der Tod von Glaubenden kein überraschendes Einzelereignis mehr ist, seine Vorstellungen modifiziert, mit denen er die christliche Hoffnung ausdrückt. In 1 Thess 4,16 f hatte es geheißen, daß bei der Parusie Christi, „bei der Posaune Gottes", „die Toten in Christus zuerst auferstehen; dann werden wir, die Lebenden, die zurückblieben, zusammen mit ihnen entrückt werden..."; in 1 Kor 15,51 f heißt es nun, daß „bei der letzten Posaune" zwar nicht alle „entschlafen" sein werden, aber „alle verwandelt werden..."; die Toten werden als Unvergängliche auferstehen, und wir (die noch Lebenden) werden verwandelt werden". Die „Auferstehung" der Toten ist nun der die Toten betreffende Akt der Verwandlung zur Unvergänglichkeit; Lebende und Tote, „dieses Vergängliche muß Unvergänglichkeit anziehen, und dieses Sterbliche muß Unsterblichkeit anziehen" (15,53). Alle erhalten also, wie Paulus zuvor schon ausgeführt hat, einen „pneumatischen Leib", der vom unsterblich-unvergänglichen Geist Gottes geprägt ist. Auch die „Verwandlung" der Lebenden ist so ein „Tod" – der mit dem Sterben bei der Taufe korrespondiert. Paulus sieht das Endgeschehen bei der Parusie als Handeln Gottes, „in einem Nu, in einem Augenblick" konkretisiert. Und er ist davon überzeugt, wie er mit einem Mischzitat aus den Propheten Jesaja (25,8) und Hosea (13,14) zum Ausdruck bringt, daß sich am Ende die Prophetie der Schrift erfüllt, daß der Tod sich der Macht der Liebe Gottes beugen muß, Seiner Treue, die er denen hält, die ihn lieben. Der „Stachel" symbolisiert den tötenden Stich des Todes; Paulus identifiziert ihn mit der Sünde, dem Unglauben, dem Zweifel an der Güte und Treue Gottes; in Röm 5–7 wird der Apostel später davon ausführlich handeln. Dort erklärt er dann auch, was die rätselhafte Kurzformel „die Kraft der Sünde aber das Gesetz" eigentlich meint: „Ich habe die Sünde nur durch das Gesetz erkannt..." (Röm 7,7).

Das Plädoyer des Apostels mündet in Vers 57 schließlich in den Dank an Gott, der den Glaubenden durch ihren „Herrn Jesus Christus" den Sieg über Sünde und Tod verliehen hat, denen, die an seine Auferstehung glauben und ihre eigene erhoffen dürfen.

Schließlich kommt Paulus zum Beginn seiner Apologie zurück, zur Sorge, daß seine und der Gemeindemitglieder „Mühe im Herrn", ihre Anstrengung im Gemeindeaufbau, „vergeblich" sein könnte, wenn sie sich verführen, in „Unkenntnis Gottes" verstricken und aus der Hut ihres Apostels entreißen lassen. Paulus redet sie jetzt als „meine *geliebten* Brüder" an und mahnt sie zur Standhaftigkeit im Evangelium (vgl. 15,17) und zur Unerschütterlichkeit ihres Zutrauens zu ihm. Er wünscht, daß sie Gottes „Werk", den Aufbau seines Volkes, allezeit betreiben und darin hervorragen; denn nur Gottes Werk hat in dieser vergänglichen Welt Bestand, besteht es doch aus denen, die in Unvergänglichkeit verwandelt werden und dazu das Angeld des Geistes Gottes schon empfangen haben.

Paulus hat den in sich gerundeten Argumentationsprozeß der Apologie abgeschlossen. Ob er sein Ziel erreichte, die Korinther zur Aufgabe ihrer falschen Auslegung des Evangeliums zu bewegen und sie von ihrem Mißtrauen gegenüber ihrem Apostel, das bei ihnen gesät worden war, zu befreien?

Paulus wird am Schluß des „Auferstehungsbriefes" noch Grüße ausgerichtet und mit dem üblichen Segenswunsch den dritten Brief „an die Heiligen in Korinth" abgeschlossen haben.

VII.
Der vierte Brief „an die Gemeinde Gottes, die in Korinth ist" –
Der „Antwortbrief"

Seit dem ersten Brief, den Paulus nach Korinth schickte, dem sogenannten „Vorbrief", der vermutlich Anfang April des Jahres 53 n. Chr. von Timotheus nach Korinth gebracht wurde, ist inzwischen ein Jahr vergangen. Vermutlich schreibt Paulus erneut vor Ostern; denn in 1 Kor 16, 8 läßt er die Korinther wissen: „Ich werde aber in Ephesus bleiben bis Pfingsten." Im Jahr 54 n. Chr. wurde Pfingsten am 2. Juni gefeiert, Ostern, das Paschafest, am Freitag, den 12. April.

Da Paulus nach den ersten drei Briefen, von denen der letzte vielleicht noch vor Schließung der Seefahrt im Spätherbst des Jahres 53 n. Chr. von Ephesus aus nach Korinth abging, nun einen Brief der Korinther mit Anfragen zu einer Reihe von Themen und Problemen erhielt, kann man sich vorstellen, daß die Korinther den Winter 53/54 n. Chr. über ihre Fragen sammelten und mit Eröffnung der Schiffahrt im Frühjahr 54 n. Chr. brieflich an Paulus gelangen ließen. Als Briefüberbringer kommen die in 1 Kor 16, 12 genannten Brüder oder die in 1 Kor 16, 17 genannten Gemeindemitglieder Stefanas, Fortunatus und Achaikus in Frage. Die Formulierungen lassen allerdings daran denken, daß die drei in 16, 17 Genannten erst kürzlich bei Paulus in Ephesus angekommen sind, während die in 16, 12 genannten „Brüder" offenbar wieder heimreisen und wohl auch den Antwortbrief mit nach Korinth nehmen. Falls diese Vermutung zutrifft, wird man sich die Vorgeschichte des „Antwortbriefes" im ganzen so vorstellen können:

Während des Winters 53/54 n. Chr. haben einige Verantwortliche in Korinth Fragen gesammelt, die Paulus – der schon drei aufschlußreiche Briefe geschrieben hatte – zur Beantwortung vorgelegt werden sollten: Über die Ehe, Ehescheidung und Jungfräulichkeit; über das Essen von Götzenopferfleisch und über die Geistesgaben, insbesondere Prophetie und Glossolalie; schließlich über die Kollekte für die Jerusalemer Urgemeinde, und: Wann kommt Apollos wieder einmal nach Korinth? Einige Brüder fuhren nach Eröffnung der Seefahrt im Frühling des Jahres 54 n. Chr. nach Ephesus; sie nahmen den Antwortbrief des Apostels mit.

Inzwischen waren auch Stefanas, Fortunatus und Achaikus gekommen; sie haben vermutlich von der Opposition gegen Paulus berichtet, welche judenchristliche Missionare betrieben, die Paulus seine apostolische Autorität unter Hinweis darauf zu bestreiten suchten, daß er das apostolische Unterhaltsrecht nicht in Anspruch nahm. Paulus geht in seiner „Verteidigung" in Kapitel 9 darauf ein, daß er offenbar „für andere kein Apostel" ist, daß es Leute gibt, die ihn „beurteilen". Vielleicht haben die drei Genannten, von denen Paulus den Erstbekehrten Stefanas besonders hochschätzt und den Korinthern empfiehlt, dem Apostel auch darüber berichtet, daß die Integration der Juden und Heiden, Sklaven und Freien noch nicht ganz gelungen sei, was Paulus zu seinem Exkurs zum Thema „Berufung" in 1 Kor 7, 17–24 – zwischen dem Thema Ehescheidung und dem Thema Jungfräulichkeit – mitten unter seinen Antworten bewogen haben mag.

1. Der Text

[Präskript]
[Danksagung]

Fragen zu Ehe und Ehescheidung

7,1 Über die Dinge aber,
    von denen ihr geschrieben habt:
    „Es ist gut für den Menschen,
    keine Frau zu berühren!"

2 Wegen der Unzucht aber
    soll jeder die eigene Frau haben,
    und jede soll den eigenen Mann haben.

3 Der Frau soll der Mann die Pflicht erfüllen,
    ebenso aber auch die Frau dem Mann.

7,4 Die Frau verfügt nicht über den eigenen Leib,
sondern der Mann;
ebenso aber auch verfügt nicht der Mann
über den eigenen Leib, sondern die Frau.

5 Entzieht euch einander nicht,
es sei denn im Einverständnis für eine Frist,
um für das Gebet frei zu sein;
und kommt wieder zusammen,
damit euch der Satan nicht versuche
wegen eurer Unbeherrschtheit.

6 Dies aber sage ich als Zugeständnis,
nicht als Befehl.

7 Ich möchte aber,
alle Menschen wären so wie ich selbst.

 * Doch jeder hat sein eigenes Charisma von Gott,
der eine so, der andere so.

8 Ich sage aber den Unverheirateten und den Witwen:
Es ist gut für sie,
wenn sie so bleiben wie ich.

9 Wenn sie aber nicht enthaltsam leben können,
sollen sie heiraten;
denn es ist besser zu heiraten als zu brennen.

10 Den Verheirateten aber befehle ich –
nicht ich, sondern der Herr –:
Die Frau soll sich vom Mann nicht trennen –

11 wenn sie sich aber doch getrennt hat,
soll sie unverheiratet bleiben
oder sich mit dem Mann versöhnen –
und der Mann soll die Frau nicht entlassen.

12 Den übrigen aber sage ich, nicht der Herr:
Wenn ein Bruder eine ungläubige Frau hat
und diese willigt ein, mit ihm zusammenzuwohnen,
soll er sie nicht entlassen.

13 Und die Frau, wenn sie einen ungläubigen Mann hat
und dieser willigt ein, mit ihr zusammenzuwohnen,
soll den Mann nicht entlassen.

7,14 Denn der ungläubige Mann
ist durch die Frau geheiligt,
und die ungläubige Frau
ist durch den Bruder geheiligt.
Sonst wären ja eure Kinder unrein;
jetzt aber sind sie heilig.

15 Wenn aber der Ungläubige sich trennt,
soll er sich trennen.
Der Bruder oder die Schwester
ist in solchen Fällen nicht versklavt.
In Frieden hat Gott euch berufen.

16 Woher weißt du denn, Frau,
ob du den Mann retten wirst?
Oder woher weißt du, Mann,
ob du die Frau retten wirst?

Über die Berufung und den Stand des Berufenen

17 Ansonsten soll jeder so seinen Lebenswandel
führen, wie der Herr es ihm zugeteilt,
wie Gott jeden berufen hat.
Und so ordne ich es in allen Gemeinden an.

18 Ist einer als Beschnittener berufen,
soll er beschnitten bleiben;
ist einer als Unbeschnittener berufen,
soll er sich nicht beschneiden lassen.

19 Die Beschneidung bedeutet nichts,
und die Unbeschnittenheit bedeutet nichts,
sondern die Befolgung der Gebote Gottes.

20 Jeder soll in dem Stand, in dem er berufen wurde,
eben in diesem bleiben.

21 Bist du als Sklave berufen worden?
Das soll dich nicht kümmern!
Ja, auch wenn du frei werden kannst,
lebe lieber als Sklave weiter.

22 Denn wer im Herrn als Sklave berufen wurde,
ist ein Freigelassener im Herrn.
Ebenso ist der als Freier Berufene
ein Sklave vor dem Herrn.

7,23 Um einen teuren Preis seid ihr gekauft.
Werdet nicht Sklaven von Menschen!
24 Jeder soll, Brüder, in dem Stand,
in dem er berufen wurde,
in eben diesem vor Gott bleiben.

Fragen zu Ehe und Jungfräulichkeit

25 Über die Jungfrauen aber habe ich kein Gebot
des Herrn; ich gebe aber einen Rat als jemand,
der dank des Erbarmens des Herrn zuverlässig ist.
26 Ich meine aber das:
Es ist gut, (jungfräulich) zu sein,
wegen der bevorstehenden Not,
ja, es ist gut für den Menschen,
so zu sein.
27 Bist du an eine Frau gebunden?
Suche keine Scheidung!
Bist du frei von einer Frau? Suche keine Frau!
28 Wenn du aber doch heiratest,
sündigst du nicht.
Und wenn die Jungfrau heiratet,
sündigt sie nicht.
Drangsal aber in ihrem Leben werden solche haben;
ich aber möchte sie euch ersparen.
29 Dies aber sage ich, Brüder:
Die Frist ist zusammengedrückt!
Im übrigen sollen die, die Frauen haben,
sein, als hätte sie keine,
30 und die Weinenden, als weinten sie nicht,
und die sich freuen, als freuten sie sich nicht,
und die kaufen, als würden sie keine Besitzer,
31 und die von der Welt Gebrauch machen,
als verbrauchten sie nicht.
Denn es vergeht die Gestalt dieser Welt.

32 Ich möchte aber, daß ihr sorglos (ungeteilt) seid.
Der Unverheiratete sorgt sich um die Sache
des Herrn, wie er dem Herrn gefallen könne.

7,33 Der Verheiratete aber sorgt sich um die Sache
der Welt, wie er der Frau gefallen könne;

34 und er ist (in Sorge) geteilt.
Und die unverheiratete Frau und die Jungfrau
sorgt sich um die Sache des Herrn,
damit sie heilig sei an Leib und Geist.
Die Verheiratete aber sorgt sich um die Sache
der Welt, wie sie dem Mann gefallen könne.

35 Dies aber sage ich zu eurem eigenen Nutzen,
nicht um euch eine Fessel anzulegen,
sondern damit ihr in rechter Weise und ungestört
immer dem Herrn dienen könnt.

36 Wenn aber einer sich gegenüber seiner Jungfrau
unrecht zu verhalten glaubt,
wenn sein Verlangen zu stark ist,
der soll tun, was er möchte,
und so muß es sein.
Er sündigt nicht.
Sie sollen heiraten!

37 Wer aber in seinem Herzen feststeht
und keine Not hat,
sondern die Vollmacht über sein eigenes Wollen
besitzt, und dies in seinem Herzen entschieden hat,
seine Jungfrau (unberührt) zu bewahren,
wird gut handeln.

38 Folglich:
Auch wer seine Jungfrau heiratet,
handelt gut,
und wer nicht heiratet,
wird besser handeln.

Über die Wiederheirat nach dem Tod des Mannes

39 Eine Frau ist gebunden,
solange ihr Mann lebt.
Wenn aber der Mann entschlafen ist,
ist sie frei, sich, wenn sie will, zu verheiraten!
Nur (es geschehe) im Herrn.

7,40 Glücklich aber ist sie, wenn sie so bleibt,
      gemäß meinem Rat;
      ich denke aber auch,
      daß ich den Geist Gottes habe.

      „Über das Götzenopferfleisch aber"

8,1   Über das Götzenopferfleisch aber;
      wir wissen, daß alle Erkenntnis haben.
      Die Erkenntnis bläht auf,
      die Liebe aber baut auf.

  2   Wenn einer meint,
      etwas erkannt zu haben,
      hat er doch nicht so erkannt,
      wie man erkennen muß.

  3   Wenn aber einer Gott liebt,
      ist dieser von ihm erkannt.

  4   Über das Essen nun von Götzenopferfleisch;
      wir wissen, daß es keinen Götzen in der Welt gibt
      und daß niemand Gott ist außer dem einzigen.

  5   Und selbst wenn es sogenannte Götter gibt,
      sei es im Himmel, sei es auf Erden,
      – wie es viele Götter und viele Herren gibt –,

  6   doch für uns gibt es nur den einen Gott, den Vater,
      von dem her alles ist und wir auf ihn hin,
      und nur einen Herrn Jesus Christus,
      durch den alles ist und wir durch ihn.

  7   Jedoch nicht in allen ist die Erkenntnis.
      Einige aber essen nach ihrer Gewöhnung an Götzen
      bis jetzt (das Fleisch) als Götzenopferfleisch,
      und ihr Gewissen, das schwach ist, wird befleckt.

  8   Speise aber wird uns nicht
      vor Gott(es Gericht) bringen.
      Weder ermangeln wir etwas,
      wenn wir nicht essen,
      noch haben wir Überfluß,
      wenn wir essen.

8,9 Seht aber zu,
daß dieses euer „Recht"
den Schwachen nicht zum Anstoß wird.

10 Denn wenn einer dich,
der du Erkenntnis hast,
im Götzentempel zu Tisch liegen sieht,
wird nicht sein Gewissen, das schwach ist,
„aufgebaut" zum Götzenopferfleischessen?

11 Es geht nämlich der Schwache
an deiner Erkenntnis zugrunde, der Bruder,
um dessentwillen Christus gestorben ist.

12 Wenn ihr so gegen die Brüder sündigt,
und ihr schwaches Gewissen verletzt,
sündigt ihr gegen Christus.

13 Deshalb, wenn eine Speise
meinen Bruder skandalisiert,
werde ich in Ewigkeit kein Fleisch essen,
damit ich meinen Bruder nicht skandalisiere.

Eine „Verteidigung" des Apostolats Pauli

9,1 Bin ich nicht frei?
Bin ich nicht Apostel?
Habe ich nicht Jesus, unseren Herrn, gesehen?
Seid ihr nicht mein Werk im Herrn?

2 Wenn ich für andere kein Apostel bin,
bin ich es doch für euch!
Denn ihr seid der Siegelabdruck
meines Apostolats im Herrn.

3 Meine Verteidigung gegen die,
die mich beurteilen; ist diese:

4 Haben wir nicht das Recht,
zu essen und zu trinken?

5 Haben wir nicht das Recht,
eine Schwester als Frau mitzunehmen,
wie auch die übrigen Apostel
und die Brüder und Kefas?

9,6 Oder haben allein ich und Barnabas
nicht das Recht, nicht zu arbeiten?
7 Wer zieht je zu Felde für eigenen Sold?
Wer pflanzt einen Weinberg
und ißt nicht seine Frucht?
Oder wer weidet eine Herde
und ißt nicht von der Milch der Herde?

8 Sage ich dies etwa gemäß menschlicher Einsicht?
Oder spricht nicht auch das Gesetz dies aus?
9 Im Gesetz des Mose steht nämlich geschrieben:
„Du sollst einem dreschenden Ochsen
keinen Maulkorb anlegen!"
Liegt Gott etwas an den Ochsen?
10 Oder sagt er es nicht offensichtlich unseretwegen?
Unseretwegen wurde doch geschrieben,
daß der Pflüger auf Hoffnung hin pflügen soll
und der Drescher (dreschen) auf Hoffnung hin,
Anteil zu erhalten.
11 Wenn wir euch die Geistesgaben gesät haben,
ist es dann zuviel,
wenn wir von euch irdische Gaben ernten?
12 Wenn andere an eurem Vermögen Anteil haben,
wir nicht um so mehr?
Aber wir haben von diesem Recht keinen Gebrauch
gemacht; vielmehr ertragen wir alles,
damit wir dem Evangelium des Christus
keinen Anstoß bereiten.
13 Wißt ihr nicht,
daß diejenigen, die für die Tempel arbeiten,
die [Nahrung] vom Tempel essen?
Daß diejenigen, die am Altar Dienst tun,
vom Altar Anteil erhalten?
14 So hat auch der Herr angeordnet,
daß die Verkündiger des Evangeliums
vom Evangelium leben sollen.
15 Ich aber habe in keiner Weise
davon Gebrauch gemacht.
Ich habe dies aber nicht geschrieben,
damit es so bei mir geschehe.

Denn es ist gut für mich,
lieber zu sterben als –
meinen Ruhm wird mir niemand zunichte machen!
9,16 Denn wenn ich das Evangelium verkünde,
ist das kein Ruhm für mich.
Eine Nötigung nämlich ist mir auferlegt.
Denn ein Wehe gilt mir, wenn ich das Evangelium
nicht verkünde.

17 Denn wenn ich dies freiwillig tue,
erhalte ich Lohn.
Wenn aber unfreiwillig,
bin ich mit einem Auftrag betraut.
18 Welcher ist nun mein Lohn?
Daß ich als Verkündiger des Evangeliums
das Evangelium unentgeltlich ausrichte,
um von meinem Recht am Evangelium
keinen Gebrauch zu machen.

19 Denn obwohl ich frei bin von allem,
habe ich mich allen versklavt,
um möglichst viele zu gewinnen.
20 Und ich bin den Juden geworden wie ein Jude,
um Juden zu gewinnen;
denen unter dem Gesetz wie unter dem Gesetz,
obwohl ich selbst nicht unter dem Gesetz (bin),
um die unter dem Gesetz zu gewinnen.
21 Den Gesetzlosen wie ein Gesetzloser,
– obwohl ich kein Gesetzloser Gottes bin,
sondern ein an Christi Gesetz Gebundener –,
um die Gesetzlosen zu gewinnen.
22 Ich bin den Schwachen geworden ein Schwacher,
um die Schwachen zu gewinnen.
Denen allen bin ich alles geworden,
um überhaupt einige zu retten.
23 Alles aber tue ich um des Evangeliums willen,
um sein Mitteilhaber zu werden.

9,24 Wißt ihr nicht,
daß die Läufer im Stadion alle zwar laufen,
aber nur einer den Siegespreis empfängt?
Lauft so, daß ihr ihn empfangt!
25 Jeder Wettkämpfer aber enthält sich in allem;
jene nun,
damit sie einen vergänglichen Kranz empfangen,
wir aber einen unvergänglichen.
26 Ich also, ich laufe so,
nicht wie jemand ohne Ziel,
ich kämpfe so,
nicht wie jemand, der in die Luft schlägt,
27 vielmehr züchtige ich meinen Leib
und mache ihn dienstbar,
damit ich nicht anderen gepredigt habe
und selbst unbewährt bin.

„Über die Geistesgaben aber"

12,1 Über die Geistesgaben aber, Brüder,
will ich euch nicht im Unklaren lassen.
2 Ihr wißt:
Als ihr noch Heiden wart, zog es euch
unwiderstehlich zu den stummen Götzen hin.
3 Darum erkläre ich euch.
Niemand, der im Geist Gottes redet, sagt:
„Verflucht sei Jesus!",
und niemand kann sprechen:
„Herr (ist) Jesus",
wenn nicht im heiligen Geist.

4 Es gibt aber Unterschiede der Charismen,
aber nur denselben Geist.
5 Und es gibt Unterschiede der Dienste,
aber nur denselben Herrn.
6 Und es gibt Unterschiede der Wirkkräfte,
aber nur denselben Gott,
der alles in allen wirkt.

12,7 Jedem aber wird die Äußerung des Geistes
zum (allgemeinen) Nutzen gegeben.
8 Dem einen nämlich wird durch den Geist
Weisheitsrede gegeben,
dem anderen Erkenntnisrede gemäß demselben
Geist,
9 einem weiteren Glaube durch denselben Geist,
einem anderen aber Heilungscharismen
durch den einen Geist,
10 einem anderen aber Wirkkräfte zu Machttaten,
einem anderen Prophetie,
einem anderen Unterscheidung der Geister,
einem weiteren Arten von Zungenreden,
einem anderen die Übersetzung der Zungensprachen.
11 Alles dies aber bewirkt der eine und selbe Geist,
der einem jeden zuteilt, wie er will.
12 Denn wie der Leib einer ist und viele Glieder hat,
alle Glieder aber des Leibes,
obwohl sie viele sind, ein Leib sind,
so auch der Christus.
13 Denn, auch wir sind durch den einen Geist alle
in einen Leib getauft worden,
sei es Juden, sei es Griechen,
sei es Sklaven, sei es Freie;
und alle sind wir mit dem einen Geist getränkt worden.
14 Denn auch der Leib besteht nicht aus einem Glied,
sondern aus vielen.
15 Wenn der Fuß sagt:
„Weil ich nicht Hand bin,
gehöre ich nicht zum Leib",
gehört er nicht deswegen nicht zum Leib.
16 Und wenn das Ohr sagt:
„Weil ich nicht Auge bin,
gehöre ich nicht zum Leib",
gehört es nicht deswegen nicht zum Leib.
17 Wäre der ganze Leib Auge,
wo bliebe das Gehör?
Wenn ganz Gehör,
wo der Geruch?

12,18 Jetzt aber hat Gott die Glieder,
jedes einzelne von ihnen,
im Leib an die Stelle gesetzt,
wie er wollte.
19 Wenn das Ganze ein Glied wäre,
wo bliebe der Leib?
20 Jetzt aber gibt es viele Glieder,
aber einen Leib.
21 Das Auge aber kann nicht zur Hand sagen:
„Ich brauche dich nicht",
oder etwa der Kopf zu den Füßen:
„Ich brauche euch nicht!"
22 Hingegen gilt vielmehr:
Die Glieder des Leibes,
die schwächer zu sein scheinen,
sind unentbehrlich,
23 und die wir für weniger edel am Leib ansehen,
diesen lassen wir um so mehr Ehre zukommen,
und unseren weniger anständigen Gliedern
begegnen wir mit mehr Anstand,
24 während die anständigen dessen nicht bedürfen.
Wohlan: Gott hat den Leib so zusammengefügt,
daß er dem geringsten Glied größere Ehre gab,
25 damit keine Spaltung im Leibe sei,
sondern die Glieder einträchtig füreinander sorgen.
26 Und wenn ein Glied leidet,
leiden alle Glieder mit.
Wenn ein Glied geehrt wird,
freuen sich alle Glieder mit.

27 Ihr aber seid der Leib Christi
und Glieder im einzelnen.
28 Und die einen hat Gott in der Gemeinde eingesetzt:
Zuerst als Apostel, zweitens als Propheten,
drittens als Lehrer;
dann Machttaten, dann Heilungscharismen, Hilfen,
Leitungsgaben, Arten von Zungenreden.

12,29 Sind etwa alle Apostel?
Sind etwa alle Propheten;
Sind etwa alle Lehrer?
Haben alle Machttaten?

30 Haben etwa alle Heilungscharismen?
Reden etwa alle mit Zungen?
Übersetzen etwa alle?
31a Eifert aber nach den größeren Charismen!

Das Hohelied der Liebe

31b Und noch darüber hinaus zeige ich euch einen Weg:
13,1 Wenn ich mit den Zungen von Menschen rede
und von Engeln, habe aber die Agape nicht,
bin ich ein tönendes Erz oder eine lärmende Pauke.
2 Und wenn ich die Prophetie habe
und alle Geheimnisse kenne und die ganze Erkenntnis,
und wenn ich allen Glauben habe,
so daß ich Berge versetzen kann,
habe aber die Agape nicht,
bin ich nichts!
3 Und wenn ich meine ganze Habe verschenke,
und wenn ich meinen Leib zum Verbrennen übergebe,
habe aber die Liebe nicht,
schaffe ich keinen Nutzen.

4 Die Agape ist großmütig,
gütig ist die Agape,
sie eifert nicht,
sie prahlt nicht,
sie bläht sich nicht auf,
5 sie handelt nicht ungehörig,
sie sucht nicht ihren Vorteil,
sie zürnt nicht,
sie rechnet das Böse nicht an,

13,6 sie freut sich nicht über das Unrecht,
     sie freut sich aber mit an der Wahrheit.
  7 Alles erträgt sie,
     alles glaubt sie,
     alles hofft sie,
     alles erduldet sie.
  8 Die Agape kommt niemals zu Fall,
     Sei es aber prophetische Rede, sie wird vergehen.
     Seien es Zungenreden, sie werden aufhören.
     Sei es Erkenntnis, sie wird vergehen.
  9 Denn bruchstückhaft erkennen wir
     und bruchstückhaft prophezeien wir.
 10 Wenn aber das Ganze-Vollendete kommt,
     wird das Bruchstückhafte vergehen.
 11 Als ich unmündig war,
     redete ich wie ein Unmündiger,
     dachte ich wie ein Unmündiger,
     urteilte ich wie ein Unmündiger.
     Als ich aber ein Mann geworden war,
     verging das, was den Unmündigen ausmachte.
 12 Wir sehen nämlich jetzt durch einen Spiegel
     in Rätselgestalt,
     dann aber von Angesicht zu Angesicht.
     Jetzt erkenne ich bruchstückhaft,
     dann werde ich erkennen, wie ich erkannt bin.
 13 Jetzt aber bleibt: Glaube, Hoffnung, Agape,
     diese drei.
     Am größten von diesen aber ist die Agape.

Vom Vorzug der Prophetie vor der Zungenrede

14,1 Strebt nach der Agape,
     eifert aber um die Geistesgaben,
     vor allem aber,
     daß ihr prophetisch redet.
  2 Denn der Zungenredner redet nicht zu Menschen,
     sondern zu Gott.
     Keiner nämlich versteht ihn,
     im Geist aber redet er Geheimnisse.

14,3 Der prophetisch Redende aber redet zu Menschen:
Erbauung und Mahnung und Trost.
4 Der Zungenredner erbaut sich selbst,
Der prophetische Redende erbaut die Gemeinde.
5 Ich möchte aber,
daß ihr alle in Zungen redet,
mehr aber, daß ihr prophetisch redet.
Denn der prophetisch Redende ist größer
als der Zungenredner, es sei denn, er übersetze,
damit die Gemeinde Erbauung empfange.

6 Jetzt aber, Brüder,
Wenn ich als Zungenredner zu euch komme,
was nütze ich euch, wenn ich zu euch nicht
rede mit einem Offenbarungsspruch oder einer
Erkenntnis oder einer Prophetie oder einer Lehre?
7 Ebenso ist es, wenn die leblosen Dinge einen Ton
geben, sei es eine Flöte, sei es eine Harfe,
wenn sie keine unterschiedlichen Töne
hervorbringen, wie soll man erkennen,
was geflötet oder auf der Harfe geschlagen wird?
8 Und wenn die Posaune einen undeutlichen Ton
hervorbringt, wer rührt sich dann zur Schlacht?
9 So ist es auch bei euch:
Wenn ihr als Zungenredner keine klaren Worte
hervorbringt, wie soll man das Gesprochene verstehen?
Ihr werdet nämlich in den Wind reden!
10 Es gibt wer weiß wieviele Arten von Sprachen
in der Welt, und nichts ist stumm.
11 Wenn ich nun den Sinn der Sprache nicht kenne,
werde ich dem Redenden ein Fremder sein;
und der Redende ist für mich ein Fremder.
12 So ist es auch bei euch:
Wenn ihr Eiferer seid nach Geistesgaben,
sucht sie zur Erbauung der Gemeinde,
damit ihr (darin) hervorragt.
13 Deshalb soll der Zungenredner beten,
daß er auch übersetzen kann.

14,14 Denn wenn ich als Zungenredner bete,
    betet mein Geist,
    mein Verstand aber ist unfruchtbar.
15 Was bedeutet das nun?
    Ich soll nicht nur im Geist beten,
    ich soll auch mit dem Verstand beten.
    Ich soll im Geist preisen,
    ich soll aber auch mit dem Verstand preisen.
16 Denn wenn du nur im Geist den Lobpreis sprichst,
    wie soll dann derjenige,
    der den Platz des Laien einnimmt,
    das „Amen" zu deinem Dankgebet sagen?
    Wenn er doch nicht weiß, was du sagst!
17 Du sprichst nämlich zwar trefflich den Dank,
    aber der andere wird nicht erbaut.
18 Ich danke Gott,
    daß ich mehr als ihr alle in Zungen rede.
19 Aber in der Gemeindeversammlung möchte ich lieber
    fünf Worte mit meinem Verstand reden,
    damit ich auch andere unterweise,
    als zehntausend Worte in Zungen.

20 Brüder, seid doch nicht Kinder an Einsicht,
    sondern seid unmündig im Bösen,
    an Einsicht aber reife Menschen.

21 Im Gesetz steht geschrieben:
    „Durch fremde Sprache und mit den Lippen Frem-
    der werde ich zu diesem Volk reden,
    aber auch so werden sie nicht auf mich hören,
    sagt der Herr."
22 Folglich sind die Zungen nicht den Glaubenden,
    sondern den Ungläubigen zum Zeichen,
    die Prophetie aber nicht den Ungläubigen,
    sondern den Gläubigen.
23 Wenn nun die ganze Gemeinde zusammenkommt
    an einem Ort und alle in Zungen reden,
    aber Unkundige oder Ungläubige hereinkommen,
    werden sie nicht sagen, daß ihr rast?

14,24 Wenn aber alle prophetisch reden,
       ein Ungläubiger oder Unkundiger hereinkommt,
       wird er von allen überführt, von allen beurteilt;
   25 das Verborgene seines Herzens wird offenbar,
       und dann fällt er auf sein Antlitz
       und huldigt Gott, bekennend:
       „Wirklich, Gott ist unter euch!"

Eine Ordnung für die gottesdienstliche Versammlung

   26 Was gilt nun, Brüder?
       Wenn ihr zusammenkommt,
       trägt jeder etwas bei:
       Er hat einen Psalm, er hat eine Belehrung,
       er hat eine Offenbarung, er hat eine Zungenrede,
       er hat deren Übersetzung.
       Alles soll zur Erbauung geschehen.
   27 Sei es, daß einer in Zungen redet,
       dann nur zwei oder höchstens drei,
       und nacheinander!
       Und einer soll übersetzen!
   28 Wenn aber kein Übersetzer da ist,
       soll der Zungenredner in der Gemeindeversammlung
           schweigen;
       er mag für sich (still) und zu Gott reden.
   29 Propheten aber sollen zwei oder drei reden,
       und die anderen sollen urteilen.
   30 Wenn aber einem anderen, der da ist,
       eine Offenbarung zuteil wird,
       soll der erste schweigen.
   31 Denn ihr könnt einer nach dem anderen
       alle prophetisch reden,
       damit alle hören und alle erbaut werden.
   32 Und die Geister der Prophetie
       sind den Propheten untertan.
   33 Denn Gott ist nicht ein Gott der Unordnung,
       sondern des Friedens.
       Wie in allen Gemeinden der Heiligen,

14,34 sollen die Frauen in der Gemeindeversammlung
schweigen;
denn es ist ihnen nicht gestattet zu reden.
Vielmehr sollen sie sich unterordnen,
wie auch das Gesetz sagt.

35 Wenn sie aber etwas lernen wollen,
sollen sie zu Hause ihre eigenen Männer fragen;
denn es ist ungeziemend für eine Frau,
in der Gemeindeversammlung zu reden.

36 Oder ist von euch das Wort Gottes ausgegangen,
oder ist es zu euch allein gelangt?

37 Wenn einer meint, Prophet zu sein
oder Pneumatiker,
soll er erkennen, daß, was ich euch schreibe,
ein Gebot des Herrn ist.

38 Wenn aber einer das nicht anerkennt,
wird er nicht anerkannt.

39 Deshalb, meine Brüder,
eifert nach der prophetischen Rede,
und die Zungenrede hindert nicht.

40 Alles aber soll geziemend
und nach der Ordnung geschehen.

„Über die Kollekte aber für die Heiligen"

16,1 Über die Kollekte aber für die Heiligen:
Wie ich es für die Gemeinden Galatiens
angeordnet habe, so macht auch ihr es.

2 Jeden ersten Wochentag soll jeder von euch
etwas zurücklegen und so zusammensparen,
was er kann.
Dann sind keine Sammlungen mehr nötig,
wenn ich komme.

3 Wenn ich aber angekommen bin,
werde ich diejenigen, die ihr als bewährt schätzt,
mit Briefen senden,
daß sie eure Gabe nach Jerusalem bringen.

4 Wenn es angemessen erscheint, daß auch ich reise,
sollen sie zusammen mit mir reisen.

Reisepläne

16,5 Ich werde aber zu euch kommen,
     wenn ich durch Mazedonien gezogen bin;
     denn ich ziehe durch Mazedonien.
  6 Bei euch aber werde ich, wenn es glückt,
    bleiben oder auch überwintern,
    damit ihr mich ausrüstet,
    wohin auch immer ich reisen werde.
  7 Denn ich möchte euch jetzt nicht nur im Vorbeige-
    hen sehen; ich hoffe nämlich, eine Zeitlang bei
    euch zu bleiben, wenn der Herr es gestattet.
  8 Ich werde aber in Ephesus bleiben bis Pfingsten.
  9 Eine Tür hat sich mir nämlich geöffnet,
    groß und wirksam;
    doch gibt es auch viele Gegner.

Empfehlung des Timotheus

10 Wenn aber Timotheus kommt,
   seht zu, daß er furchtlos bei euch sein kann;
   denn er wirkt das Werk des Herrn wie ich selbst.
11 Niemand also soll ihn verachten!
   Rüstet ihn aber in Frieden aus,
   damit er zu mir kommt;
   ich erwarte ihn nämlich mit den Brüdern.

„Über Apollos aber, den Bruder"

12 Über Apollos aber, den Bruder:
   Oft habe ich ihn gebeten,
   daß er mit den Brüdern zu euch gehen solle.
   Doch war es überhaupt nicht sein Wille,
   daß er jetzt gehe;
   er wird aber gehen,
   wenn sich eine gute Gelegenheit bietet.

Schlußmahnungen

16,13 Wachet, steht fest im Glauben,
 seid mutig, seid stark!
 14 Alles geschehe bei euch in der Agape.
 15 Ich ermahne euch aber, Brüder:
 Ihr kennt das Haus des Stefanas,
 daß es die erste Frucht Achaias ist
 und daß sie sich selbst in den Dienst
 für die Heiligen gestellt haben.
 16 Auch ihr sollt euch solchen unterordnen
 und jedem, der mitarbeitet und sich abmüht.
 17 Ich freue mich aber über die Ankunft von Stefanas
 und Fortunatus und Achaikus;
 denn sie haben den Mangel eurer Abwesenheit ersetzt.
 18 Sie haben ja meinen und euren Geist erfrischt.
 Erkennt also solche an!

Grüße

 19 Es grüßen euch die Gemeinden der Asia.
 Es grüßen euch im Herrn vielmals
 Aquila und Priska mit ihrer Hausgemeinde.
 20 Es grüßen euch alle Brüder.
 Grüßt einander mit heiligem Kuß!

Der Briefschluß

 21 Der Gruß mit meiner Hand, von Paulus!
 22 Wenn einer den Herrn nicht liebt,
 sei er verflucht!
 Marána-tha – Unser Herr, komm!
 23 Die Gnade des Herrn Jesus sei mit euch!
 24 Meine Agape ist mit euch allen in Christus Jesus.

Auch der vierte Brief des Paulus „an die Gemeinde Gottes, die in Korinth ist", ist nur unvollständig erhalten. Bei der Briefredaktion, als die vier ursprünglich selbständigen Briefe zusammengefügt wurden, mußten die Herausgeber, die den vierten Brief zum Hauptbestand der ersten Hälfte der Komposition machten, das Präskript und den Briefeingang opfern; vom vierten Brief konnten sie – im Unterschied zu den drei ersten – freilich die Schlußgrüße und den Schlußsegenswunsch erhalten.

Das *Präskript,* das den „Antwortbrief" eröffnete, kann man sich ähnlich vorstellen wie das Präskript des „Zwischenbriefes" (vgl. oben S. 152 f):

„Paulus, (berufener) Apostel Christi Jesu durch Gottes Willen, an die Gemeinde Gottes, die in Korinth ist.

Gnade euch und Friede von Gott, unserem Vater,

und dem Herrn Jesus Christus".

Ob Paulus im Präskript einen Mitabsender genannt hat, wissen wir nicht; Timotheus kann es nicht gewesen sein, weil er nach 16,10 f schon auf dem Weg (über Mazedonien) nach Korinth zu sein scheint.

Wir haben bei der Rekonstruktion des „Zwischenbriefes" auch schon erörtert (vgl. oben S. 153), inwiefern es sinnvoll und möglich ist, verlorengegangenen Briefeingängen von wiederentdeckten Briefen nachzufragen. Der erhaltene Hauptteil des „Antwortbriefes" setzt in 1 Kor 7,1 mit der Beantwortung der schriftlichen Anfragen aus Korinth ein: „Über die Dinge aber, von denen ihr geschrieben habt". Es spricht nichts gegen die Annahme, daß Paulus nach dem Präskript mit der üblichen *Danksagung* fortfuhr und hier die Beziehung zu seinen Adressaten aufnahm, den Glaubensstand der korinthischen Gemeinde aus seiner Sicht charakterisierte und womöglich wichtige Themen seines Briefes in Anspielungen vorbereitete. Jedoch haben wir keine Chance, uns eine genaue Vorstellung davon zu bilden, wie der Briefeingang des „Antwortbriefes" ausgesehen hat.

Der Aufbau des vierten Briefes, den Paulus nach Korinth schrieb, war dem Apostel im wesentlichen durch die schriftlichen Anfragen der Korinther vorgegeben; wie bei der Textdar-

bietung schon gezeigt ist, sieht die Gliederung des „Antwortbriefes" so aus:

[Präskript]
[Briefeingang]
Fragen zu Ehe und Ehescheidung (7, 1–16)
Über die Berufung und den Stand der Berufenen (7, 17–24)
Fragen zu Ehe und Jungfräulichkeit (7, 25–38)
Über die Wiederheirat nach dem Tod des Mannes (7, 39–40)
„Über das Götzenopferfleisch aber" (8, 1–13)
Eine „Verteidigung" des Apostolats Pauli (9, 1–27)
„Über die Geistesgaben aber" (12, 1–31 a)
Das Hohelied der Liebe (12, 31 b–13, 13)
Vom Vorzug der Prophetie vor der Zungenrede (14, 1–25)
Eine Ordnung für die gottesdienstliche Versammlung
(14, 26–40)
„Über die Kollekte aber für die Heiligen" (16, 1–4)
Reisepläne des Apostels (16, 5–9)
Empfehlung des Timotheus (16, 10–11)
„Über Apollos aber, den Bruder" (16, 12)
Schlußmahnungen (16, 13–18)
Grüße (16, 19–20)
Der Briefschluß (16, 21–24)

3. Fragen zu Ehe und Ehescheidung (7, 1–16)

Schon in den beiden ersten Briefen, die er nach Korinth
schrieb, hatte Paulus zu Fragen der Sexualität Stellung nehmen müssen. Die Ordnung der Beziehungen zwischen Männern und Frauen gehört zu den Grundproblemen der Lebensform der Kirche als einer umfassenden Lebensgemeinschaft.
Es ist nicht verwunderlich, daß die erste Frage, welche die Korinther in ihrem Brief Paulus vorlegten, „Ehe und Ehescheidung" betraf.

Paulus scheint am Beginn seines „Antwortbriefes" eine Parole zu zitieren, die als Gegensatz zum sexuell freizügigen Denken – gegen das Paulus in den ersten beiden Briefen Stellung
genommen hatte – unter eher asketischen Gemeindemitgliedern im Umlauf gewesen zu sein scheint; die Korinther hatten

offenbar angefragt, ob die These, die dem Wort Gottes in Gen 2, 18.24 widersprach (wonach die Ehe für den Mann gut ist), nach dem Urteil des Apostels richtig sei: „Es ist gut für den Menschen (= Mann), keine Frau zu berühren!" (7, 1).

Paulus stimmte dieser Parole – die gegen den Abschluß wie gegen die Weiterführung einer Ehe hätte benutzt werden können – nicht zu. Der Apostel warnt Männer und Frauen vor einer falschen Selbsteinschätzung, vor einer Unterschätzung des Sexualtriebes. Wegen der Gefahr der „Unzucht" (7, 2) soll jeder seinen Ehepartner haben und ihm die eheliche „Pflicht" erfüllen. Deutlich wird in der Antwort des Paulus alsbald – gleich ob die Anfrage aus Korinth eher von Männern oder von Frauen herrührt –, daß zur christlichen Lebensform die Gleichberechtigung von Mann und Frau in der Ehe gehört. Paulus drückt diese Forderung auch sprachlich darin aus, daß er in chiastischer Verschränkung von „Frau – Mann – Mann – Frau" streng wechselseitig gültige Aussagen trifft (7, 3 f).

Die Konzession, die Paulus den asketisch orientierten Gemeindemitgliedern einräumt (7, 5 f) – der Apostel nennt sie „Zugeständnis, nicht Befehl" (7, 6) –, ist an die Bedingung gebunden, daß sexuelle Enthaltsamkeit das „Einverständnis" des Ehepartners voraussetzt, und auf „eine Frist" eingeschränkt, in der die Partner „für das Gebet frei" sein können.

Der Apostel verschweigt allerdings auch nicht (7, 7), daß er am liebsten sähe, wenn – wie er übertreibend sagt – „alle Menschen" um der Verkündigung des Evangeliums willen unverheiratet und für ihren Dienst ganz frei wären. Doch ist die Ehelosigkeit, die um der Mission willen gewählt wird, ein „Charisma", eine Gnadengabe von Gott, über die niemand verfügen kann. Paulus bezeichnet nicht die Ehe als Charisma; sie ist keine besondere Gnadengabe, obwohl sie in der Kirche – die sie als Sakrament erkannt hat – ganz in Dienst genommen werden kann und soll, durch diesen Dienst geformt wird und die Lebensform der Kirche mit prägt.

Paulus wendet sich dann (7, 8) speziell an die Ledigen und die Witwen und sagt ihnen, es sei gut, unverheiratet zu bleiben, aber „besser zu heiraten als zu brennen" (7, 9). Paulus sieht in der Ehelosigkeit eine besondere missionarische Chance; er wird später noch erklären, warum: Weil die Ledigen ungeteilt für den Gemeindeaufbau verfügbar sein können. Doch legt der Apostel auf die Freiheit wert – und unterschätzt nicht die Gefahr, daß der Ehelose vor sexueller Begier „brennen" kann.

Sosehr sich Paulus in der Gemeinde Ehelose wünscht, so wenig läßt er zu, daß bestehende Ehen gemäß der laxen Ehescheidungspraxis der damaligen Zeit von Christen aufgelöst werden. Paulus beruft sich den Verheirateten gegenüber auf ein Wort des „Herrn" Jesus, das für die Gemeinde absolute Verbindlichkeit besitzt. Merkwürdig ist, daß Paulus das überlieferte Jesuswort (vgl. Mk 10,11 f parr) nicht nur frei, sondern auch in der Reihenfolge Frau-Mann zitiert. Vom Verbot der Scheidungsinitiative der Frau redet der Apostel wohl deshalb zuerst, weil er in der Parenthese einen besonderen Fall bespricht, den ihm die Korinther vorgelegt hatten: Eine geschiedene Frau, die sich von ihrem Mann getrennt hatte, war zur Gemeinde gekommen. Wie sollte die Gemeinde angesichts des absoluten Scheidungsverbotes Jesu diesen Fall beurteilen? Paulus urteilt: „Sie soll unverheiratet bleiben oder sich mit dem Mann versöhnen" (7,11)! In der Gemeinde prägt die Versöhnung, die Gott gestiftet hat, die Form des Lebens aller, insbesondere auch der – meist zerstrittenen – Ehen; die Eheleute können sich versöhnen lassen. Wer sich von seinem Ehepartner trennen zu müssen glaubt, soll unverheiratet bleiben.

Vom konkreten Fall der geschiedenen Frau geht Paulus zur Behandlung des Problems der „Mischehen" über (7,12–16); die „übrigen", für die er kein Jesuswort zitieren kann, sondern denen er in eigener Autorität Anweisungen geben muß, sind die Gemeindemitglieder, die mit einem heidnischen Ehepartner verheiratet sind, die schon verheiratet waren, bevor sie Christ wurden und deren Ehepartner bislang nicht zum Glauben gefunden hatte. Es geht also um folgende Fälle: „Wenn ein Bruder eine ungläubige Frau hat" und „Wenn eine Frau einen ungläubigen Mann hat"; Paulus läßt auch für sie zunächst das Scheidungsverbot Jesu gelten, solang der ungläubige Partner „ einwilligt, mit ihm (ihr) zusammenzuwohnen". Paulus weist die mögliche Auffassung zurück, der Christ könne durch den ehewilligen heidnischen Partner „entheiligt" werden, wie vielleicht Judenchristen im Blick auf heidenchristliche Mischehen meinen mochten; vielmehr sieht der Apostel den heidnischen Partner vom gläubigen Partner und der ihm zugekommenen Kraft her „geheiligt" – wie die Kinder, die schon vor der Bekehrung des Gemeindemitglieds geboren waren. Offenbar suchte der Apostel nach einem schlagenden Argument für sein Verbot der Trennung der Gemeindemitglieder von einem heidnsichen Partner; auch von den Kindern würde sich niemand trennen, sie niemand als ansteckend „unrein" bezeichnen. Über den ungläubigen Partner kann der Christ allerdings nicht verfügen: Wenn er sich trennen will, „soll er sich trennen!" So sehr der Heide, der mit einem christlichen Partner willig zusammenlebt, durch die Lebensform des Christen, die er achtet, mitgeprägt und so „geheiligt", an die Geschichte Gottes mit seinem Volk angebunden, an ihr beteiligt wird, so wenig kann der Christ seinen heidnischen Partner zwingen. Wie er ihn freigeben muß, so bleibt er selbst aber auch frei; wenn der Heide die Ehe auflöst, bedeutet dies: „Der Bruder oder die Schwester ist in solchen Fällen nicht versklavt" (7,15b). Die Berufung in die Gemeinde ist als Berufung von Gott eine Berufung „im Frieden"; heroische Selbstaufopferung einem heidnischen Mann oder einer heidnischen Frau gegenüber sieht Paulus nicht geboten, zumal er für höchst ungewiß hält, ob ein Ehepartner den anderen „retten", d. h. zum Glauben führen kann: „Woher weißt du denn, Frau, ob du den Mann retten wirst..." (7,16).

Paulus hat zweifellos daran gedacht, daß die von ihrem heidnischen Partner verlassenen Christen mit einem Christen eine neue Ehe eingehen können. Insgesamt beeindruckt, wie selbstverständlich der Apostel von der Gleichberechtigung von Mann und Frau ausgeht, was er auch dadurch zum Ausdruck bringt, daß er bewußt die Reihenfolge wechselt und wiederholt von Frau und Mann spricht. Paulus weiß, wie stark die Ehe die Lebensform in der Gemeinde prägt und wie formend in der Ehe der Glaube oder Nicht-Glaube der Partner ist: bis in die Details des alltäglichen Zusammenlebens im Haus und der Beteiligung oder Nichtbeteiligung am Leben der Gemeinde. Paulus formuliert höchst nüchterne und realistische Weisungen, ausgehend von der Kraft des Glaubens und der Freiheit des Glaubenden – aber auch ohne die Augen zu verschließen vor der Ohnmacht des Glaubenden angesichts des Unglaubens. Wo sich der heidnische Ehepartner verschließt, kann der Christ ihn nicht „heiligen"; wo er sich trennen will, soll der Christ ihn sich trennen lassen, weil er sich sonst an den

Ungläubigen versklaven und dem fortdauernden häuslichen Streit – in dem die Gemeindeversammlung, welcher der Heide ja nicht traut, keine Versöhnung stiften kann – ausliefert.

4. Über die Berufung und den Stand der Berufenen (7, 17–24)

Die Anfragen der Korinther zu Ehe und Ehescheidung haben Paulus nun bewußt werden lassen, daß die einzelnen Gemeindemitglieder in je verschiedenem „Stand" berufen worden sind: verheiratet oder unverheiratet, als Witwe oder geschieden. Der Apostel benutzt die Gelegenheit, den Korinthern seine grundsätzlichen Überlegungen zu dieser Verschiedenheit der Berufung vorzutragen: Die Berufung in die Gemeinde geschieht unabhängig vom Stand des Berufenen und ist zunächst auch kein Anlaß zur Änderung seines Standes! Vor Gott und unter den Brüdern in der Gemeinde gelten andere Maßstäbe als in jeder ständisch gegliederten Gesellschaft. In der Gemeinde ist die Lebensform eines jeden und die gemeinschaftliche Lebensform davon bestimmt, „wie der Herr es jedem zugeteilt hat, wie Gott jeden berufen hat" (7, 17). Die Zuteilung des Herrn, das Charisma des Einzelnen, kann erst in der Gemeinde und durch ihre Versammlung erkannt werden. Paulus läßt nicht zu, daß die Berufung durch Gott und der weltliche Beruf, die Umkehr und ein Berufs- oder Standeswechsel verwechselt werden. Ob beschnittener Jude oder unbeschnittener Heide – die Herkunft zählt in der Kirche nicht, der Jude braucht nicht Heide, der Heide braucht nicht Jude zu werden; im Galaterbrief wird Paulus programmatisch formulieren: „Ihr seid alle durch den Glauben Söhne Gottes in Christus Jesus... Es gibt nicht mehr Juden und Griechen, nicht Sklaven und Freie, nicht Mann und Frau; denn ihr alle seid ‚einer' in Christus Jesus" (Gal 3, 26.28). In 1 Kor 7, 19 relativiert Paulus Beschneidung und Unbeschnittensein im Blick auf die gemeinsame neue Praxis in der Gemeinde: „die Befolgung der Gebote Gottes", Seines Willens, der in ihnen zum Aufbau der Gemeinde, zur Errichtung der neuen Gesellschaft des endzeitlichen Gottesvolkes konkret wird. Paulus empfiehlt generell, daß jeder in dem Stand bleibt, „in dem er berufen wurde" (7, 20).

Diese Empfehlung erscheint im Blick auf die Sklaven als besonders problematisch; doch muß man bedenken, daß eine Berufung von Sklaven zum christlichen Glauben die Sklaven in ganz unterschiedlichen Verhältnissen treffen konnte: als Sklaven eines heidnischen Herren, als Sklaven eines Herrn, der sich gleichzeitig bekehrte, oder als Sklaven eines Herrn, der schon zuvor Christ war. Der Sklave eines heidnischen Herrn hätte ohnehin keinen Anspruch auf Freilassung aus seiner Bekehrung ableiten können; aber wenn der Sklave eines Christen dies tat? Verwechselte er dann nicht die Freiheit, die ihm als „ein Freigelassener des Herrn" (7,22) zukam und ihm mit seinem irdischen Herrn gleichstellt, mit der bürgerlichen Freiheit und ideologischer Gleichmacherei? Der Freie ist ja in der Gemeinde auch „ein Sklave des Herrn" – also sind zwischen Freien und Sklaven ganz neue gesellschaftliche Beziehungen gestiftet: bis hin zur Tischgemeinschaft am Tisch des Herrenmahls, an dem alle als „Freie" partizipieren. Der Kaufpreis der christlichen Freiheit ist der Tod Christi – teurer kann niemand freigekauft werden, und deshalb gibt es *nirgends mehr* Gleichwertigkeit als in der christlichen Gemeinde. Wer diese Gleichheit mit der ständischen Gleichheit nach den Maßstäben der alten Gesellschaft verwechselte, würde sich zum „Sklaven von Menschen" machen, seinen Loskauf als Sklave von Menschen abhängig machen. Natürlich schließt Paulus – wie der Philemonbrief deutlich zeigt – nicht aus, daß christliche Herren ihre Sklaven freigeben, auch nicht, daß die Gemeinden Sklaven bei heidnischen Herrn freikaufen – aber jede automatische Koppelung verdunkelt und verspielt die christliche Freiheit, die von Gott geschenkt ist und im Vertrauen auf sein Handeln gründet. Deshalb wiederholt Paulus zum drittenmal: „Jeder soll, Brüder, in dem Stand, in dem er berufen wurde, in eben diesem vor Gott bleiben" (7,24).

5. Fragen zu Ehe und Jungfräulichkeit (7,25–38)

Nach dem Exkurs über die Berufung und den Stand der Berufenen kommt Paulus auf die Anfragen der Korinther zurück; deren zweite galt dem Thema „über die Jungfrauen" (7,25). Paulus gibt, da er nicht wie zur Frage der Ehescheidung über ein „Gebot des Herrn" verfügt, seinen eigenen Rat. Sein Rat ist freilich nicht beliebig, wie man überall guten Rat haben kann. Paulus hält seinen Rat für mehr als bedenkenswert, eher für bindend, weil er als der Apostel „dank des Erbarmens des Herrn zuverlässig ist". Paulus argumentiert zugunsten der Ehelosigkeit mit dem Hinweis auf die „bevorstehende Not". Jedes Gemeindemitglied, jedes junge Mädchen und jeder junge Mann ist frei zu heiraten – und die Eheschließung ist keine Sünde, wie vielleicht einige rigorose Leute in der korinthischen Gemeinde geäußert hatten. Aber diejenigen, die heiraten, so prognostizierte Paulus, „werden Drangsal in ihrem Leben haben" (7, 28).

Paulus geht davon aus, daß die Christen in der Endzeit leben und deshalb mit den endzeitlichen Drangsalen konfrontiert werden; auch jüdische Apokalyptiker haben von einer Heirat „am Ende der Tage" abgeraten: „Und ihr, Brautleute, geht nicht hinein ins Brautgemach" „Ihr Bräute, wollt euch nicht mit Kränzen schmücken!" (syr Bar 10, 13). Paulus sieht mit den in jüdischer Tradition geschärften Augen, daß die Ehe besonderen Belastungen ausgesetzt ist. Der Apostel ist nicht ehefeindlich, sondern realistisch.

Paulus denkt im Horizont der Naherwartung: „Die Frist ist zusammengedrückt" (7, 23), die Endzeit ist dadurch bestimmt, daß Gott in der Geschichte Jesu und der Stiftung der neutestamentlichen Gemeinden schon eschatologisch gehandelt hat; deshalb „vergeht die Gestalt dieser Welt" (7, 31) in dem Maße, in dem die neue Welt Gottes in der Kirche Gestalt annimmt. Der Stoff für die neue Welt ist auch der Stoff der alten: die Ehe, die Emotionen, der Handel, die Ökonomie. Aber diejenigen, die der neuen Welt angehören, machen einen neuen Gebrauch davon, einen freien Gebrauch, in dem sie sich an nichts mehr ausliefern – als an Gottes Herrschaft in der Sorge „um die Sache des Herrn" (7, 32).

Paulus denkt auch insofern über die Ehe realistisch, als er den Unterschied zwischen Verheirateten und Unverheirateten im ungeteilten bzw. geteilten Interesse an der „Sache des Herrn" bzw. zusätzlich der „Sache der Welt" wahrnimmt. Mit dem Gedanken der ungeteilten Sorge „um die Sache des Herrn", um den Aufbau und das Wachstum der Gemeinden, begründet Paulus erneut seinen Rat zur Ehelosigkeit; der entscheidende Gedanke ist die Frage nach dem „Dienst", eine theologische, keine psychologische Erwägung. Daß die Verheirateten sich sorgen, wie sie ihrem Ehegatten „gefallen können", wird von Paulus nicht kritisiert, sondern als selbstverständlich vorausgesetzt und akzeptiert.

Unklar bleibt, ob Paulus in 7,36–38 einen Ratschlag für Eltern oder Verlobte erteilt. „Am häufigsten vertreten wird derzeit die Auffassung, daß es um zwei Verlobte geht, die noch getrennt bei ihren Eltern leben. Sie hatten sich angesichts des bevorstehenden Endes zum Verzicht auf den Vollzug der Ehe entschlossen, aber jetzt drängt anscheinend der Verlobte auf die Hochzeit, weil er um seine Selbstbeherrschung fürchtet. Die Lösung einer Verlobung konnte Paulus von seinen jüdischen Denkvoraussetzungen her nicht zulassen, weil sie nur durch förmliches Ausstellen eines Scheidebriefes möglich war, und das widerspricht dem jesuanischen Scheidungsverbot. Also bleibt im Zweifelsfall nur die Aufnahme ehelichen Lebens dieser beiden" *(H.-J. Klauck)*. Paulus hält daran fest, daß Heirat keine Sünde ist, aber ebenso, daß „wer nicht heiratet, besser handeln wird" (7,38). Die Steigerung „besser" ist aber nicht durch den einfachen Vergleich zwischen Heiraten und Nichtheiraten begründet, sondern durch den Blick auf die Möglichkeit ungeteilten Dienstes in der Gemeinde, ungeteilter Sorge um die Sache des Herrn, die nicht von Natur aus, durch keinen Trieb – auch nicht einen religiösen – besorgt wird, sondern allein in freier Zuwendung.

6. Über die Wiederheirat nach dem Tod des Mannes (7,39–40)

Über die Erörterung der Frage, ob Verlobte angesichts der andrängenden Endzeit und der großen Aufgaben in der Gemeinde heiraten sollen, kommt Paulus auf ein letztes Thema: Wie ist es mit der Wiederheirat einer Frau nach dem Tod ihres Mannes? Das Judentum schätzte damals die Witwe sehr hoch und pries diejenige, die nur *einen* Mann gehabt hatte (vgl. Lk 2,36 f). Die Heidenchristen in Korinth standen nicht in dieser Tradition; sie bedurften einer Orientierung.

Der Apostel unterstreicht das Scheidungsverbot, nur der

Tod des Mannes gibt die Frau „frei, sich, wenn sie will, zu verheiraten" (7,39). Paulus erwartet freilich, daß sie sich als Christin nur mit einem Christen („im Herrn"), nicht mehr mit einem Heiden verheiraten wird. Paulus schließt das ganze Ehekapitel mit einem Makarismus ab, in dem noch einmal die Ehelosigkeit gepriesen wird. Und der Apostel unterstreicht noch einmal, daß sein „Rat" nicht unverbindlich, sondern eine Erwägung, die von Gottes Geist, den er empfangen hat, mit inspiriert ist. Nahezu allzu bescheiden gibt sich Paulus gegenüber der Gemeinde, mit der er so intensiv um die Lebensform der Kirche ringt.

7. „Über das Götzenopferfleisch aber" (8,1–13)

Zur Frage, ob der Genuß von Götzenopferfleisch erlaubt sei, hatte Paulus schon im zweiten Brief, dem „Zwischenbrief" Stellung genommen (vgl. S. 161–165). Damals ging es insbesondere um die Teilnahme von Gemeindemitgliedern an heidnischen Götzenopfermahlzeiten, um die Gemeinschaft „am Tisch der Dämonen" (10,21). Um die Frage richtig einzuordnen, muß man wissen, daß für Juden (und damit auch für Judenchristen) die heidnischen Opfermahlzeiten ein Greuel waren, weil das Fleisch von Tieren verzehrt wurde, die zuvor den „Götzen" geopfert worden waren. Götzenopferfleisch verzehrten die Heiden bei privaten Anlässen wie Familienfeiern und Totengedenken, bei denen Opfer dargebracht wurden, und bei den großen öffentlichen Festen, die mit Banketten für das gemeine Volk verbunden waren. „Gerade für die breite Schicht der Minderbemittelten bot oft nur ein solcher Rahmen Gelegenheit zum Genuß von Fleisch, das wegen seiner Kostspieligkeit nicht zu den Grundnahrungsmitteln zählte" (J.-H. Klauck). Sollte der Heide, der Christ geworden war, nun auf diesen Fleischgenuß, den er bisher von Zeit zu Zeit kostenlos erhalten hatte, verzichten?

Die Themenangabe „Götzenopferfleisch" ist negativ (aus jüdisch-traditioneller Sicht) formuliert. Die Korinther hatten wohl angefragt, ob des Apostels Verbot der Teilnahme an Götzenopfermahlzeiten, wie es im „Zwischenbrief" ausgesprochen war, angesichts der „Erkenntnis" (8,1), daß die soge-

nannten Götzen „Nichtse" sind (vgl. 10, 19), begründet und berechtigt sei. Die aufgeklärten Gemeindemitglieder, die sich auf
ihre theologische Einsicht beriefen, fordern wohl eine freie
Praxis: Man dürfe alles essen!

Paulus bestreitet die grundlegende Erkenntnis nicht, warnt
aber vor der Gefahr, *Gnosis,* Wissen, statt *Agape,* Liebe, zum
Maß des Miteinander in der Gemeinde zu machen. Für die
neue Lebensform der Gemeinde zählt nicht, was den Einzelnen „aufbläht", sondern was den Gemeinschaftsbau „auf-
baut". Die wahre Erkenntnis ereignet sich in der Liebe, die mir
die Augen des Herzens öffnet. Wer Gott liebt, blickt mit dessen
Augen auf die Gemeinde als den vor ihm errichteten Bau – und
hilft ihn aufbauen; darin zeigt sich, daß er „von Gott erkannt
ist", und von ihm erwählt, seiner Agape entspricht.

Paulus schickt solche grundsätzlichen Erwägungen voraus,
bevor er „über das Essen von Götzenopferfleisch" handelt und
zunächst den Fragestellern dahingehend Recht gibt, daß die
Christen (mit den Juden) „wissen, daß es keinen Götzen in der
Welt gibt" (8, 4). Das monotheistische Grundbekenntnis zum
einzigen Gott schließt den Glauben an andere Götter bzw.
Götzen aus.

Doch diese theoretische Einsicht darf, so wendet Paulus alsbald ein, die Gemeindemitglieder nicht dahingehend blenden,
daß der heidnische Götterglaube auch die Christen real gefährdet, sofern immer neue „sogenannte Götter" im Himmel
oder auf Erden ihr Herz an sich ziehen können; Paulus weist
auf eine Aufgabe, die Dringlichkeit existentieller Entscheidung hin: „doch *für uns* gibt es nur den einen Gott, den Vater",
den Schöpfer, der gemäß dem Hauptgebot Dtn 6, 4 mit der
ganzen Existenz ausschließlich geliebt sein will und der sich
der Gemeinde durch „den einen Herrn Jesus Christus" zuge-
wandt und geoffenbart hat, den Mittler der Schöpfung, und
der neuen Schöpfung der *ekklesia,* der Kirche.

Wer die Lebensform der Kirche regulieren und formulieren
will, so deutet Paulus an, kann nicht dabei stehenbleiben, allgemein zugängliche religionsphilosophische Erkenntnisse
über den Monotheismus und die Unsinnigkeit des Polytheis-
mus zu bedenken und zum Maß der Praxis zu machen; er muß
vielmehr die in der Kirche offenbare Schöpfungs- und Erlö-
sungswirklichkeit, die vom einen Gott durch den einen Herrn

Jesus Christus zu uns gekommen ist, bedenken und zum praktischen Maßstab machen. Denn nur dann kommt auch „der Bruder, um dessentwillen Christus gestorben ist," (8,11) angemessen in den Blick.

Paulus fordert Rücksicht auf das schwache Gewissen dessen, der das Opferfleisch nicht von dessen Herkunft aus den Tempeln und aus dem Zusammenhang des Götzendienstes zu lösen vermag; Paulus hat wohl ehemalige Heiden, von deren „Gewöhnung an Götzen" (8,7) er spricht, im Auge; als sie Christen wurden, hatten sie sich – wie es die grundlegende Missionspredigt forderte – „von den Götzen abgewandt" (1 Thess 1,9). Wenn sie nach ihrer Bekehrung weiter Götzenopferfleisch aßen, fürchteten sie, „ihr Gewissen zu beflecken". Sie waren „schwach", ängstlich und skrupulös.

Der Apostel selbst rechnet sich zu den „Starken" (vgl. Röm 15,1), die wissen, daß eine Speise nicht darüber entscheidet, ob der Mensch Gott nahe ist oder nicht. Für die „Starken" in Korinth war Essen ein eher belangloser Vorgang – ebenso wie Nicht-Essen. Paulus genügt aber diese aufgeklärte Einsicht nicht; er verlangt vielmehr einen Rechtsverzicht des Starken zugunsten des Schwachen, dem niemand Anstoß geben darf: „Selbst legitime Rechte stoßen da an ihre Grenze, wo ihre Ausübung den Mitchristen im Glauben gefährdet" *(H.-J. Klauck).*

Paulus gibt ein Beispiel, er führt einen möglichen oder faktischen Fall an: Das aufgeklärte Gemeindemitglied, das weiß, daß es keine Götter gibt und daß Speisen belanglos sind, liegt im Götzentempel zu Tisch und nimmt dort an heidnischen Opfermahlzeiten teil. Wird da nicht der Schwache, der vielleicht auch gerne Fleisch äße, dessen Gewissen ihm aber den Genuß von Götzenopferfleisch untersagt, „aufgebaut" – Paulus meint es ironisch: „ruiniert" –, gegen sein Gewissen Götzenopferfleisch zu essen; gegen den Spruch des Gewissens zu handeln, ist Sünde. Der Starke verführt also den Schwachen zur Sünde und achtet ihn nicht als den „Bruder, um dessentwillen Christus gestorben ist" (8,11), für dessen Sünden der Messias den Sühnetod erlitt. Wer den schwachen Bruder zur Sünde verführt und in seinem Glauben, seinem Vertrauen zur Gemeinde als der messianischen Gesellschaft, wankend macht, sündigt gegen ihn und gegen Christus. Paulus zieht persönlich die Folgerung: Lieber überhaupt kein Fleisch essen, als „meinen Bruder skandalisieren", ihn zu Fall bringen.

Das Maß der Lebensform der christlichen Gemeinde ist also nicht allein ihre theologisch aufgeklärte Erkenntnis, sondern vorab die Agape, die Rücksichtnahme auf den Bruder und auf den Aufbau der Gemeinde.

8. Eine „Verteidigung" des Apostolats Pauli (9, 1–27)

Paulus schiebt in die Reihe seiner Antworten auf die schriftlichen Anfragen aus Korinth einen Exkurs ein, in dem er an seiner eigenen Person die Freiheit demonstriert, die er von allen Gemeindemitgliedern erwartet: Daß sie so frei sind, ihre Brüder nicht zu skandalisieren. Paulus ist nicht nur so frei, „in Ewigkeit kein Fleisch zu essen" (8, 13), sondern auch, auf die Ausübung seines apostolischen Unterhaltsrechts zu verzichten, um sich nicht von seinen Gemeinden bzw. den Wohlhabenden in ihnen (die ihn leicht unterstützen könnten) abhängig zu machen. Paulus hatte schon in seinem ersten Brief, dem „Vorbrief", darauf hingewiesen, daß er als „Apostel" (4, 9) zu denen gehört, die „sich abmühen, indem wir mit den eigenen Händen arbeiten" (4, 11). Im „Auferstehungsbrief", dem dritten Schreiben, hatte Paulus zuerst sein Apostolat verteidigen müssen, da man ihm vorwarf, er sei als ehemaliger Verfolger der Kirche nur eine „Mißgeburt" (15, 8). Offenbar hatte der Apostel nicht alle seine Kritiker zum Schweigen gebracht; judenchristliche Gegner des Paulus, die vielleicht schon hinter der Kefas-Partei gestanden hatten, scheinen weiterhin gegen ihn Stimmung gemacht zu machen. Jetzt war Paulus wohl der Vorwurf zu Ohren gekommen, er nehme sein Apostelrecht auf Unterhalt bei seinen Gemeinden nicht in Anspruch und sei deshalb offensichtlich kein wahrer Apostel. Gegen einen solchen Vorwurf setzt Paulus sich im Exkurs von 1 Kor 9 zur Wehr, und er tut es in der rhetorischen Form einer „Apologie", einer Verteidigungsrede, der dritten innerhalb der bisherigen Korrespondenz mit der korinthischen Gemeinde.

In der *Eröffnung* dieser *Apologie,* im *exordium* (9, 1–2), setzt Paulus mit rhetorischen Fragen adressatenbezogen emotional ein: Er ist aufgrund seiner Christophanie (vgl. 1 Kor 15, 8) ein freier Apostel – und die Gemeinde in Korinth als sein „Werk im Herrn" ist der Ausweis dafür: „Denn ihr seid der Siegelabdruck meines Apostolats im Herrn" (9,2). Die Korinther selbst wissen, daß niemand eine Gemeinde gründen kann, wenn ihm nicht von Gott die apostolische Vollmacht dazu gegeben ist; sonst entsteht kein „Werk im Herrn": eine Gemeinschaft, in der alle gegen ihre mißtrauische Natur einander Vertrauen schenken können, weil sie dem Evangelium trauen.

In seinem *Übergang* zur *narratio,* dem *transitus* (9,3), nennt Paulus selbst seine nachfolgenden Darlegungen „meine Verteidigung"; und er führt diese Apologie gegen solche, die ihn vor dem Forum der Gemeinde beschuldigen, er sei kein wahrer Apostel. Paulus hat schon vorweg angedeutet, daß die Beschuldigung seiner Gegner haltlos ist, aber er will dies jetzt in seiner Verteidigungsrede ausführlich darlegen.

Im *Bericht zur Sache,* der *narratio* (9,4–14), besteht Paulus auf der Unterscheidung eines Rechts von der Ausübung eines Rechts. Er hat wie die übrigen Apostel „das Recht", auf Kosten seiner Gemeinden „zu essen und zu trinken" und auch noch – wäre er verheiratet, wie „die Brüder des Herrn" und Kefas – seine Frau mit unterhalten zu lassen. Paulus und Barnabas, die in Antiochia eine eigene, unabhängige Form der Mission begründet haben, haben auch „das Recht", „nicht zu arbeiten", also auf Kosten ihrer Gemeinden zu leben. Vielleicht hat Paulus von seinem früheren Missionsgefährten Barnabas, der ihn von Tarsus nach Antiochia geholt hatte (vgl. Apg 11,25f), gelernt, wie wichtig in der Konkurrenz der Mission in den hellenistischen Städten die Freiheit und Unabhängigkeit des Missionars sei; die Herrenbrüder und Petrus, die zunächst mehr im ländlichen Milieu Palästinas missioniert hatten, konnten dort das apostolische Unterhaltsrecht wahrnehmen, ohne sich Mißverständnissen auszusetzen. Daß man sie nun in Korinth gegen Paulus auszuspielen versuchte, wäre ihnen selbst gewiß nicht recht gewesen.

In seinem Bericht zur Sache verteidigt Paulus zunächst sein apostolisches Unterhaltsrecht, das ihm wie allen Aposteln zukommt. Er bringt in rhetorischen Fragen Bilder aus dem Alltagsleben vor (9,7), die illustrieren, daß er nicht „für eigenen Sold", ohne die Früchte seiner Arbeit „essend" zu genießen, missionieren müßte. Darüber hinaus beruft er sich auf die

Tora, das Gesetz des Mose, das selbst dem dreschenden Ochsen erlaubt, vom Getreide zu fressen; Paulus legt die Tierschutzbestimmung von Dtn 25,4 in einer allegorischen Exegese, wie er sie in der hellenistischen Synagoge gelernt hat, auf das apostolische Unterhaltsrecht hin aus: Der Apostel darf missionieren in der Erwartung, seinen Lebensunterhalt vonseiten der Gemeinde zu bekommen. „Wenn wir euch die Geistesgaben gesät haben, ist es dann zu viel, wenn wir von euch irdische Gaben ernten?" (9,11). Das Evangelium, das der Apostel nach Korinth gebracht hat, ist doch viel kostbarer als die Kost, mit der Paulus von der Gemeinde ernährt werden würde! Und wenn die Gemeinde nun andere Missionare – vielleicht gerade diejenigen, die gegen Paulus stänkern – unterhält, hätte Paulus nicht um so mehr das Recht darauf?

Paulus hat sein apostolisches *Recht* ausführlich begründet und begründet es weiter mit Hinweisen auf die Priesterschaft am (Jerusalemer) Tempel, die von den Opfern essen durfte. Auch den Heidenchristen in Korinth war die Praxis, „daß diejenigen, die am Altar Dienst tun, vom Altar Anteil erhalten" (9,13), aus den heidnischen Tempeln bekannt. Davon spricht Paulus jedoch nicht; denn für ihn hat neben den Bestimmungen des Altes Testament nur noch die Anordnung des Herrn Jesus Gewicht, der bestimmt hat, „daß die Verkündiger des Evangeliums vom Evangelium leben sollen" (9,14). In den Evangelien ist in der Aussendungsrede Jesu überliefert: „Der Arbeiter ist seinen Unterhalt wert" (Mt 10,10b), bzw.: „Bleibt im selben Haus, eßt und trinkt von ihnen, denn der Arbeiter ist seines Lohnes wert" (Lk 10,7). Die Weisung des Herrn Jesus begründet für Paulus ein Apostel-Recht – aber, der Apostel kann auf die *Ausübung dieses Rechts,* auf dessen *Inanspruchnahme* verzichten. Und das hat Paulus getan: „Aber wir haben von diesem Recht keinen Gebrauch gemacht, vielmehr ertragen wir alles, damit wir dem Evangelium des Christus keinen Anstoß bereiten" (9,12). Anstoß könnten Leute nehmen, die meinen, der Missionar wolle sich bereichern, er verkündige aus persönlicher Gewinnsucht – wie das Sektengründer in der Antike wie heute tun. Vielleicht hat Paulus auch an arme Gemeindemitglieder gedacht, die keinen Beitrag zu seiner Unterstützung hätten leisten können und deshalb vielleicht den Versammlungen ferne geblieben wären. Das Evangelium des

Messias, vom Christus, handelt ja von Gottes unentgeltlicher Zuwendung, von seinem „Umsonst", ja, wie Paulus in Röm 5 später formulieren wird, von Gottes Feindesliebe. Auch wenn es rechtens ist, daß die Verkündiger des Evangeliums von dessen Frucht, den ins Leben gerufenen Gemeinden, leben, möchte Paulus auf sein Recht verzichten, um niemandem Anstoß zu geben – so wie er „in Ewigkeit kein Fleisch essen wollte, damit ich meinen Bruder nicht skandalisiere" (8, 13). Im Licht des Kontrastes, in den er die Apologie als Exkurs hineingestellt hat, erscheint der Rechtsverzicht des Apostels als Ausdruck seiner Freiheit, der von ihm geübten Agape, seiner liebenden Zuwendung zu seinen Gemeinden, zu seinem „Werk im Herrn". Er hat, wie er am Beginn seiner Beweisführung nun sagt, von seinem Recht – auf dem er besteht – „in keiner Weise Gebrauch gemacht" – um des Evangeliums willen.

Paulus hatte den Gegenstand seiner *Beweisführung,* der *probatio* (9, 19–23), schon vorweg genannt; er kommt darauf jetzt in einer Einleitung seiner Beweisführung, einer *propositio* (9, 15–18), zurück: Es geht um die Unterscheidung von Rechtsverzicht und fehlendem Recht. Paulus möchte nicht, daß man ihn – damit er sein Recht beweise – zum Gebrauch des Rechts veranlaßt. Er möchte lieber sterben..., und er wird sich seinen Ruhm, seinen Lebensunterhalt selbst verdient und in Geldsachen niemandem Anstoß gegeben zu haben, nicht nehmen lassen. Paulus sieht darin, daß er zum Apostel berufen wurde, die Verpflichtung mitgegeben, das Evangelium zu verkünden; und damit hat er das apostolische Unterhaltsrecht. Er kann auf die Ausübung dieses Rechts verzichten, aber niemals auf die Verkündigung des Evangeliums: „Denn ein Wehe gilt mir, wenn ich das Evangelium nicht verkünde" (9, 16). Einen Auftrag, wie er mit der Berufung zum Apostel gegeben ist, muß man ausführen – unabhängig von einer Belohnung, die man für einen freiwilligen Dienst erwarten darf. Paulus macht von allen Begriffen: „freiwillig, Lohn, Ruhm" einen paradox-gebrochenen Gebrauch, um zu zeigen, daß die Berufung zum Apostel durch Gott und seinen Christus Ruf in die höchste Freiheit unbedingten Gehorsams ist. Die unentgeltliche Verkündigung des Evangeliums ist schon der „Lohn" für den Apostel, der freie Vollzug seines Auftrags, die Lust an der Sache Gottes.

Paulus hat also die Unterscheidung von „Recht am Evangelium" wie es dem Apostel zukommt, und von dessen „Gebrauch", auf den er verzichtet hat, vorgetragen. Nun kann er zur Beweisführung in seiner Apologie voranschreiten, zur *probatio* (9, 19–23). Zum Beweis dafür, daß er freier Apostel (9, 1) ist, liefert er in einer Beschreibung seines missionarischen Wirkens, in dem er „frei von allem ... sich allen versklavt, um möglichst viele zu gewinnen" (9, 19). Die Freiheit des Apostels zeigt sich im Freimut seines missionarischen Einsatzes für Juden und Heiden, für diejenigen, die durch das Gesetz des Mose gebunden sind und diejenigen, die von den Juden als „Gesetzlose" gescholten werden. Paulus legt Wert darauf zu betonen, daß er durch das Gesetz Christi, die Agape, ganz gebunden ist – aber durch nichts sonst, auch nicht durch seine Liberalität. Weil die Kulttora ihn nicht mehr bindet, kann er ihre Vorschriften doch frei üben; und weil die Schwachen in der Gemeinde auf die Zuwendung der Starken angewiesen sind, ist Paulus ihnen ein Schwacher geworden. Paulus sucht nicht sein individuelles Heil, sondern die Mitteilhaberschaft am Evangelium mit denen, die er dafür zu *gewinnen* sucht – er spricht fünfmal davon – und die er „retten" möchte. „Allen alles werden" – das ist nach Paulus die apostolische Lebensform, die der Lebensform der Gemeinde das Maß setzt: mit der Agape. Im Hohenlied der Liebe (Kapitel 13) spricht Paulus genauer davon.

Paulus hat also bewiesen, daß seine Ankläger nicht im Recht sein können. Durch seine Mission und auch durch seinen Verzicht auf den Lebensunterhalt vonseiten der Gemeinde hat Paulus bewiesen, daß er frei, daß er Apostel ist. Er tut – wie es ein Apostel, der an das Evangelium gebunden, dessen Bote ist, tun muß – „alles um des Evangeliums willen" (9, 23).

Der Apostel schließt seine Apologie mit einem *Plädoyer*, einer *peroratio* (9, 24–27). Die Korinther kennen die Anspannung beim Wettkampf, mit dem Paulus nicht nur das Leben des Apostels, sondern das Leben aller Christen vergleicht. Der Wettkampf verlangt Verzicht – so auch das apostolische, so auch das christliche Leben. Paulus bestimmt die christliche Lebensform als eine asketische Lebensform – aber in einem neuen, bestimmten Sinn. Der Glaubende kann „sich in allem enthalten", weil er „einen unvergänglichen Kranz" empfängt; er macht seinen Leib, d. h. sich selbst „dienstbar", damit die

Gemeinde leben und wachsen kann, damit Wort und Tat übereinstimmen und die Bewährung sichtbar wird. Den Korinthern hat Paulus konkret empfohlen, sich mit Rücksicht auf Schwache des Götzenopferfleisches zu enthalten; er selbst hat auf den apostolischen Lebensunterhalt (und damit auf manche Bequemlichkeit) verzichtet. Verzicht, so macht er in seinem Plädoyer klar, gehört zur christlichen Lebensform, zu einem Leben in der Freiheit der Agape. Dieses Leben ist kein Schattenboxen, sondern ein zielgerichteter *Agon* – ein Wettkampf der Freiheit unter Befreiten.

9. „Über die Geistesgaben aber" (12, 1–31 a).

Die Bewertung der Geistesgaben, der reichen Charismen, die ihnen geschenkt waren, scheint unter den Korinthern umstritten gewesen zu sein, wie besonders 1 Kor 14 zeigt. Deshalb hatte die Gemeinde wohl auch eine Anfrage „über die Geistesgaben" mit ihrem Brief zu Paulus nach Ephesus geschickt. Paulus holt erst aus und macht grundsätzliche Ausführungen.

Auch in der Zeit vor ihrer Bekehrung haben die ehemaligen Heiden ekstatische Erfahrungen machen können, wie sie in allen Religionen vorkommen: „Es zog euch unwiderstehlich zu den stummen Götzen hin" (12,2). Eine ekstatische Erfahrung ist aber noch gar nichts spezifisch Christliches, kein Spezifikum der christlichen Lebensform. Es bedarf einer genauen Unterscheidung der Geister. Nur das Bekenntnis zum Herrn Jesus Christus ist vom heiligen Geist eingegeben, und nur die Lebensform, die seiner Herrschaft entspricht und dem Aufbau der Gemeinde als seines Leibes in der Welt dient, ist vom heiligen Geist inspiriert. Vielleicht haben in Korinth einige Christen die ekstatischen Erlebnisse so stark überbewertet, daß sie meinten, es mache nichts aus, wenn sie „außer sich" Jesus verfluchen; doch Paulus weiß, daß die Parole „Verflucht sei Jesus!" in den Synagogen den des „Abfalls" vom Messias Jesus Verdächtigen abverlangt ist und angesichts des Urteils der Tora, die in Dtn 21,22 f den Fluch über gehenkte Irrlehrer ausspricht, alles andere als harmlos ist. Der Apostel warnt also einleitend vor Fehleinschätzungen enthusiastischer Erfahrungen, die zu rasch mit Erfahrungen „im heiligen Geist" gleichgesetzt werden.

Dann, ab 12, 4 erörtert Paulus die Unterschiede und die Vielfalt der Charismen, der Geistesgaben in der Gemeinde, die ihre Einheit stärken und nicht schwächen sollen. Alle Gaben, die zum Aufbau der Gemeinde einzelnen Gemeindemitgliedern gegeben sind, sind Gaben desselben Geistes und verpflichten in unterschiedlichen Diensten zur Mitarbeit am Aufbau des Leibes desselben Herrn Jesus; und alle haben ihre gnadenhafte Wirksamkeit von ein und demselben Gott. Paulus, der unsere Redeweise von „Charismen" begründet hat, hebt auf den Geschenkcharakter der Begabungen ab, die in der Gemeinde von deren Versammlung in Dienst genommen werden sollen und auf die auf die Einheit bezogene Verschiedenheit. Alle Charismen sind „Äußerung des Geistes", durch die Gott wirkt, und „zum allgemeinen Nutzen" gegeben, d. h. zum Aufbau der Gemeinde und zur Erfüllung ihres Auftrags, den Menschen die Erlösung konkret zu bezeugen und zu bringen.

Unter den Charismen nennt Paulus zunächst solche, die in Korinth offenbar besonders geschätzt werden: die „Weisheitsrede", die Apollos in Korinth besonders gepflegt hatte (vgl. oben S. 23 f, 127 f), und die „Erkenntnisrede", von der die Starken, die Aufgeklärten, wohl besonderen Gebrauch machten (vgl. 8, 1–3!). Danach nennt Paulus „Wundercharismen": den bergeversetzenden „Glauben", der „Heiligungscharismen" einerseits, und „Wirkkräfte zu Machttaten", d. h. wohl zu Exorzismen andererseits freisetzt. Paulus hat wohl Aussagen Jesu im Auge, wie sie in Mk 9, 23 („Dem Glaubenden ist alles möglich") oder in Mk 11, 23 („Wer glaubt, daß, was er [zum Berg] redet, geschieht, dem wird es zuteil") überliefert sind.

Paulus selbst hat solche Charismen in seiner Gemeinde hervorgelockt; denn seine Mission war ja mit „dem Erweis von Geist und Kraft" verbunden (2, 4). Wichtig ist dem Apostel nun, daß sich die Charismen nicht verselbständigen, daß ihre Träger nicht miteinander konkurrieren, sondern einander zu- und unterordnen in dem einen umfassenden Dienst. Nach den Wundercharismen nennt Paulus die Geistesgaben, deren Zuordnung in Korinth wohl besonders umstritten war, wie Kapitel 14 lehrt; in einem Viererblock spricht Paulus von der „Prophetie" und der Kraft ihrer Deutung und Beurteilung durch die „Unterscheidung der Geister" sowie von „Arten von Zungenrede", verschiedene Formen der Glossolalie, und der Gabe der „Übersetzung" dieser ekstatisch-unverständlichen Sprachen. Paulus weiß, daß es auch falsche Propheten gibt; und deshalb bedarf die Gemeindeversammlung der Gabe der „Unterscheidung der Geister".

Die Glossolalie war im Urchristentum am Pfingstfest in Jerusalem aufgebrochen und gehörte nach dem Ausweis der Apostelgeschichte zu den ekstatischen Anfangserfahrungen in manchen Gemeinden; in Korinth scheint sie von einer Gruppe in der Gemeinde besonders gepflegt worden zu sein. Der jüngste Kommentar zum 1. Korintherbrief erklärt uns die „Glossolalie" so:

„Man kann sich diesem Phänomen von der heutigen Praxis in der Pfingstbewegung her nähern. Es handelt sich um ein flüssiges, der bewußtseinsmäßigen Kontrolle teilweise entzogenes Reden (kein mühsames Gestammel!), das durch seine phonetische Strukturierung und durch pseudo-linguistische Elemente wie eine richtige Sprache wirkt, ohne semantisch als solche identifizierbar zu sein. Einen allgemeinen Richtungssinn verleiht dem glossolalischen Sprechen die erregte Situation, in der es geübt wird, sowie der Einsatz von Gestik, Blickkontakt, Lautstärke, Rhythmik, Tempo und Tonfall. Darauf basieren die Versuche einer normalsprachlichen Wiedergabe der Inhalte, die sich oft in sehr allgemeinen Bahnen bewegt. Die Erfahrung zeigt, daß die Glossolalie, ungeachtet ihres Anspruchs, vom Geist bewirkt zu sein, gelehrt und erlernt werden kann, und daß dafür eine autoritative Bezugsperson und eine Gruppe von Gleichgesinnten die wichtigsten Voraussetzungen sind. Für die Antike ist zu verweisen auf Inspirationstheorien, auf Mantik, Ekstatik und Orakelwesen und auf die voces mysticae der Zauberpapyri (sinnlose lange Lautfolgen, die als Beschwörungsformeln gebraucht werden). Den Ursprung der Zungenrede muß man aufgrund der Schilderung im Judentum suchen und als Verlängerung der ekstatischen Elemente in der alttestamentlichen Prophetie begreifen lernen (vgl. 1 Sam 10,5–11). Das Verständnis der Zungenrede als Engels- oder Himmelssprache im Testament des Hiob (vgl. 1 Kor 13,1) erklärt im Verein mit dem vorliegenden hellenistischen Rezeptionshorizont ihren überwältigenden Erfolg in Korinth.

... Paulus setzt sie im Gegenzug mit Bedacht an die letzte Position in den Charismentafeln" *(H.-J. Klauck).*

In 1 Kor 12,11 erklärt Paulus zunächst zusammenfassend, daß die Geistesgaben unverfügbare Geschenke des Geistes sind, der die Charismen und deren Auswirkungen bewirkt. Dann ordnet er seine Charismenlehre seiner Ekklesiologie, seiner Lehre von der Kirche, von der Gemeinde als dem „Leib Christi" zu. Der eine Geist belebt mit den vielen unterschiedlichen Charismen den einen Leib, der aus vielen Gliedern besteht. Das Geheimnis der Gemeinde Gottes, des Gottesvolkes, ist das Wunder von Freiheit und Integration, von personaler Identität und aufs Ganze bezogenem Dienst.

Wer zum Glauben kommt und sich taufen läßt und dabei „von dem einen Geist getränkt wird", wird am Lebensodem dieses „Leibes", dieses gottmenschlichen Organismus beteiligt und der neuen Gesellschaft, in der sich niemand den anderen aussucht, sondern jeder dem anderen von Gott als Mit-Glied (Bruder oder Schwester in der „neuen Familie") gegeben ist, inkorporiert und integriert. Die Pluralität und Unterschiedlichkeit der Gemeinde-Mit-Glieder stört nicht die Einheit des Gemeinde-Christus-Leibes; und die Stellung, in die jeder durch das ihm verliehene Charisma von Gott gebracht ist, bedeutet nur etwas im Blick auf den Gesamtorganismus, nicht jedoch auf „Klassenunterschiede", die an den unterschiedlichen Charismen abgeleitet werden könnten. Paulus versucht, den Korinthern diesen Sachverhalt mit einem Gleichnis zu verdeutlichen:

Fuß und Hand, Auge und Ohr haben unterschiedliche Aufgaben im Leib; gerade die schwächeren Glieder sind unentbehrlich. Paulus hat zweifellos diejenigen als schutz- und trostbedürftig im Auge, die weder Weisheitsredner noch Glossolalen sind, die weder besondere Erkenntnisse aussprechen noch prophetische Sprüche äußern können. Sie haben keinen Grund zu meinen, sie seien in der Gemeinde nicht gebraucht und für den Gesamtorganismus nicht wichtig. Vielmehr gilt: „Wohlan: Gott hat den Leib (der Gemeinde) so zusammengefügt, daß er dem geringsten Glied größere Ehre gab, damit kein Spaltung im Leibe sei, sondern die Glieder einträchtig für einander sorgen. Und wenn ein Glied leidet, leiden alle Glieder mit. Wenn ein Glied geehrt wird, freuen sich alle Glieder mit" (12, 25 f). Gott ermöglicht jedem die Identifikation mit dem anderen, der in Gottes Augen so kostbar ist, daß er dem Gemeindeleib inkorporiert wurde.

So wie Gott jedem Glied des menschlichen Leibes seine Position und Aufgabe im Organismus gegeben hat, so auch den Gemeindemitgliedern im „Leib Christi" (11, 27). Paulus entwickelt nun das Bild einer Gemeindeordnung, welche die Einzelgemeinde übergreift und die Gemeinde-Kirche, einen Verbund von Gemeinden vorstellt. Er hebt nun – im Unterschied zur korinthischen Begeisterung für die „pneumatischen" Charismen – die Leitungs- und Aufbaudienste hervor, zunächst die drei, die er selbst in Antiochia als Kirche konstituierend kennengelernt hatte (vgl. Apg 13, 1 f): „Und die einen hat Gott in der Gemeinde(-Kirche) eingesetzt: zuerst als Apostel, zweitens als Propheten, drittens als Lehrer" (12, 28). Der Apostel ist der vom auferstandenen Herrn berufene Missionar und Gemeindegründer, der einen Gemeindeverband zusammenhält, während in den einzelnen Gemeinden die Propheten, die deren Geschichte deuten und die Weisungen für Gegenwart und Zukunft vortragen, und die Lehrer, die den Taufunterricht und die Katechese besorgen, für deren Bestand und Wachstum Verantwortung tragen.

Paulus sieht auch diejenigen, die Leitungsfunktionen haben, wesentlich als Mit-Glieder im Gemeinde-Leib, der sie braucht wie der menschliche Leib Kopf, Auge und Hand. Paulus legt Wert darauf, daß die „Ämter" von Gott gegeben sind; *Gott* hat die Apostel, Propheten und Lehrer „eingesetzt"; aber die Ämter sind zugleich „Charismen" für den Aufbau der Gemeinde, dem die Amtsträger als „Mit-Glieder" dienen.

Nach den Charismen für die Kirche als Ganze nennt Paulus dann wieder die Wundercharismen, schließlich Charismen karitativer und organisatorischer Art („Leitungsgaben"), bevor er mit der Glossolalie seinen kleinen Auswahlkatalog schließt. Die Glossolalie, so will Paulus sagen, ist nicht mehr wert als die Vorbereitung einer Gemeindeversammlung, der technisch-organisatorische Dienst. Wer den Versammlungsraum putzt, hat nicht weniger Bedeutung als derjenige, der in der Versammlung als Lehrer Theologie vorträgt. Niemand kann alles sein oder haben. Niemand braucht sich benachteiligt zu fühlen – wenn der Organismus des Leibes „funktioniert" und alle sich eins wissen, miteinander arbeiten, sich freuen und leiden, die eine Geschichte teilen, an der Gott sie beteiligt hat.

Zum Schluß mahnt Paulus nahezu ironisch: Wenn man schon um Charismen „eifert", dann nach den „größeren", d. h. denen, die dem Aufbau der Gemeinde am meisten dienen, die am ehesten ihre Not wenden helfen. Paulus will der Gemeinde aber „darüber hinaus" eine entscheidende Wegweisung geben: Das, was zuerst und zuletzt zählt, ist die *Agape,* die Liebe, die Gott in das Herz jedes Glaubenden ausgießt und durch die der Glaube – vor allen Charismen – wirksam wird. Die Agape prägt zutiefst die Lebensform der Kirche.

10. Das Hohelied der Liebe (12, 31 b – 13, 13)

Der Weg, den Paulus allen Glaubenden über den Einsatz ihrer Charismen hinaus zeigen will, ist der Weg der Agape, der Liebe. Paulus redet davon hymnisch, in einer rhythmisch geformten Prosa, in drei deutlich voneinander abgehobenen Strophen.

In der *ersten Strophe (13, 1–3)* handelt er von der Nutzlosigkeit der Charismen ohne das einigende Band der Agape. Selbst der größte Heroismus – „wenn ich meine ganze Habe verschenke und wenn ich meinen Leib zum Verbrennen übergebe" – stiftet keinen Nutzen ohne die Agape. Paulus benutzt das schon in der griechischen Übersetzung des Alten Testaments bevorzugte, nüchterne Wort „Agape" und deutet sie als ein Geschenk Gottes. So nüchtern wie Gott die Welt und die Menschen liebt, so schlicht und entschieden sollen die Glaubenden die „Agape haben": „Mit-Glieder" des einen Leibes sein und darin für ihr „eigenes Fleisch" sorgen, sich nicht ins eigene Fleisch schneiden, kurz: Bruder-Liebe üben, als wären Ich und Du vertauscht. Ohne die Agape, die auf den Bruder Rücksicht nimmt, ist der Zungenredner bloß ein lärmendes, nervendes Instrument, ist der Prophet „nichts", stiftet der Heroe keinen Nutzen. Die Agape zielt auf den alltäglich-mühseligen Aufbau der Gemeinde, nicht auf nur rasch aufflackernde Begeisterung. Sie ist die Kraft göttlicher Aus-Dauer.

Davon handelt die *zweite Strophe (13, 4–7),* die besingt, was die Agape tut. Die Liebe ist kein Gefühl, sie erweist sich in der

Tat, in dem, was sie tut bzw. nicht tut. Langmut und Güte, die zuerst genannt sind, werden im Alten Testament als Eigenschaften Gottes gepriesen; die Agape ist eine göttliche Tugend. Achtfach zählt Paulus auf, was sie *nicht* tut; dabei hat er die Eifersucht, die Ruhmsucht, die Aufgeblasenheit, den Streit usw. unter den Korinthern im Auge. Schließlich nennt Paulus, was die Agape „alles" tut: Alles ertragen und erdulden, weil sie auch Feindesliebe ist; alles glauben, d.h. das ganze Vertrauen setzen, und alles hoffen, d.h. alles von Gott erwarten, der diejenigen, die ihn lieben, in seiner Treue nicht im Stich läßt und dessen Treue der Grund der Freiheit und des Freimuts der Glaubenden in der Liebe ist.

Die *dritte Strophe (13, 8–13)* handelt schließlich von der eschatologischen Qualität der Agape, die allein Bestand hat und Bestand verleiht: eine Bleibe bei Gott. Die Charismen vergehen und betreffen nur Bruchstückhaftes; die Agape ist der Vorschein des „Ganzen-Vollendeten". „Nicht die ekstatischen Grenzerlebnisse befreien den Menschen von der Vorläufigkeit und Gebundenheit an die Bedingungen der Zeitlichkeit, sondern, paradoxerweise, nur die Liebe" *(H.-J. Klauck).* Charismen und Agape verhalten sich zueinander wie Vorläufiges (vgl. schon 1, 7) und Endgültiges, wie Kind und ausgereifter Mann, wie vermittelte Spiegelschau und Schau von Angesicht zu Angesicht. Prophetie, Glossolalie und Weisheits- und Erkenntnisrede brauchen sich also, auch das will Paulus sagen, in der Gemeindeversammlung nicht so vorzudrängen; die Gotteserkenntnis, die unvollkommen bleibt, wird von Gott her, durch seine Agape, ganz ermöglicht werden: „dann werde ich erkennen, wie ich erkannt bin" (13, 12).

Glaube, Hoffnung und Liebe sind die grundlegenden Tugenden, die fundamentalen Bedingungen christlicher Existenz, die den einzelnen Charismen voraus liegen und alle Christen gleicherweise betreffen. „Diese drei" – und unter ihnen die Agape als die größte – bleiben, während Charismen auch vorübergehend zum Aufbau der Gemeinde verliehen werden können. Die Agape ist als die eschatologisch Bleibende die größte, denn der Glaube wird dem Schauen weichen und die Hoffnung der Erfüllung. Die Liebe ist auch deswegen größer, weil sie allein von Gott ausgesagt werden kann: als die Beziehung des Vaters zum Sohn von Ewigkeit her, als der

Hauch seines Geistes, der auch den Leib der Kirche beseelt und den Glaubenden und Hoffenden in die Liebesbeziehung Gottes selbst einbezieht.

Auch Glaube, Hoffnung und Liebe verdanken sich – wie die Charismen – demselben Geist; aber in den Dreien wirkt er universal: durch alle Gemeindemitglieder und dauernd.

11. Vom Vorzug der Prophetie vor der Zungenrede (14, 1–25)

Auf dem Hintergrund der Relativierung aller Charismen vor Glaube, Hoffnung und insbesondere Liebe kann Paulus nun auch eine Verhältnisbestimmung von Prophetie und Glossolalie vornehmen; der Apostel gibt eindeutig der Prophetie den Vorrang, und zwar aufgrund ihrer Verständlichkeit (14, 1–5). Sein Kriterium, anhand dessen er die Prophetie der Glossolalie, die der Übersetzung bedarf, vorzieht, ist die Kommunikabilität.

Der Zungenredner redet zu Gott, d. h., er spricht in ekstatisch-unverständlicher Sprache einen Lobpreis der Geheimnisse des Handelns Gottes in Schöpfung und Heilsgeschichte. Der Prophet redet die Gemeindeversammlung an: mit „Erbauung und Mahnung und Trost" (14, 3). Wenn die glossolalische Rede nicht übersetzt wird und so auch die Gemeinde Erbauung empfängt, gilt für Paulus: „Der Zungenredner erbaut sich selbst" (14, 4). Weil Gott durch Prophetie und Glossolalie, die Gaben seines Geistes, seine Gemeinde, seine Kontrastgesellschaft in der Welt, seine neue Familie aufgebaut wissen will, gibt Paulus der verständlichen Prophetie nüchtern den Vorrang vor der Glossolalie.

Damit deutlich wird, was er meint, gibt Paulus Beispiele, die ihm Folgerungen ermöglichen (14, 6–12). Als Zungenredner würde auch er, der Apostel, der Gemeinde nichts nützen; sie erwartet, wenn er zu ihr kommt, mit Recht von ihm Äußerungen, wie sie Propheten und Lehrer tun: Einführungen in die Offenbarungsgeschichte, theologische Erkenntnisse, prophetischen Zuspruch, katechetische Unterweisung. Paulus fährt in Gleichnissen fort, um die unübersetzte Glossolalie zu charakterisieren; sie gleicht Tönen, die keine erkennbare Melodie bilden, die keine Handlungsanweisung übermitteln, die in den Wind geblasen sind.

Sprache soll aber ein Mittel der Kommunikation sein und die Fremdheit zwischen verschiedenen Personen aufheben; wenn die Glossolalen Fremdheit stiften, tragen sie nicht zum Aufbau der Gemeinde bei, eher zu deren Destruktion. Der Aufbau der Gemeinde ist für Paulus das entscheidende Kriterium, nach dem er den Nutzen von Charismen beurteilt. Für Paulus gibt es keine isolierten Einzelchristen, keine christlichen Einzelkämpfer, sondern nur Gemeinde-Mit-Glieder; und sie bedürfen, soll der Gemeinde-Leib nicht erkranken, der Kommunikation, nicht der Entfremdung: „Wenn ihr Eiferer seid nach Geistesgaben" – und das wollten die Korinther, welche die pneumatischen Erlebnisse so hochschätzen, zweifellos – „sucht sie zur Erbauung der Gemeinde, damit ihr darin hervorragt" (14,12); hervorragen sollen die Christen nicht als Glossolalen, sondern als Liebende, in der Agape.

Paulus will in der Gemeindeversammlung den Verstand der Gemeindemitglieder nicht ausgeschaltet wissen, er weiß den Glauben auf rationales Verstehen angewiesen. Deshalb vergleicht er nun ekstatisches und verständliches Beten (14,13–19). Der Glossolale soll für sich das Charisma der Übersetzung erbitten; denn „im Geist", d.h. entrückt beten, genügt allein nicht; ich soll auch „bei mir", mit dem Verstand beten. Paulus begründet auch diese Weisung damit, daß Beten keine private Angelegenheit ist, sondern Aufgabe der Gemeindeversammlung, wo jeder, auch der „Laie" in der Glossolalie, zu jedem Gebet sein zustimmendes „Amen" sprechen können soll. Wie soll er danken, „wenn er doch nicht weiß, was du sagst?" (14,16). Paulus ist selbst ein Glossolale; aber wie er als Starker um der schwachen Brüder willen auf jeglichen Fleischgenuß verzichten will (vgl. 8,13), so will er – angeleitet durch die Agape – in der Gemeindeversammlung lieber „fünf Worte mit meinem Verstand reden, damit ich auch andere unterweise, als zehntausend Worte in Zungen" (14,19). Die Gemeinde Gottes ist für ihn kein Mysterienverein, keine religiöse Versammlung von Frommen, sondern das Aufgebot Gottes in der Welt, Seine neue Gesellschaft, Sein Volk. Alles Handeln in diesem Volk ist gesellschaftlich relevantes Handeln, das an die Einsicht reifer Menschen gebunden ist (14,20).

Für Paulus ist die Versammlung der Gemeinde auch missionarischer Ort; und bei der Beurteilung von Prophetie und

Glossolalie läßt sich auch von daher ein Beurteilungskriterium gewinnen (14, 20–25). Die Kombination von Jes 28, 11 f und Dtn 28, 49 spricht Paulus als Gotteswort dem „Gesetz" zu; die fremde Sprache der Glossolalie erscheint ihm darin als verstockendes Gerichtswort gekennzeichnet: „Folglich sind die Zungen nicht den Glaubenden, sondern den Ungläubigen ein Zeichen" (14, 22). Auf Außenstehende muß auch das Zungenreden in der Gemeindeversammlung, wohin sie durch das ekstatische Tönen gelockt werden könnten, als heidnische „Raserei" wirken, als unvernünftiges religiöses Gehabe. Die prophetische Rede hingegen, die das Verborgene des menschlichen Herzens aufzudecken vermag und vernünftige, beurteilbare Rede ist, kann den Neuling in der Gemeindeversammlung von deren eschatologischer Qualität überzeugen, von dem, was die Gemeindemitglieder durch den Glauben an die ihnen zugesagte Nähe Gottes bezeugen: „Wirklich, Gott ist unter euch" (14, 25)! Die Gemeinde kann auch Neulingen aufgrund der prophetischen Rede in ihrer Versammlung als der Ort erscheinen, an dem Gott bei seinem Volk wohnt, ja als Sein Volk.

Die Form ihrer Versammlungen gehört zur Lebensform der Kirche, um die Paulus mit den Korinthern ringt. Paulus will keine langweilig rituell festgelegten Abläufe der Versammlungen, aber auch keine Unordnung, keine Behinderung der Mission, keine bloße Betreuung. Mit der Frage „Was gilt nun, Brüder" (14, 26) wendet er sich der Ausarbeitung einer kleinen Gottesdienstordnung zu.

12. Eine Ordnung für die gottesdienstliche Versammlung (14, 26–40)

Wenn die Korinther, wenn die Mitglieder einer christlichen Gemeinde zusammenkommen, feiern sie nicht nur Gottesdienst; aber jede ihrer Versammlungen *ist* Gottesdienst, weil sie Gott im Aufbau seiner Gemeinden, seines Volkes, dienen. Paulus formuliert als Richtschnur: „Alles soll zur Erbauung geschehen" (14, 26); er meint damit nicht eine gefühlsmäßige, seelische „Erbauung" der einzelnen Gemeindemitglieder, sondern den Aufbau des Gemeindebauwerks bzw. des Gemeindeleibs.

Zur Versammlung und zum Gottesdienst kann jedes Gemeindemitglied etwas beitragen, jedes gemäß seinem Charisma; wem eine musikalische Begabung für die Gemeinde gegeben ist, kann einen Psalm vertonen; ein anderer kann eine Belehrung, eine Katechese, vorbereiten; der Prophet äußert einen Offenbarungsspruch. Zum Zungenredner nennt Paulus dessen Übersetzer, weil er in der Versammlung nur dann einen Glossolalen zuläßt, wenn ein Dolmetscher anwesend ist. Paulus läßt für eine Zusammenkunft nur zwei oder höchstens drei Zungenredner zu, und sie dürfen nicht chorisch, einander steigernd und womöglich andere mitreißend auftreten, sondern nur nacheinander – und jeweils nach einem Glossolalen der Dolmetsch.

Auch zwei bis drei Propheten dürfen in einer Versammlung zu Wort kommen; die ganze Versammlung muß nicht nur zuhören, sondern auch mit dem Charisma der Unterscheidung der Geister zuhören. Im Unterschied zu den Glossolalen schließt Paulus aber nicht weitere prophetische Rede aus, da er mit aktueller Inspiration rechnet, die nicht unterdrückt werden darf, der vielmehr Raum gewährt werden soll: „Wenn aber einem anderen, der dasitzt, eine Offenbarung zuteil wird, soll der erste schweigen. Denn ihr könnt einer nach dem anderen alle prophetisch reden…" (13,30f). Die Prophetie soll alle ermutigen, alle können aus der prophetischen Rede, die verborgene Gedanken aufdeckt, lernen.

Daß alle mit einer prophetischen Eingebung zu Wort kommen können, will Paulus unter allen Umständen ermöglichen; denn er weiß mit der Tradition der Kirche seit Pfingsten, daß im neuen Bund, im endzeitlichen Gottesvolk *alle* zu Propheten geworden sind, weil alle denselben heiligen Geist empfangen haben. Deshalb ist das Wort jedes Gemeindemitglieds wichtig, und jemand, der gerade redet, kann um des anderen willen, seine Rede abkürzen oder abbrechen. Er kann sich, so urteilt Paulus, nicht darauf berufen, daß ihm die prophetische Eingebung überkomme: „Die Geister des Propheten sind dem Propheten untertan" – die Prophetie, obwohl inspiriert, ist eine rationale Sache; außerdem gilt: „Gott ist nicht ein Gott der Unordnung, sondern des Friedens" (14,33). Seine Geistesgaben stiften keine Konkurrenz, kein Durcheinander, sondern in der Bindung an die Agape fordern sie die Integration der Gemeinde in Freiheit.

Paulus orientiert sich für seine Ausführungen über die Ordnung in der Gemeindeversammlung zunächst an den Erfahrungen der Synagoge. Zu dieser Orientierung gehören zweifellos auch die Bestimmungen, wonach „wie in allen Gemeinden der Heiligen", d. h. den judenchristlichen Gemeinden Palästinas und den neuen Missionsgemeinden um Antiochia, jetzt auch in der Asia, wo Paulus wirkt, „die Frauen in den Versammlungen schweigen sollen" (14,33–34). Es scheint so, als habe Paulus vom Widerstand gegen diese allgemeine Sitte erfahren. Im „Zwischenbrief" hatte er ja auch nur verlangt, daß die Frauen sich beim Gebet oder der prophetischen Rede von Kopf bedecken (vgl. 11,4f). Will der Apostel jetzt den Frauen grundsätzlich und durchweg das Reden in der Versammlung verbieten? Stünden 11,4f und 14,33f von Anfang im selben Brief, hätte Paulus sich direkt widersprochen. Läßt sich bei Verteilung der beiden Passagen auf zwei Briefe der Widerspruch aufheben oder abmildern? Der jüngste Kommentator nennt entsprechende Versuche, den Geltungsbereich des Schweigegebots in unserem Antwortbrief einzuschränken: „Verboten werde nur eigenmächtiges Dazwischenfragen und Drauflosreden, wozu Frauen bekanntlich besonders neigten (?). Die Anweisung gelte nur für Frauen, deren Ehemänner selbst als Propheten auftreten. Sie sollten von ihren Gattinnen nicht in der Öffentlichkeit beurteilt werden, das könnte den ehelichen Frieden nachteilig stören" *(H.-J. Klauck)*. Doch ist eine solche Einschränkung im Text selbst nirgends angedeutet; vielmehr fordert Paulus unter Berufung auf die Tora (vgl. Gen 3,16) eine Unterordnung der Frau unter den Mann, die zu Hause ihren Mann fragen soll, wenn sie etwas lernen will. Diese Bedingung könnte daran denken lassen, daß Paulus nicht das Gebet und die Prophetie der Frau verbietet, sondern nur ihr neugieriges Fragen; aber die Begründung klingt ganz generell: „denn es ist ungeziemend für eine Frau, in der Versammlung zu reden" (14,35). Paulus will die Korinther, von denen die Mission nicht ihren Anfang genommen hat, an die allgemeine Sitte der Kirche binden. Aber war die Sitte der Kirche damals allgemein so? War das Schweigegebot für die Frauen nicht vielmehr Sitte der Synagoge? Wer keine relativierende Einschränkung gelten lassen will, muß entweder zugeben, daß sich Paulus selbst widerspricht, erst so, dann so sagt, was in zwei verschiedenen Briefen wenigstens leichter verstehbar ist, oder er muß annehmen, daß 1 Kor 14,33 b–36 ein Text ist, der nicht von Paulus stammt und erst später in die Briefkomposition eingefügt worden ist. So stellt es sich der jüngste Kommentator vor, „dass 33 b–36 eine nach-paulinische Interpolation ist, die der Redaktor der Paulusbriefe bei der Zusammenarbeitung der korinthischen Korrespondenz zu den beiden kanonischen Korintherbriefen… einfügte. Diese Hypothese läßt sich auch durch traditionsgeschichtliche und historische Überlegungen absichern. Schon die Paulusschüler, die den Kolosser- und den Epheserbrief verfaßt haben, akzentuieren durch die Übernahme der patriarchalisch ausgerichteten Haustafeltradition stärker als Paulus selbst die Unterordnung der Frau. Ein ganz ähnlich gelagertes Schweigegebot, das einem vergleichbaren kirchenpolitischen und gesellschaftlichen Motiv entspringt, findet sich in den späten pseudepigraphen Pastoralbriefen (1 Tim 2,11 f). Daß die Frau ins Haus gehört und in der Öffentlichkeit nicht auftreten soll, ist ein Standardthema der Ausführungen über die Ehe bei anderen Autoren (Plutarch z. B.). Solche Ordnungsvorstellungen wurden für das Leben in den christlichen Familien zunehmend rezipiert. Eine gottesdienstliche Praxis, die emanzipatorische Züge aufweist, mußte auf Dauer in unerträglicher Spannung dazu geraten und geändert werden" *(H.-J. Klauck)*. Man kann sich gut vorstellen, daß das Redeverbot für Frauen im Gottesdienst gerade in die Briefkomposition eingearbeitet wurde, in der Paulus zuvor den Frauen Gebet und Prophetie gestattet hatte. Im Ausgleich beider Texte schränkten sie sich wechselseitig ein.

Nach der Passage über das Schweigen im Gottesdienst kommt Paulus auf das Thema Prophetie und Glossolalie zurück (14,37–40). Er faßt seine Ausführungen in einem Schlußappell zusammen und fängt im vorhinein erwarteten Widerstand ab. Sein Wort ist vom Geist eingegebenes „Gebot des Herrn" und muß deshalb von jedem Geistträger anerkannt werden. Noch einmal unterstreicht Paulus den Vorzug der Prophetie, nach der man eifern soll, vor der Glossolalie, die nur nicht gehindert werden soll. Paulus will eine geordnete Versammlung, einen der Ehre Gottes und der Würde der Versammlung geziemenden Gottesdienst. Und dafür macht er die ganze Gemeinde verantwortlich, alle, die zu ihrer Feier zusammenkommen.

13. „Über die Kollekte aber für die Heiligen" (16, 1–4)

Zum ersten Mal hören wir innerhalb der gesamten paulinischen Korrespondenz im vierten Brief an die Korinther, dem „Antwortbrief", etwas „über die Kollekte für die Heiligen" (16,1), für die Urgemeinde in Jerusalem, die einzusammeln Paulus beim Jerusalemer Abkommen übernommen hatte, als seine Heidenmission von den Jerusalemer „Säulen" Jakobus, Kefas und Johannes anerkannt worden war (vgl. Gal 2, 1–10). Paulus versteht die Unterstützung der Jerusalemer Urgemeinde, die er bei seinen überwiegend heidenchristlichen Gemeinden betreibt, als ein Zeichen der Verbundenheit dieser Gemeinden mit der Muttergemeinde. In 1 Kor 16, 1 erfahren wir, daß er die Geldsammlung bei seinem zweiten Besuch in den galatischen Gemeinden, als er diese auf dem Zug von Antiochia nach Ephesus besuchte, schon angeordnet hatte. Demnach hatte sich Paulus schon eine Prozedur für die Gemeinden ausgedacht, die er jetzt – auf deren Anfrage hin – den Korinthern empfiehlt.

Die Christen versammelten sich nicht mehr am Sabbat, sondern „jeden ersten Wochentag", am Sonntag. Paulus empfiehlt jedoch keine Sammlung beim Gottesdienst, sondern ein Ansparen der einzelnen, die, bevor Paulus kommt, alles Angesparte zusammenlegen können. Paulus will nach seiner Ankunft in Korinth, die er erneut in Aussicht stellt und über die er noch gesondert handeln wird (16, 5–9), bewährte Gemeindemitglieder mit Empfehlungsbriefen die Kollekte nach Jerusalem bringen lassen. Wer bewährt ist, sollen die Korinther selbst entscheiden; Paulus geht vorsichtig vor: Die große Summe, die er erwartet, darf nicht zum Anlaß von Verdächtigungen des Apostels werden. Der Apostel läßt noch offen, ob er selbst mit nach Jerusalem reisen wird: „Wenn es angemessen erscheint, daß ich reise…" (16,4). Vielleicht dachte er schon daran, nach Rom und Spanien weiter zu ziehen. Als er dann endlich nach Korinth kam, hatte er freilich seine Pläne schon dahin entschieden, daß er mit den Kollektendelegaten der europäischen und kleinasiatischen Gemeinden nach Jerusalem aufbrach.

14. Reisepläne des Apostels (16, 5–9)

Bei Abfassung des Antwortbriefes, wohl um Ostern des Jahres 54 n. Chr. (vgl. oben S. 191), hatte Paulus folgende Reisepläne: Bis Pfingsten wollte er angesichts der – trotz vieler Gegner – ungewöhnlich guten Missionschancen in Ephesus bleiben. Danach wollte er nach Mazedonien aufbrechen, um seine Gemeinden in Mazedonien (Philippi, Saloniki, Beröa) zu besuchen und wohl dort schon die Kollekte für die Jerusalemer Urgemeinde zum Abschluß zu bringen. Nach dem Zug durch Mazedonien wollte Paulus dann im Spätherbst nach Korinth kommen und dort überwintern: „Denn ich möchte euch jetzt nicht nur im Vorbeigehen sehen; ich hoffe nämlich, eine Zeitlang bei euch zu bleiben, wenn der Herr es gestattet" (16, 7). Paulus rechnet auch darauf, daß die Korinther ihn dann zu seiner neuen Reise ausrüsten würden, ob er nun nach Jerusalem oder alsbald nach Rom gehen werde.

Wie wir aus dem 2. Korintherbrief erfahren, wurden die Pläne des Apostels durchkreuzt. Er kam rasch zu einem Zwischenbesuch nach Korinth, zum Überwintern allerdings erst ein Jahr später, im Winter 55/56 n. Chr. Paulus hatte ja auch, wie im Vorbrief (vgl. 4, 19), seine Reisepläne dem Willen und der Führung Gottes unterstellt.

15. Empfehlung des Timotheus (16, 10–11)

Timotheus war schon mit dem Vorbrief, ein Jahr zuvor um die Osterzeit, nach Korinth gereist (vgl. oben S. 102 f). Nun scheint er wieder unterwegs zu sein, und zwar durch Mazedonien; denn nach 1 Kor 16, 10 f ist er *nicht* der Briefbote des „Antwortbriefes". „Wenn aber Timotheus kommt..." (16, 10) setzt voraus, daß der Schüler und Mitarbeiter des Apostels schon unterwegs ist. Den Antwortbrief sollen wohl die „Brüder" (16, 11) überbringen, die Paulus mit Timotheus in Ephesus zurückerwartet.

Nachdem Timotheus bei seinem früheren Besuch in Korinth wohl nicht durchwegs akzeptiert wurde, wirbt Paulus jetzt um eine gute Aufnahme seines Mitarbeiters, den die Korinther durchaus anstelle des Apostels akzeptieren können: „denn er wirkt das Werk des Herrn wie ich selbst" (16, 10). Timotheus hatte wohl Furcht geäußert, er könne in Korinth verachtet werden.

Paulus bittet die Korinther, seinen Mitarbeiter für die Heimreise auszurüsten. Der Apostel erwartet Timotheus wohl noch vor Pfingsten in Ephesus zurück.

Aus dem zweiten Korintherbrief erfahren wir, daß Timotheus keine besonders guten Nachrichten aus Korinth mitgebracht hat. Paulus sah sich erneut zu einer langen Verteidigung seines Apostolats und zur Verschiebung seiner Reisepläne veranlaßt.

16. „Über Apollos aber, den Bruder" (16, 12)

Die Korinther hatten wohl angefragt, ob der bei einem Teil von ihnen so beliebte Missionar und Weisheitsredner (vgl. oben S. 23 f, 127 f) nicht wieder einmal nach Korinth komme. Paulus hatte ja allen Versuchen, ihn und Apollos gegeneinander auszuspielen, im Vorbrief deutlich gewehrt. Jetzt teilt er mit, daß er Apollos gebeten hatte, doch mit den Brüdern, die den Antwortbrief nach Korinth bringen sollten, nach Korinth zu reisen. Vielleicht hatte Paulus sich von einem Zusammentreffen von Apollos und Timotheus viel für eine Beruhigung in Korinth, für eine Stabilisierung der Gemeinde versprochen.

Doch Apollos hatte offenbar energisch abgelehnt, jetzt nach Korinth zu reisen; Paulus betont des Apollos' Eigen-Willen, mit dem er kaum ganz einverstanden war. Die Korinther dürften jedoch Apollos erwarten, „wenn sich eine gute Gelegenheit bietet". Ob sie kam und wann sie kam oder warum sie nicht eintraf, wissen wir nicht. Im 2. Korintherbrief ist Apollos nicht mehr erwähnt.

17. Schlußmahnungen *(16, 13–18)*

Wie immer am Schluß seiner Briefe, schickt Paulus Mahnungen an seine Gemeinde, zunächst (16, 13–14) allgemeine Mahnungen zur Wachsamkeit, zum festen Standhalten im Glauben mit Mut und Stärke und dazu, daß alle Geschehnisse in der Gemeinde „in der Agape" angesiedelt bleiben.

Dann geht Paulus zu konkreten Mahnungen über, welche die Gemeindeleitung betreffen. In Korinth hat sich „das Haus des Stefanas" bewährt; mit „die erste Frucht Achaias" bezeichnet Paulus Stefanas als den ersten Christen in Korinth. Er hat der Mission, der entstehenden Gemeinde sein Haus zur Verfügung gestellt und sich mit seiner Familie und seinen Hausangestellten „in den Dienst für die Heiligen", wie die Selbstbezeichnung der Christen lautet, gestellt. Paulus möchte, daß die Gemeinde den gewachsenen und bewährten Dienst des Stefanas und anderer Personen, die mit ihm mitgearbeitet und sich abgemüht haben, als „Amt" anerkennen und sich der Leitung solch bewährter, durch die Gemeindegeschichte qualifizierter Gemeindemitglieder „unterordnen". Paulus erkennt, daß es in den Gemeinden Leitungsämter geben muß, Personen, welche an der Autorität des Apostels partizipieren.

Stefanas, Fortunatus und Achaikus haben offenbar den Fragebrief der Korinther überbracht und die Kommunikation zwischen der Gemeinde und dem Apostel neu ermöglicht. Sie reisen wohl noch nicht nach Korinth zurück, da ja andere „Brüder" die Überbringer des Antwortbriefes sind. Paulus freut sich, da er ihn verfaßt, noch über die Ankunft der drei aus Korinth, die den Geist des Apostels erfrischt haben – wie sie zuvor schon den der Korinther zur Abfassung des Fragebriefes „erfrischt" hatten. Paulus möchte, daß solche an ihren Apostel anhängliche und der Gemeinde dienstbare Gemeindemitglieder die gebührende Anerkennung finden.

18. Grüße *(16, 19–20)*

Aus den Grüßen erfahren wir, daß es in der Provinz Asia, in Ephesus und Umgebung, inzwischen schon mehrere „Gemeinden" gibt. Aquila und Priska, die Paulus zunächst in Korinth Quartier und Arbeit boten, ihm dann nach Ephesus vorausgingen, um für ihn eine neue Missionsbasis zu schaffen, haben in der Hauptstadt der Provinz Asia ein großes Haus erwerben können, in dem sich eine der ephesinischen Hausgemeinden versammeln kann. Weil das Ehepaar in Korinth bekannt ist, läßt Paulus von ihm besonders grüßen, dann aber auch von allen Gemeinden: „Es grüßen euch alle Brüder." Den „heiligen Kuß" tauschen die Christen in ihrer Versammlung am Ende des Wortgottesdienstes aus; offenbar setzt Paulus voraus, daß sein Brief nach den liturgischen Lesungen am Ende der Wortfeier in der Gemeindeversammlung vorgelesen wird, bevor die Korinther den „heiligen Kuß" christlicher Bruderschaft in der neuen Familie Gottes tauschen.

19. Der Briefschluß (16, 21–24)

Paulus hat seine Briefe diktiert; in Röm 16,22 meldet sich ein Schreiber Tertius zu Wort. Vor dem Schluß des Briefes greift Paulus selbst zur Feder und intensiviert so zeichenhaft den persönlichen Kontakt: „Der Gruß von meiner Hand, von Paulus!" Dann schreibt Paulus, der voraussieht, daß nach der Verlesung seines Briefes in der korinthischen Gemeinde nun das Herrenmahl beginnt, noch eine vorgeprägte Ausschlußformel auf: Wer den Herrn nicht liebt, d. h. konkret die Brüder in der Gemeinde nicht liebt, ist verflucht und von der Teilnahme am Herrenmahl ausgeschlossen. Paulus ruft mit der Formel alle zur Selbstprüfung auf und erwartet, daß die Gemeindemitglieder auch ihre Beziehung zum Apostel in diese Selbstprüfung einbeziehen.

Dann schreibt Paulus den aramäischen Gebetsruf der Urgemeinde und dessen Übersetzung auf: Der Ruf nach der Parusie des Herrn ist auch der Ruf nach seiner Gegenwart beim Herrenmahl. Mit dem Gnadenwunsch schließt Paulus an das Präskript seines Briefes an. Und mit seinem letzten, selbstgeschriebenen Wort versichert der Apostel seine Gemeinde seiner Agape, die „in Christus Jesus" unverbrüchlich ist.

VIII.
Die Briefkomposition:
Der erste Korintherbrief

Nachdem wir nun die vier Briefe, die im kanonischen 1. Korintherbrief aufbewahrt sind, rekonstruiert und kurz ausgelegt haben, bleibt zu erörtern, welche Gründe den oder die Herausgeber der Korrespondenz, die Paulus mit der Gemeinde in Korinth führte, dazu bewogen haben mögen, die vier ersten Briefe, die Paulus nach Korinth geschickt hatte, in einem Schreiben zusammenzufügen. Auch als eine gewisse Gegenprobe zur Rekonstruktion vierer Briefe sollten wir uns das Verfahren der Redaktion vergegenwärtigen; denn nur wenn das Redaktionsverfahren einsichtig nachvollzogen werden kann, ist auch unsere Rekonstruktion von vier Briefen wirklich plausibel.

1. Warum wurden die vier Briefe an die Gemeinde in Korinth zusammengefügt und als ein Schreiben veröffentlicht?

Man kann sich die Antwort auf die Frage einfach machen: Weil der oder die Herausgeber es so wollten! Eine solche Antwort bleibt allerdings unbefriedigend, jedenfalls solange nicht alle Anstrengungen unternommen worden sind, die Gründe, welche die Herausgeber bewogen haben könnten, aufzuspüren.

Ein Vorschlag lautet: Die Herausgeber der Paulusbriefe wollten insgesamt mit dem Nachlaß des Apostels auf die Zahl von *sieben* Briefen hinaus, um mit der Symbolzahl der Fülle und der Universalität anzudeuten, daß das vollständige Vermächtnis des Apostels der ganzen, universalen Kirche zugänglich gemacht werde; ähnlich seien die sieben Sendschreiben in der Offenbarung des Johannes (Offb 2–3) an die ganze Kirche gerichtet gedacht. Weil aber die Siebenzahl (Römerbrief, 1. und 2. Korintherbrief, Galaterbrief, Philipperbrief, 1. Thessalonicherbrief und Philemonbrief) erreicht werden sollte, hätten die Herausgeber der Briefe nach Korinth eine größere Anzahl in zwei Briefkompositionen zusammengefaßt. Doch bleibt dieser Vorschlag eine nicht weiter begründbare Vermutung. Vielleicht lassen sich auch andere Gründe erkennen, wenn wir die vier rekonstruierten Briefe einmal nebeneinander mustern.

Gewiß kann man nicht – wie bei den Briefkompositionen des 1. Thessalonicherbriefs und des Philipperbriefs – davon ausgehen, daß alle Briefe, die Paulus nach Korinth geschickt hatte, nicht gewichtig genug waren, als daß man sie – wenigstens zum Teil – hätte je einzeln herausgeben können. Doch war die Thematik der einzelnen Schreiben auch jeweils begrenzt und zum Teil stark situationsbezogen. Daß die Herausgeber der Briefe des Paulus nach dessen Tod nun die ganze Kirche, die Christen – nicht mehr nur in Korinth, sondern – an allen Orten als Leser im Augen hatten bzw. als Hörer der Paulustexte in den Gemeindeversammlungen, zeigt sich schon an der Erweiterung des Präskripts des frühesten Schreibens und der jetzigen Briefkomposition in 1 Kor 1,2, wo zum paulinischen Text „an die Gemeinde Gottes, die in Korinth ist, die Geheiligten in Christus Jesus, die berufenen Heiligen" hinzugefügt ist: „zusammen mit allen, die den Namen unseres Herrn Jesus Christus anrufen an jedem Ort, bei ihnen und bei uns".

2. Das Verfahren der Redaktion

Falls die chronologische Abfolge der im 1. Korintherbrief gesammelten vier Briefe von uns zutreffend erkannt ist – die Herausgeber der paulinischen Korrespondenz hatten in den Präskripten und Schlußpassagen, die bei der Redaktion wegfielen, noch genauere chronologische Anhaltspunkte –, scheint das Verfahren der Redaktion bei der Herstellung der im 1. Korintherbrief vorliegenden Briefkomposition ziemlich einfach gewesen zu sein. Grundsätzlich ist die chronologische Abfolge der Briefe eingehalten; die Briefkomposition beginnt mit dem ersten und endet mit dem vierten Brief.

Die erste Aufgabe, die sich der Redaktor stellte, war die Verzahnung des zweiten, des „Zwischenbriefes", mit dem ersten Brief, dem „Vorbrief". Sie konnte kurz vor Schluß des „Vorbriefs" durch Einschub des ersten Teils des „Zwischenbriefs" gelöst werden, zumal entsprechende Stichworte geeignete Brücken für den neuen Gesamtzusammenhang anboten. Das Verfahren läßt sich schematisch so charakterisieren:

„Vorbrief"	*1 Kor*	*„Zwischenbrief"*
Präskript: 1,1–3 ⟶	1,1–3	(Präskript)
Danksagung: 1,4–9 ⟶	1,4–9	(Briefeingang)
Apologie: 1,16–4,16 ⟶	1,16–4,16	
Sendung des		
Timotheus: 4,17–21 ⟶	4,17–21	
Unerhörte Unzucht:		
5,1–8 ⟶	5,1–8	
	5,9–13 ⟵	5,9–13: Korrektur
Rechtsstreitigkeiten:		
6,1–11 ⟶	6,1–11	
	6,12–20 ⟵	6,12–20: Warnung vor Unzucht

.

.

.

Die aus den beiden Briefen geschachtelte Abfolge von 5,1–8/5,9–13/6,1–11/6,12–20 ließ sich nicht nur deshalb leicht herstellen, weil 5,9–13 ein Mißverständnis von 5,1–8 korrigierte, sondern auch, weil sich einige Stichworte zur Verbindung der einzelnen Abschnitte anboten, besonders das Stichwort „richten" in 5,12–13 und 6,1–3, dann auch für den Gesamtzusammenhang das Stichwort „Unzucht, Unzüchtiger" in 5,1.9–11; 6,9.13.18.

Nachdem mit 5,9–13 und 6,12–20 der „Zwischenbrief" mit einer Schachtelung an den Vorbrief angefügt war, unterbrach der Redaktor den Zwischenbrief alsbald, um ihn nun mit dem Antwortbrief zu verzahnen. Welche Gedanken und Absichten ihn dabei leiteten, wird leicht erkennbar, wenn man die beiden Briefe nebeneinanderstellt:

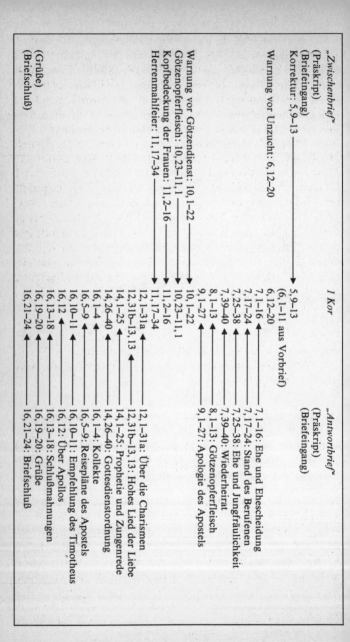

Das Thema „Unzucht" (6,12–20) veranlaßt den Redaktor offensichtlich, die Antwort des Paulus zu Anfragen betreffend Ehe, Ehescheidung, Jungfräulichkeit und Wiederheirat (7,1–40) anzufügen, also vom „Zwischenbrief" zum „Antwortbrief" überzuwechseln. Das Stichwort „Unzucht" in 6,13.18 und 7,2 bot den notwendigen Kitt. Da der Antwortbrief erneut das Thema Götzenopferfleisch behandelte (8,1–13) und Paulus in diesem Zusammenhang eine „Apologie" seines Apostolats (9,1–27) vortrug, konnte der Redaktor danach mit den Warnungen vor dem Götzendienst (10,1–22) und der Behandlung des Themas Götzenopferfleisch an dem „Zwischenbrief" (10,23–11,1) festhalten und nun auch bei dessen (nach 5,9–13 und 6,12–20) dritter Benutzung dem „Zwischenbrief" bis zu dessen Schluß – bei Wegfall der Grüße und des eigentlichen Briefschlusses – folgen: mit den Abschnitten über die Kopfbedeckung der Frauen (11,2–16) und die Herrenmahlfeier (11,17–34). Danach paßten die Antworten auf Anfragen zu den Charismen, die Paulus in langen Ausführungen bis hin zu Fragen der Gottesdienstordnung führten, sehr gut (12,1–14,40). Vor dem Schluß des „Antwortbriefes" (16,1–24) fügte der Redaktor den dritten apologetischen Text, den „Auferstehungsbrief" (15,1–58), ein. Das eschatologische Thema sollte gegen Ende der nun langen und wuchtigen Briefkomposition seinen Platz finden.

„Auferstehungsbrief"	1 Kor	„Antwortbrief"
	Kapitel 12–14 ◄———	Kapitel 12–14
Kapitel 15 ———►	Kapitel 15	
	Kapitel 16 ◄———	Kapitel 16

Insgesamt wird man das Verfahren der Redaktion, der wir die vorliegende Briefkomposition aus vier Briefen verdanken, als recht einfach bezeichnen dürfen: Der Redaktor orientiert sich an der chronologischen Abfolge der Briefe einerseits, an den in ihnen abgehandelten Themen andererseits. Deutlich schafft er thematische Blöcke aus Materialien verschiedener Briefe: In 5,1–7,40 dominiert der Themenkreis Sexualität, in 8,1–11,2 der Themenkreis Götzendienst und Götzenopferfleisch, in 11,2–14,40 der Themenkreis Gottesdienst. Die drei apologetischen Texte sind auf Beginn (1, 10–4, 21), Mitte (9, 1–27) und Schluß (15, 1–58) der Briefkomposition geschickt verteilt.

Wir machen uns abschließend die Komposition noch an folgendem Schaubild klar (s. S. 253).

3. Die Zusätze der Redaktion und das neue Gewicht der Briefkomposition

Die Herausgeber der Briefe des Paulus an die Gemeinde in Korinth markierten die Bedeutung, welche sie der Briefkomposition des 1. Korintherbriefes beimaßen, mit dem Zusatz im Präskript (1, 2): „zusammen mit allen, die den Namen unseres Herrn Jesus Christus anrufen an jedem Ort, bei ihnen und bei uns“. Das Dokument ist nun über die Gemeinde in Korinth hinaus an alle Christen gerichtet; die Christen werden mit der aus dem Alten Testament (vgl. Sach 13, 9; Joel 3, 5) abgeleiteten, urchristlichen Formel (vgl. Apg 9, 14.21) bezeichnet: „die den Namen unseres Herrn Jesus Christus anrufen“; damit ist an ihr öffentliches Taufbekenntnis erinnert. Adressaten sind die Christen „an jedem Ort“ geworden, in Europa („bei ihnen“) und in der Asia („bei uns“); und Paulus ist als der Apostel vorgestellt, der die ganze Kirche unterweist.

Sein Wort hat in der Briefkomposition über die Situationsgebundenheit der einzelnen Briefe hinaus nun auch systematisches Gewicht bekommen. Den Lesern ist gleichsam ein Kompendium von Ordnungen für die Lebensform der Kirche angeboten.

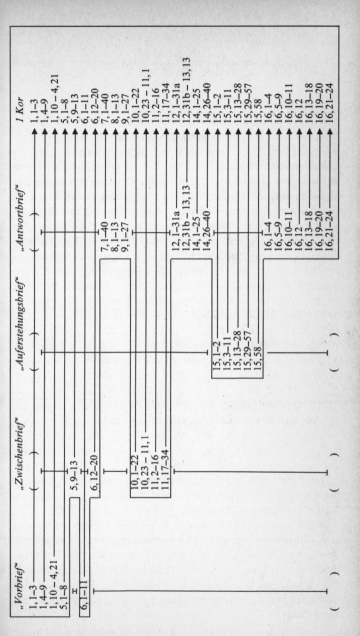

"Vorbrief"	"Zwischenbrief"	"Auferstehungsbrief"	"Antwortbrief"	1 Kor
1, 1–3				1, 1–3
1, 4–9				1, 4–9
1, 10 – 4,21				1, 10 – 4,21
5, 1–8				5, 1–8
	5, 9–13			5, 9–13
6, 1–11				6, 1–11
	6, 12–20			6, 12–20
			7, 1–40	7, 1–40
			8, 1–13	8, 1–13
			9, 1–27	9, 1–27
	10, 1–22			10, 1–22
	10, 23 – 11,1			10, 23 – 11,1
	11, 2–16			11, 2–16
	11, 17–34			11, 17–34
			12, 1–31a	12, 1–31a
			12, 31b – 13,13	12, 31b – 13,13
			14, 1–25	14, 1–25
			14, 26–40	14, 26–40
		15, 1–2		15, 1–2
		15, 3–11		15, 3–11
		15, 13–28		15, 13–28
		15, 29–57		15, 29–57
		15, 58		15, 58
			16, 1–4	16, 1–4
			16, 5–9	16, 5–9
			16, 10–11	16, 10–11
			16, 12	16, 12
			16, 13–18	16, 13–18
			16, 19–20	16, 19–20
			16, 21–24	16, 21–24

IX.
Zum Schluß:
Ausblick auf den zweiten Korintherbrief

Mit der Apologie seines Apostolats (1 Kor 9) im „Antwortbrief" scheint Paulus seine Gegner in Korinth nicht überwunden zu haben. Die Gemeinde in Korinth scheint sich – wie der
2. Korintherbrief erkennen läßt – nicht einmütig hinter den
Apostel gestellt zu haben, dem sie ihre Existenz verdankte, der
sie bald, in einem fünften Brief, so ansprechen wird: „Es ist offensichtlich, daß ihr ein Brief Christi seid, ausgefertigt durch
unseren Dienst, eingeschrieben nicht mit Tinte, sondern durch
den Geist des lebendigen Gottes" (2 Kor 3,3). Paulus hatte
weiter Sorgen um die Gemeinde in Korinth, und sie werden zunächst nicht geringer, sondern sie steigern sich. Das Ringen
um die Lebensform der Kirche mit der Gemeinde in Korinth
bleibt überdies nicht das einzige Ringen mit von ihm gegründeten Gemeinden. Auch aus Galatien erreichten Paulus in der
zweiten Hälfte seiner Mission in Ephesus alarmierende Nachrichten. Und in Ephesus selbst ist Paulus beständig bedrängt:
„der tägliche Andrang zu mir, die Sorge für alle Gemeinden"
(2 Kor 11,28).

Aus dem 2. Korintherbrief geht hervor, daß Paulus sich
nicht mehr mit Briefen, die er nach Korinth sandte, begnügen
konnte, sondern selbst einen kurzen Besuch bei der Gemeinde
machte, bei dem er sich aber mit seiner apostolischen Autorität
nicht durchzusetzen vermochte. So sah er sich erneut gezwungen, nach seiner Rückkehr nach Ephesus, zur Feder zu greifen:
„Ich schrieb euch aus großer Bedrängnis und Herzensnot, unter vielen Tränen, nicht um euch zu betrüben, nein, um euch
meine übergroße Liebe spüren zu lassen" (2 Kor 2,4).

Nach den vier Briefen, die in der Briefkomposition des
1. Korintherbriefs gesammelt wurden, schickte Paulus weitere
Briefe nach Korinth, die in der Briefkomposition des 2. Korintherbriefes aufgehoben sind. Ihre Rekonstruktion erlaubt uns,
die Geschichte der Auseinandersetzung des Paulus mit der
korinthischen Gemeinde im Kampf um sein Apostolat weiter
zu verfolgen.

Das Evangelium
der Urgemeinde

Wiederhergestellt und erläutert von Rudolf Pesch

Band 748, 224 Seiten, 3. Auflage

Pesch hat aus dem ältesten, dem Markusevangelium, noch einmal in akribischer Feinarbeit einen in sich geschlossenen und vollständigen ersten Text von nur 29 Seiten herausgefiltert, der mit hoher Wahrscheinlichkeit als die Gründungsurkunde der Urkirche gelten darf: einen Augenzeugenbericht ohne Gattungsvorbild von ungeheurer Dichte, der nicht später als im Jahre 37 (!) verfaßt worden sein kann. Es ist die drängend erzählte Geschichte vom Hinaufzug dieses Wehrlosen nach Jerusalem, seinen letzten Tagen dort, seiner nächtlichen Verhaftung und rechtmäßigen (!) Verurteilung sowie seiner Passion bis zum Tod auf dem Verbrecherhügel vor den Toren der Stadt. Damit ist dieser Text auch die erste verfaßte Nachricht von dem unerhörten Skandal jener Menschen, die da nun glaubten, daß derselbe Gehenkte das Weiterlebende „Licht der Völker" sei – auf dessen spezifische Hinrichtungsweise seine Gegner in menschenmöglichster Raffinesse doch vor allem nur deshalb gedrungen hatten, weil das Gesetz den Gekreuzigten ausdrücklich (Dtn. 21, 13) als einen von Gott selbst Verfluchten bezeichnete. Es ist das erste wunderbare Lied über die Auferstehung des Ausgelöschten.

Frankfurter Allgemeine Zeitung

Herderbücherei

Rudolf Pesch

Die Entdeckung des ältesten Paulus-Briefes

Paulus – neu gesehen

Band 1167, 128 Seiten

Nachdem Rudolf Pesch in dem aufsehenerregenden Band das „Evangelium der Urgemeinde" rekonstruiert hat, zeigt er hier, daß im 1. Thessalonicherbrief ein noch älterer, der erste uns bekannte Paulusbrief steckt. Ein faszinierendes Beispiel moderner bibelwissenschaftlicher Arbeit.

Paulus und seine Lieblingsgemeinde

Drei Briefe an die Heiligen von Philippi
Paulus – neu gesehen

Band 1208, 128 Seiten

In diesem Band weist der bekannte Exeget nach, daß im Philipperprief drei Sendschreiben zusammengefaßt sind. Neue Einblicke in die Beziehung des Völkerapostels zu seiner Lieblingsgemeinde werden aufgetan.

VORANZEIGE
im Sommer 1987 erscheint:

Paulus kämpft um sein Apostolat

Drei weitere Briefe
an die Gemeinde Gottes in Korinth
Paulus – neu gesehen

Herderbücherei